RUE DES BONS-ENFANTS

Né le 6 octobre 1932 à Marseille, Claude Klotz vit depuis 1938 à Paris, est marié et père de trois enfants. Après des études de philosophie, il fait la guerre d'Algérie puis enseigne dans un collège de banlieue parisienne jusqu'en 1976. Il vit aujourd'hui de sa plume. Il a été critique de cinéma au journal Pilote. *Il publie d'abord des romans policiers,* Darakan, *la série des* Reiner *qui fut adaptée à la télévision avec Louis Velle dans le rôle de Reiner. Passionné de cinéma, il écrit aussi des romans qui sont des pastiches de films d'épouvante ou de films d'action comme* Dracula père et fils *et* Les Fabuleuses Aventures d'Anselme Levasseur. *Dracula, Tarzan, les Trois Mousquetaires y sont mis en scène avec beaucoup d'humour. D'autres romans sont presque autobiographiques comme* Les Mers Adragantes *et* Les Appelés, *sur la guerre d'Algérie. Il connaîtra la célébrité, sous le nom de Patrick Cauvin, avec des best-sellers comme* L'Amour aveugle, Monsieur Papa, Pourquoi pas nous?, E = MC², mon amour, Huit jours en été, C'était le Pérou, Nous allions vers les beaux jours, Dans les bras du vent, Laura Brams, Haute-Pierre *(prix Vogue-Hommes, roman et cinéma),* Povchéri, Werther, ce soir... *et* Belles galères. *La plupart de ces livres ont été portés à l'écran.*

En cet été 1922, le soleil ruisselle sur Marseille. La ville, prospère et joyeuse, se précipite vers les palais hindous de l'Exposition.
C'est là que se rencontrent pour la première fois Pascal et Séraphine; ils ont huit ans.
Les deux gosses grandissent, s'aiment, se détestent, se quittent, se retrouvent... La guerre surgit, brisant l'âge d'or. Collaboration, trafics, résistance, bombardements...
Un monde s'achève, un autre commence, mais il reste au couple le refuge de toujours, la vieille rue au centre de la cité meurtrie : la rue des Bons-Enfants.

PATRICK CAUVIN

Rue des Bons-Enfants

ROMAN

ALBIN MICHEL

A la mémoire de Victoria Cauvin dont l'âme douce doit flâner, les soirs d'été, dans les constellations qui surplombent, entre Montolivet et le Roucas-Blanc, la ville crémeuse où elle naquit, au temps des omnibus à chevaux, des dernières voiles latines et des marchandes de pommes d'amour...

Ce livre est également dédié à Joseph Alexandre Klotz qui m'a appris le football, le cinéma d'Amérique et l'opéra d'Italie...

Qu'après la souffrance, Marseille leur soit rendue, enfin...

1922

Les minots du vire-vire

Mirelle - fille, belle
Pascal - homme

Na Quique -
Marthè
Gaston - père de Pascal

PAR l'échancrure des gouttières et l'avalanche blonde des tuiles des toits, la soie du ciel turquoise cernait le bijou royal : la Vierge d'or enchâssée sur la peau nue de la colline surplombant l'indigo du port.

Marseille — 2 heures de l'après-midi.

— Tu me mets une absinthe et une grenadine pour le petit.

L'Estrasse cligna de l'œil et sortit les verres de sous le comptoir. Il faisait frais dans le bar, ça sentait la sciure et l'anis. Le soleil explosa contre le rideau de perles quand Mireille passa la porte, noire dans le contre-jour, comme une veuve d'Espagne. Pascal la vit s'approcher de son père et lui sourire de sa bouche mouillée. De toutes les filles, Mireille était celle qui avait la bouche la plus écarlate, une écharpe rouge trempée dans l'huile et à peine essorée. Elle portait des mèches tordues de chaque côté des tempes et sur le front, pointues comme les crochets de la boucherie rue Château-Payan, elle appelait ça des guiches... Marthe, Ma Quique et les autres disaient qu'elle les passait au cirage tous les matins.

Pascal ferma les yeux et savoura le picotement sucré-glacé des bulles sur sa langue. Quand il serait grand, il boirait de la grenadine tout le temps, des litres entiers,

9

l'été c'était merveilleux... Il rouvrit les yeux, Mireille était là, accroupie devant lui. Avec elle, il avait toujours peur de devenir rouge parce qu'elle avait une poitrine énorme, comme deux ballons de football, et ce qu'il ferait plus tard, c'est qu'il resterait au lit pendant des années avec une fille pareille, plus jeune quand même et avec les lèvres moins mouillées, sinon il faut s'essuyer tout le temps la figure. Mais la poitrine exactement comme Mireille, et il boirait de la grenadine en même temps qu'ils feraient des galipettes et tout le bataclan, les bisous, les chatouilles et patin-couffin.

— Mon Dieu! qu'il est beau, ton petit, pourquoi tu l'amènes pas plus souvent? Tu es comme avare de ton fils...

Pascal regarda son père qui observait le sucre fondre dans la cuillère.

— Et l'école, tu sais pas qu'il faut qu'il y aille, à l'école?

A l'autre bout du comptoir Marthe frotte une allumette sur le grattoir du cendrier-réclame et allume une Abdullah.

— Tu crois que les enfants c'est fait pour fréquenter les bistrots et s'entendre dire qu'ils sont jolis? Il a raison, Gaston, il y a l'école.

Mireille se redressa, Pascal vit son corsage pailleté trembler d'indignation comme une vague.

— Et tu crois que je le sais pas qu'il y a l'école? Je le sais peut-être mieux que toi et tu sais pourquoi je le sais mieux que toi? Parce que j'y suis pas allée ma belle, et je le regrette.

Ma Quique lissa sa jupe serrée. Un de ses bas noirs filait.

— Je me demande comment tu peux le regretter parce que si tu y es jamais allée, tu peux pas savoir ce que c'est et quelque chose qu'on sait pas

10

ce que c'est, on le regrette pas, ou alors c'est parce qu'on est couillon.

Gaston avala sa première gorgée d'absinthe glacée et ses yeux parurent s'embuer d'une douceur paisible.

— Oh, les petites ça vous ferait rien d'avoir un peu des conversations intelligentes ?

Ma Quique hocha la tête et commanda un mandarin. Depuis dix-sept ans qu'elle accrochait les clients du haut des fenêtres ou du pas des portes, elle ne s'était jamais adressée à eux qu'en les appelant « Ma Quique » et Marseille avait oublié son vrai nom. Ce qui surprenait Pascal c'était sa façon de s'habiller, pas du tout comme les autres à qui on voyait les jambes jusqu'en haut par les fentes et toute la peau des épaules, Ma Quique, elle, avait toujours des blouses noires et fermées comme Mme Espitalier qui faisait le cours élémentaire de la rue Copello et qu'il avait eue l'année dernière comme institutrice. Ma Quique faisait sévère mais plein d'hommes venaient la chercher. Ils n'avaient pas l'air d'avoir peur de se faire gronder.

— Té, voilà le Babi. C'est pour toi, Marthe.

A travers la vitre, Mireille montra le trottoir d'en face. Il se tenait en plein soleil, le feutre blanc, le costume croisé et les chaussures deux couleurs avec des guêtres par-dessus. Il portait la chemise noire, la cravate jaune avec le nœud qui serre et pourtant il faisait chaud.

Marthe s'étira et écrasa sa cigarette dans le cendrier Cinzano.

— Pourquoi tu l'appelles le Babi ? Il est pas plus italien que toi.

La poitrine de Mireille gonfla une nouvelle fois et Pascal replongea dans la grenadine.

— Tu as vu le costume ? Et tu l'as entendu parler ? Il a l'accent et la petite moustache comme un pinceau.

— C'est le genre qu'il se donne, il trouve que ça fait élégant, il est né à Tourcoing.

Mireille sursauta.

— A Tourcoing?

Elle médita un instant et ajouta :

— Il faut être bien couillon.

Marthe lissa sa jupe et se leva.

— On naît où on peut, c'est pas de sa faute...

— Quand même, dit Mireille, à Tourcoing...

L'Estrasse soupira et s'adressa à Gaston :

— Les jeunes sont fadades, elles croient qu'après Miramas c'est le pôle Nord.

Gaston haussa les épaules.

— Bouge-toi un peu, Marthe, il va pas rester planté comme un santon toute la journée.

Elle tapota ses boucles platine et se dirigea vers la porte.

— Risque pas qu'il s'en aille, vaï, il sait que je suis là.

Elle fit bruire le rideau de perles en sortant et Pascal vit, à travers la vitre, les dents du faux Italien briller sous la moustache. Marthe lui prit le bras et ils partirent en ondulant par les escaliers de la rue... C'était drôle qu'elle fasse ce métier, parce qu'elle était timide au fond, cela surprenait toujours Pascal...

— Avec cette chaleur, je pourrais même pas lui faire les honneurs, souffla le patron.

— Même quand il fait froid, ça t'est difficile, remarqua Ma Quique.

Il haussa les épaules. Tous l'appelaient l'Estrasse. Il était tellement maigre qu'aucun vêtement ne lui tenait dessus et depuis vingt-trois ans qu'il tenait le bar de la Tarasque, les clients avaient l'impression qu'ils l'avaient toujours connu avec son sempiternel maillot de corps aussi gras que gris. Les jours de marché, sur la place de Lenche, les commerçants lui disaient l'Estrasse, ou monsieur l'Estrasse pour les moins familiers.

Pour Pascal, le bar était le bar de l'Estrasse plus que celui de la Tarasque.

— On m'a pas demandé?

— Non.

12

Gaston Marocci hocha la tête et posa ses deux pieds sur la chaise d'en face. Pascal adorait regarder son père dans ces moments-là : personne ne savait se reposer comme lui : rien ne pouvait arriver, il suffisait de le voir pour se sentir tranquille, reposé de partout.

— Tu en veux une autre ?

Pascal vérifia le niveau de son verre : il l'avait économisé mais il ne contenait plus que quelques gouttes sanglantes qu'un rayon de soleil incendiait.

— Je veux bien.

L'Estrasse s'approcha pour le servir ; petit, chauve, tout brûlé de l'intérieur, au milieu des filles aux poitrines folles, on ne pouvait que le plaindre. Depuis des années, il cherchait à engraisser, se bourrant de raviolis et de soupes au pistou suivant les saisons.

— Tu grossis pas, remarqua Gaston songeur.

— C'est parce que tu me vois tous les jours, alors tu te rends pas compte, j'ai pris cinq cents grammes dans le mois.

Mireille rit.

— C'est un fifi, notre Estrasse, un fifi d'un sou. Allez, Pascal, viens un peu me raconter l'école, qu'est-ce que tu apprends de beau ?

Souvent elle posait la question, d'ordinaire Gaston intervenait.

— Laisse respirer le petit, Mireille, c'est pas une bazarette comme toi.

Mais cette fois il ne dit rien. Un homme venait d'entrer. Un grand avec le chapeau, la canne, les guêtres et même les gants. Gaston montra la chaise à côté de la sienne.

— Installez-vous, monsieur Panderi, je suis content de vous voir. Tenez, je vous présente mon fils.

Pascal rencontra le regard du nouvel arrivant : il y avait du rire dedans, du rire et de la douceur, peut-être aussi de la folie mais tout juste.

— Bonjour, petit.

— Bonjour, monsieur.

Il faisait plus vieux que Gaston, pas beaucoup plus, plus ridé autour de la bouche mais c'était peut-être parce qu'il avait ri davantage.

— Va voir Mireille, Pascal, commanda Gaston, et sois sage avec les dames.

Panderi rit, passa l'index entre son col celluloïd et son cou et articula avec conviction :

— Monsieur Marocci, on a passé une bonne soirée.

Gaston leva le doigt.

— Il y en aura d'autres, monsieur Panderi, beaucoup d'autres...

Pascal sentit que les deux hommes étaient amis. Cela irradiait, comme une fraîcheur d'ombre dans la fournaise et il pensa que lui aussi, lorsqu'il serait grand, aurait plein d'amis comme M. Panderi avec lequel il s'amuserait durant les soirées chaudes.

— Et où tu habites, Pascal ?

Ça y est, revoilà l'autre curiosité.

— Chez ma Mémé.

— Et où elle habite, ta Mémé ?

— Rue des Bons-Enfants, derrière la Plaine.

Mireille joignit les mains et les bracelets cliquetèrent.

— Je suis sûre que c'est une belle maison !

Ce n'était pas une belle maison, mais il en aimait les matins, quand il aidait la vieille dame à faire glisser le linge sur les cordes presque jusque de l'autre côté de la rue. L'été le ciel était déjà bleu de chaleur, mais en dessous des tuiles de poussière rose la rue faisait comme un ravin profond et froid, coupé par les draps mouillés. Quand il soufflait un peu de mistral, c'était comme un bateau, les voiles se gonflaient entre les façades et, du haut de son fenestron il voyait tout le quartier lever l'ancre : de la rue de Bruys à celle de l'Olivier, de la rue des Minimes à la rue Nau, la ville prenait la mer avec tous ses habitants, avec les murs, les toits, les gens, la boulangerie Berloni et le marchand de chichi fregi et le boulevard Chave avec les platanes et même la baraque du guignol et les chevaux qui le matin traînaient la voiture pour ramasser les bordilles... C'étaient de bons moments... Et puis avec les bruits, c'était tout Marseille qui montait jusqu'à lui, les roues des charrettes des maraîchers, le cri du marchand de brousse et du rempailleur de chaises et, par-dessus tout, très lointaine, la corne d'un bateau, un cargo mixte pour l'Afrique ou Madagascar.

Pour pouvoir poser ses coudes sur le rebord de la fenêtre, il fallait, au début, qu'il monte sur un tabouret mais à présent ce n'était plus la peine : Pascal Marocci avait huit ans depuis le 6 octobre.

Il aimait les matins de l'été et les soirées de l'hiver. Elles se passaient dans la cuisine à se faire rôtir les châtaignes sur la fonte de la cuisinière à charbon. Maria Marocci lui enroulait un châle autour des épaules et ils épluchaient les marrons brûlants en les faisant sauter d'une paume à l'autre, et pendant ce temps la Mémé lui disait la vie.

La sienne d'abord et celle du monde qui lui était rentré dedans sans qu'elle ait eu à bouger : elle avait déchargé sur les trois quais du Lacydon les couffins d'oranges entassés sur les balancelles espagnoles, poussé les charretons de sardines du fort Saint-Nicolas au quai de Rive-Neuve, soulevé les jarres d'huile qu'il fallait chercher jusque dans le ventre des voiliers de Gênes ou de Naples, attelé les chevaux aux fardiers qui transportaient les arbres géants venus de l'Afrique équatoriale... Il y avait une photo d'elle à cette époque, juste au-dessus du lit, elle riait sur le port avec deux autres dames, toutes les trois avaient le chignon haut, le fichu de laine, le tablier sur le caraco, celui de Maria était rayé... Elles étaient debout sur une barque et derrière on voyait un bout du pont transbordeur... Il y avait une marmite qui fumait à l'avant, des sacs vides partout et des filins...

— Et après ?

— Après, j'ai travaillé à faire les sacs de jute à Mazargue et en même temps j'allais laver pour M. Bonoussis qui habitait le Prado... Une villa de riche, ils étaient toujours en train de manger sa femme et lui, des gens très bien, elle, elle avait la dentelle et tout... Un jour, ils m'ont donné du vin cuit mais j'ai vu qu'elle le regrettait, c'était un Sartan cette bonne femme, jamais contente de rien, si ç'avait été que lui, cocagne, je serais restée, mais elle, on lui voyait la méchanceté sur la figure.

— Et après ?

— Après quoi ?

— Raconte encore...

Il savait déjà tout pourtant, le mariage de la belle Maria avec le moustachu de Sartène, le marchand de pommes d'amour qui poussait le charreton de la rue Fortia au bassin de carénage, la naissance de Gaston et la mort du grand-père, à quarante-trois ans, le crâne fracassé dans les escaliers d'Endoume un soir de saoulerie avec deux déserteurs de la Légion. Il y avait sa photo à lui aussi, en soldat devant une toile peinte qui représentait un balcon brumeux plein de vases de fleurs, un costaud, Ange Marocci, le torse bombé sous les brandebourgs, le képi jusqu'aux oreilles et la moustache terrible, on lui voyait que les yeux. Mémé n'en parlait jamais, juste pour dire qu'il était brave mais qu'il avait la tête molle et que le pastis n'avait rien arrangé... A l'enterrement tous les copains de Saint-Jean étaient venus et avaient donné des sous à la veuve. A partir de cet instant, Mémé avait élevé Gaston.

— A quatorze ans, ton père est entré à la savonnerie, il me donnait la paye mais il se faisait une cache-maille le dimanche en servant la limonade dans les ballettis à Mourepiane et Montolivet, et un jour il a quitté la fabrique, il avait dix-sept ans.

— Et alors ?

Mémé avait toujours le même geste... Ça voulait dire que depuis, Gaston était dans des affaires qu'elle voulait pas trop connaître... Depuis, il avait de beaux costumes, le bada et la grosse bague au petit doigt avec le diamant au milieu et elle n'avait plus travaillé. Jamais.

— Qu'est-ce que tu aurais aimé faire, Mémé?

— Exploratrice en Afrique.

Ça faisait toujours rire Pascal, mais la vieille avait des yeux graves en le disant... Peut-être ne savait-elle pas que c'était réservé aux hommes, que les femmes ne pouvaient pas... Pascal en avait un peu de peine. Elle n'avait jamais bougé, le plus loin qu'elle était allée c'était à Sormiou, du temps du vivant de son mari, faire la partie de pêche et la sieste à l'ombre des pins, le ventre plein de rosé de Bandol et de salade de pois chiches. L'envie d'Afrique lui était venue au fond des cales des voiliers, c'était l'odeur qui l'avait ensorcelée : cannelle, vanille et arachide, elle avait avec trois parfums bâti un monde de grandes forêts sucrées et paresseuses... Avec le calendrier des Postes où l'on voyait Savorgnan de Brazza porté par des nègres nus, elle s'était fait une image du Paradis. Du coup, elle avait cessé d'aller à la messe du dimanche à Notre-Dame-du-Mont. Elle avait remplacé le Dieu catholique par l'adoration de l'A.E.F., le pays d'où venaient les choses qui sentaient bon et fort.

— Et tu t'entends bien avec ta mémé?

Les paupières de Pascal battirent dans le soleil.

— Hé bé vouié, té, pardi...

Cela fit rire Mireille... Gaston riait aussi avec Panderi qui avait posé le chapeau sur le marbre de la table ronde au milieu des auréoles laissées par le pied des verres. On était bien chez l'Estrasse... Pascal y venait depuis toujours ; la première fois que son père l'avait emmené, ses pieds n'atteignaient pas le rebord de la banquette de moleskine ; aujourd'hui, ils touchaient presque par terre lorsqu'il s'asseyait juste au bord. C'était le trou d'ombre dans l'été, la fraîcheur humide avec la jolie lumière du dehors, l'explosion de la fournaise qui noyait les murs du vieux quartier, du clocher des Accoules jusqu'à la Major. La lumière commençait à trois mètres après les perles de l'entrée.

En contrebas, sur la droite s'étendait l'enchevêtrement des toits, les dédales du Bousbir, lorsque le vent venait de la mer le bruit des pianos mécaniques montait les collines... Deux mille filles à trois francs s'entassaient dans les ruelles parcourues des manteaux rouges des spahis, des chéchias des tirailleurs d'Afrique et des complets-veston des touristes descendus des bateaux en croisière. Mireille était née là, rue Ventomagy, au-dessus du Cytheria, le coin des travestis. A treize ans, elle avait servi de caissière à un maquereau de la bande de Saint-Mauron qui faisait de l'or tous les soirs en passant des films pornographiques muets sur un drap de lit tendu au fond du couloir. Après avoir ramassé les sous, elle tournait la manivelle du Pathé-Baby 9,5 mm, ce qui lui avait donné l'idée un an plus tard de débuter sur la paillasse d'un placard rue du Figuier-de-Cassis, elle s'était installée un temps au Flamboyant et avait émigré à la Tarasque où l'air était plus pur... Gaston l'avait aidée.

Marthe à seize ans louait sept francs la journée une chambre dont la porte ouvrait sur la rue Bouterie et s'était fait un temps une moyenne de quarante clients par jour, les yeux levés vers le plafond où elle avait punaisé une affiche représentant Douglas Fairbanks dans *Le Pirate noir* pour que la peinture qui s'écaillait ne tombe pas sur la paillasse ou le pot à eau. Un jour elle avait rencontré Gaston. Elle avait tiré une dernière fois le rideau à fleurs qui l'isolait des regards et avait quitté le quartier réservé.

Ma Quique aussi avait abandonné les nervis à casquette et les matelots du bar de la Croix d'Or de la rue de la Lancerie. Lassée de voler leurs képis blancs aux légionnaires pour les attirer dans son galetas imbibé de l'odeur de friture, fatiguée de recevoir les roustes d'un demi-sel de cinquante kilos soudé au comptoir du Régina où il jouait de la guitare pour les nostalgiques de l'Île de Beauté, elle avait fui les nuits encombrées de cris, de rires et d'accordéons, les grappes d'hommes et de filles sur les pas des portes, et avait suivi Gaston qui ne l'avait jamais frappée trop fort.

— On s'en va, Pascal...

Les deux hommes étaient debout, soudain noirs dans leurs costumes gris. Déjà Mireille l'embrassait et Ma Quique lui soufflait, pour rire, la fumée de sa cigarette sur les joues.

— Amuse-toi bien, chichourle, et quand tu vois les nègres, tu fais le détour pour qu'ils te mangent pas.

L'Estrasse lui gratta la tête du bout des doigts.

— Tu regardes bien tout et après tu nous racontes, qué ?

Pascal promit et prit la main de son père. Le soleil lui mordit la peau sur le seuil de la porte et la violence jaune du midi fit monter les larmes à ses yeux.

— J'ai la voiture sur le quai, dit Panderi, c'est pas loin.

— Mon père aussi, il a l'automobile, dit Pascal, une Turcat-Méry.

— Bonne marque ! Une faiblesse dans les montées, mais bonne marque.

Pascal aimait bien Panderi, c'était rare qu'un monsieur parle à un minot de cette façon, comme s'il tenait compte de son avis ; c'était un homme de respect et ça, c'était rare.

— Oh, les pistachiers, montez un peu qu'on s'amuse !

Ils levèrent la tête tous les trois en même temps. A une des hautes fenêtres aux volets de bois entrebâillés, des femmes se penchaient, Pascal remarqua celle du milieu, pour le devant elle était le double de Mireille...

Panderi souleva son chapeau et fit le sourire.

— Un autre jour, ma belle...

Sur le pas des portes de l'étroite rue de l'Amandier, les filles en peignoir semblaient peintes de lumières jaunes.

— Des sultanes, murmura Panderi.

Gaston Marocci serra la main de son fils et d'une pichenette décolla le feutre de son front de deux centimètres.

— Le coin des radasses, c'est pas pour vous, Panderi, c'est la cascapiane garantie.

— Des sultanes quand même.

Le petit se mit à aimer Panderi davantage, il sentait que cet homme appartenait au monde bienheureux de ceux pour qui compte seulement le meilleur côté de la rue et qui forment le clan des grands poétiques, ceux qui hument en souriant l'odeur que dégage la marie-salope lorsqu'elle drague le port parce que ces effluves leur font penser à des choses lointaines et enfouies et qui font partie de la vie autant que le parfum de la daube du dimanche et des œillets du matin chez les marchands de fleurs du cours Saint-Louis.

Ils débouchèrent sur le quai de la Tourette... Sur les flancs de la cathédrale, des dockers en casquette dormaient à l'ombre des tombereaux de pastèques.

— Voilà la voiture.

Les yeux de Gaston s'arrondirent.

— Vé, qu'elle a pas de rayons !

C'était vrai. La Renault était montée sur quatre couvercles de marmite dont les pneus formaient le rebord.

— C'est la nouveauté, dit Panderi, je l'ai achetée avant-hier, c'est le dernier modèle Torpédo.

Pascal admira, Gaston hocha la tête, sentencieux. Il s'accroupit et tâta le métal brûlant de soleil.

— Je suis pas sûr que ça marche, à mon avis c'est un coup pour faire vendre, ça ne durera pas, c'est un attrape-couillon.

Panderi haussa les épaules. Il s'en foutait complètement.

— Si elle marche pas j'en achèterai une autre, allez,
zou, on s'en va.

Pascal monta à l'arrière. Il n'y avait pas de toit et les
coussins sentaient le cuir.

— Enfonce ton béret, Frise-Poulet, dit Gaston, avec
la vitesse tu risques de le retrouver à la Gineste.

— Je peux me le lever ?

— Lève-le-toi mais le perds pas.

Pascal enleva son béret et s'assit dessus. Il détestait
qu'on l'appelle Frise-Poulet, c'était une manie de Gaston, il n'avait jamais osé lui dire que ça l'embêtait.

Panderi donna deux tours de manivelle et le moteur
démarra. Elle avait peut-être de drôles de roues, cette
voiture, mais elle partait plus vite que la guimbarde
paternelle. Panderi vint s'installer au volant et les deux
hommes retirèrent leurs feutres, Gaston lissa ses cheveux gominés et le diamant étincela dans le soleil.

— On passe d'abord à la villa, dit Panderi, j'ai promis
à Fine de l'emmener.

Ça y était, la balade entre hommes était finie, il allait
y avoir une dame, c'était fatal. Avec son père, c'était
toujours comme ça, même quand ils partaient tous les
deux en pique-nique à la Pointe-Rouge ou dans les
collines, il y avait toujours un moment où on entendait
au loin une voix de femme qui appelait. En général
Gaston dormait dans ces moments-là, le col de celluloïd
à côté de lui, la chemise ouverte. Pascal disait :

— Papa, y a une dame qui te crie.

Gaston n'ouvrait même pas les yeux, les mains
croisées sous la nuque il disait :

— C'est une grande avec une ombrelle et des rayures
en long ?

— Voueï.

— Alors tu la laisses venir, elle va pas se rompre le
cul.

La fille descendait dans les rochers blancs comme des blocs de sucre, se cassait un talon dans la caillasse et les racines des pins tordus de mistral et arrivait en sueur. Gaston alors se soulevait galamment sur un coude et glissait une herbe longue entre ses dents.

— Alors, ma belle, tu as fini par trouver ?

L'admiration de Pascal pour son père était sans bornes dans ces moments-là.

Le soir, lorsqu'ils se retrouvaient tous les deux et que son père le raccompagnait chez sa grand-mère dans la Turcat-Méry, Gaston lui demandait :

— Comment tu la trouves, celle-là ?

Pascal lançait un jugement toujours négatif, c'était une sorte de rite.

— Elle marque mal.

Gaston réfléchissait, prenant en considération la condamnation filiale. Pascal renchérissait profitant du silence.

— Et puis la robe jaune, ça lui va pas bien, on dirait un oiseau.

Gaston soupirait philosophiquement.

— Tu as pas tort, mais au moins, comme ça, on la voit de loin.

— C'est mieux de la voir de loin que de près.

Gaston riait en prenant le virage de la Plaine Saint-Michel, dans quelques minutes ils seraient arrivés et le dimanche serait fini.

Et aujourd'hui, ça ne ratait pas, il y avait tout ce qu'il fallait pour être heureux : la grenadine à l'Estrasse, la torpédo sans rayons, Gaston et Panderi, ils auraient pu se faire une journée de bonheur à eux trois et voilà la Gisquette qui se profilait au fond de l'horizon. Ils plissaient les yeux dans le soleil et le vent. A cette heure de l'après-midi, il n'y avait personne dans les rues. La Renault roulait le long des quais longeant les tonneaux débarqués d'un trois-mâts. Entre les deux forts une barque provençale à voiles latines prenait la mer.

Panderi donna un coup de volant pour couper les rails de l'omnibus. Ils passèrent devant le restaurant Basso. A la terrasse, dans l'ombre de la toile, les derniers clients les regardèrent et l'un d'eux agita son chapeau de paille en salut admiratif. Pascal se sentit fier. Ils prirent le quai de Rive-Neuve, les barquettes clapotaient dans le bleu profond de l'eau du port où flottaient les bouchons de liège... Les filets séchaient sur des tréteaux. Ils tournèrent rue du Chantier et la voiture ralentit : l'avenue grimpait le long de la colline blanche.

— On monte à la Vierge ?

— Presque, c'est derrière.

Pascal n'était jamais venu dans ce quartier, des palmes sortaient de hauts murs, on devinait des parcs derrière, des vies calmes, pas comme la rue des Bons-Enfants avec l'entassement, les cris du matin... Là, ça sentait l'herbe, la pinède et le jardin.

— Ça a l'air de marcher même sans rayons, reconnut Gaston.

Ils tournèrent dans une ruelle entre deux murs, il y avait juste la place pour la voiture, les pavés brillaient au soleil avec des éclats de diamant.

— Voilà, dit Panderi, on y est.

Le moteur s'arrêta... Il tira sur le frein à main extérieur. Pascal décolla du siège et retomba.

Le crissement des cigales surgit remplaçant le vacarme des cylindres.

Gaston Marocci s'étira, il sortit son mouchoir pour s'éponger le front.

— Fa caou.

Pascal regarda la grille, on voyait au travers un parc touffu comme une jungle. Il lut la petite plaque sur la porte : *Villa la Taraillette.*

— C'est chez moi, dit Panderi, on prend Fine et on repart.

Pascal descendit : derrière lui par la route en pente, à travers les branches des pins et des platanes géants, il vit la ville en contrebas, elle coulait comme un fromage, de toutes ses tuiles blondes jusqu'au saphir de la mer trouée par les cailloux blancs des îles et il sembla au petit garçon que des morceaux de soleil d'or étaient tombés dans les eaux bleues.

IL faisait frais sous les ombrages, Pascal ne connaissait pas ces arbres aux feuilles larges, il perçut l'odeur sèche des figuiers, c'était un parfum qui séchait l'intérieur du nez comme une éponge râpeuse. Il serra la main de son père.

— Il a l'air riche, ton ami...

Gaston regarda la silhouette de Panderi qui avait pris de l'avance et sortit un fume-cigarette à bague dorée.

— Il est dans les huiles. Il a trois fabriques de trente ouvriers chacune.

— Ça doit lui faire beaucoup de travail.

Gaston lâcha la main de son fils et introduisit une anglaise blonde dans le tube.

— Il s'estransine pas trop, vaï, n'aie pas peur... Il attrape pas la grosse fatigue.

Pascal pila : la villa était devant lui.

— Vé, la statue, elle se regarde dans l'eau.

Il y avait un bassin à margelle de pierre, l'eau était noire dans la pénombre des arbres, l'enfant vit les reflets rouges sous la surface.

— Y a même des poissons !

Gaston fixait la Vénus en connaisseur en envoyant de longues bouffées de fumée bleue.

Pascal prit sa décision : un jour la Taraillette serait à lui, il ferait tout pour ça, il volerait dans les banques, il

travaillerait dans l'huile jusqu'aux coudes mais il habite-
rait cette maison.

— Fine, tu es prête ?

La voix de Panderi résonnait sous les frondaisons…
Ils étaient seuls au monde dans la forêt, la ville avait
disparu, avec le ciel et le soleil. Pascal se pencha pour
mieux voir les poissons rouges.

— On a de la visite, dit Gaston, dis bonjour à la
demoiselle.

L'enfant se redressa et la vit dans une échappée de
lumière.

Elle avait la robe blanche, les bas blancs, les souliers
blancs, un chapeau blanc enfoncé et un gros ruban rose
autour de la taille avec un nœud énorme comme un gros
ventre moiré qui changeait de couleur quand elle
bougeait. Pascal ouvrit la bouche et avala en même
temps, cela fit un bruit de clapet de pompe et il devint
rouge comme devant la poitrine de Mireille.

— Oh ! Frise-Poulet, dis quelque chose que tu me fais
honte…

Pascal essuya ses paumes moites à son pantalon et
tendit la main droite vers la fillette.

— Bonjour, Fine.

— Je m'appelle Séraphine, dit la petite, bonjour,
Frise-Poulet.

Voilà, c'était une merdeuse, une merdeuse qu'il allait
falloir se traîner tout l'après-midi.

— Je m'appelle pas Frise-Poulet, je m'appelle Pascal.

Panderi sortit de l'ombre et se mit à rire.

Elle avait des yeux sombres avec des paillettes
dedans, des dents blanches et pas de poitrine du tout.

— Allez, dit Panderi, on va pas rester là comme des
santons, on la visite, cette exposition ?

Les deux hommes passèrent devant. Pascal remarqua
qu'elle avait des gants blancs comme le reste, des gants
faits avec de la ficelle, on voyait les mains à travers les
mailles comme des sardines à travers un filet.

— Quel âge tu as ?

— Huit ans.

— Moi, dit Séraphine, j'ai huit ans trois mois. Tu as une fiancée ?

Une curieuse, celle-là. Emmerdeuse et curieuse, heureusement qu'il y avait les paillettes et l'émail du sourire parce que sans ça il lui aurait tamponné un taquet sans faire un pli.

— Voueï, j'ai une fiancée.

— Comment elle est ?

Il pensa à Mireille.

— Grande, avec les cheveux très beaux qui font des cornes sur le front et une robe pas comme la tienne.

— Et vous vous faites des bises ?

La grande bouche sanglante et mouillée...

— Tout le temps...

— Eh bé, c'est pas propre.

De quoi elle se mêlait celle-là ?

— C'est peut-être pas propre, mais c'est agréable.

« Pourquoi je n'ose pas lui demander si elle en a un, de fiancé ? »

— Et pourquoi c'est pas propre ?

— Parce que ça donne des maladies.

Ils avaient atteint la grille et la fillette sauta dans la voiture. Panderi et Gaston avaient soulevé le capot et parlaient mécanique. Pascal s'assit à côté d'elle, à l'arrière.

— Si tu as de la chance, tu n'en attraperas peut-être pas.

Pascal soupira : ça, c'était un effort pour être gentille. Il la regarda mieux : elle avait des cils très noirs et longs comme les pinceaux d'aquarelle de l'école.

— Moi, j'ai pas de fiancé parce que je trouve que ça fait dégoûtant.

Pascal eut l'impression que la lumière de l'après-midi montait encore, il aurait pu compter toutes les aiguilles des pins une par une jusqu'au chemin de

Cassis ; il tira son pantalon sur ses genoux et donna dix ans de sa vie pour avoir les mollets plus gros.

— C'est pas une vraie fiancée que j'ai, juste une dame qui m'embrasse de temps en temps.

— Si elle t'embrasse, c'est ta fiancée.

Ce devait pas être facile de la faire changer d'avis, la nistonne, il valait mieux choisir un autre sujet de conversation.

— Tu as pas chaud avec ton chapeau ?

— Je peux pas le lever, il tient avec des épingles de partout et puis c'est pas un chapeau, c'est une charlotte.

Ça lui faisait comme une sorte d'abat-jour mou comme celui de la lampe sur la table de nuit de Mémé.

— Tu l'aimes pas, mon chapeau ?

— Je m'en fous.

— Alors, cocagne.

Le moteur ronflait à nouveau et les deux gosses sentirent la vibration à travers les coussins. Gaston se retourna vers eux.

— Vous êtes déjà fiancés ?

Si lui s'y mettait aussi, alors c'était la fin du monde.

— Risque pas, dit Séraphine.

— Pourquoi, dit Panderi, tu le trouves pas joli ? Il est beau comme un astre !

— Elle est trop vieille pour moi, dit Pascal.

Ils descendirent des sentes étroites, des fleurs rouges dépassant des murs blancs, c'étaient comme des crimes sur un drap, et, par-dessus le ciel, toujours le bleu des anges comme la bassine de Mémé les jours de lessive.

Ils quittèrent le pays des jardins et retrouvèrent la ville. Sur l'avenue du Prado, ils doublèrent des omnibus à chevaux. Place Castellane, des files de tramways transportaient des grappes humaines, on voyait par les fenêtres les cercles blancs des canotiers de paille et les robes à fleurs du dimanche. Panderi klaxonna, dépassant une vieille Paulet à trompe extérieure remplie à ras bord par une famille entière...

28

Sur Michelet, les voitures à moteur et les fiacres stationnaient sur toute la longueur du trottoir le long des rangées de platanes. Ils trouvèrent une place à cinquante mètres de l'entrée. L'air vibrait de chaleur et de la poussière soulevée par les pieds des visiteurs. Une pancarte géante se balançait à l'entrée : *Exposition coloniale — Parc Chanot.*

Pascal tira son père par la manche, il avançait sans prendre la queue des visiteurs pressés devant la caisse.

— Il faut prendre les billets...

Gaston se retourna, levant un sourcil olympien.

— Les billets ? Quels billets ? Panderi, vous vous occupez des enfants...

Contre lui, Séraphine sentait bon. C'était une emmerdeuse mais on pouvait pas lui enlever ça, elle sentait bon. Elle sentait le savon. Mais pas le savon en pavé pour faire la lessive ou enlever les taches d'encre sur les doigts, c'était un savon spécial fait avec des fleurs et peut-être même elle s'était en plus aspergée d'eau de Cologne.

Pascal vit son père s'arrêter à une caisse et frapper à la cloison de bois. On aurait dit une cabine comme pour les baigneurs des Catalans. Le caissier rouge de sueur se pencha.

— Adieu, Bouligue, dit Gaston.

Le visage de Bouligue se fendit.

— Té, Gaston, dit Bouligue, alors, tu viens voir les nègres ?

— Ça fait plaisir aux enfants, dit Gaston, tu peux me mettre quatre tickets ?

Pascal vit le caissier tendre les billets.

— Je te règle chez l'Estrasse, dit Gaston. Si je suis pas là, tu demandes à Mireille.

Dans la foule, un gros en panama grimpa sur la pointe de ses pieds.

— Et pourquoi vous passez devant, vous autres ?

Gaston fit son sourire.

— Parce qu'on est des cas particuliers.

Le gros était gros mais il sembla à Pascal qu'il devenait encore plus gros.

— Et ça vous empêche de faire la queue?

Le sourire de Gaston s'accentua.

— Voueï.

Le gros fixa Gaston dans l'œil et cette fois devint moins gros.

— Allez, dit Bouligue, vous fâchez pas, il y a de la place pour tout le monde.

Ils entrèrent, poussés dans les reins par la foule. C'était toujours comme ça, Gaston Marocci ne faisait jamais la queue nulle part, il avait toujours un ami dans les parages, c'était une sorte de célébrité.

La poussière montait jusqu'aux branches basses des platanes, noyant les troncs écaillés couleur de beurre frais...

— Donnez-vous la main, les petits, dit Panderi. Si vous vous perdez, on vous retrouve plus de toute votre vie.

Pascal sentit la paume de la fillette à travers les gants de filoselle.

— On commence par le temple d'Angkor, dit Panderi, c'est le plus beau. C'est sur la droite, venez.

La sueur coulait dans le cou de Pascal, c'était un coup de Mémé. En plus de la veste, il avait fallu qu'elle lui colle le maillot de corps en flanelle sous la chemise.

Il distingua des statues entre les visiteurs, il fallait se faufiler, il se glissa entraînant Séraphine dans son sillage et s'arrêta net. Huit danseuses, les pieds en équerre, le chapeau pointu et les ongles comme des spaghetti, se tenaient immobiles sur les premières marches d'un temple sculpté jusqu'aux toits.

— Vé : des Chinoises.

L'odeur de savonnette s'intensifia.

— C'est pas des Chinoises.

30

Cette mauvaise foi absolue le stupéfia. Ça alors, c'était un monde !

— C'est pas des Chinoises ? Elles sont jaunes !

— C'est pas des Chinoises quand même.

— Si elles sont jaunes, c'est des Chinoises et, en plus, elles ont les yeux fendus.

— C'est des Cambodgiennes, dit Séraphine, c'est marqué sur le journal de ce matin avec la photo.

On ne discutait pas avec les filles, jamais, c'était un principe et il aurait dû le savoir mais il ne pouvait pas perdre.

— Des Cambodgiennes, mon œil, c'est des Chinoises.

La main de la petite glissa de la sienne.

— Je te dis que c'est des Cambodgiennes.

La colère monta chez le garçon — jaune égale chinois, tout le monde savait ça.

— Si tu étais pas une fille, tu aurais le pastisson.

— Essaye pour voir.

De près il vit mieux les paillettes dans ses yeux, c'était comme des miettes de croissants dorés nageant dans le café crème. Elle était plus jolie que toutes les filles de chez l'Estrasse, même que Ma Quique qui était la mieux.

Panderi fendit la foule, il tenait un cornet de glace à triple boule dans chaque main : vanille-pistache-chocolat.

— Mangez vite, que ça va fondre...

Séraphine mordit dans la crème verte, grimaça sous la morsure du froid et dit :

— Papa, qu'est-ce que c'est, ces danseuses ?

Panderi jeta sur elles un œil distrait :

— Ça ? C'est des Annamites. Allez, dépêchez-vous, on va aller voir Joffre.

Ils le suivirent en léchant leur cornet. Pascal sentit la paix douce et chaude s'installer entre eux. C'était bête de se disputer pour des couillonnades.

— Tu vois que c'étaient pas des Chinoises, dit Séraphine.

La main de Pascal partit seule, d'un coup, un petit animal rapide et indépendant. Séraphine eut le réflexe de lever le bras et le cornet monta vers l'azur. La triple giclée de glace fondue le suivit comme une queue de comète.

La bottine de Séraphine partit en shoot de footballeur et percuta le genou de Pascal qui perdit son béret sous le choc et avec un cri de guerre fonça sur l'adversaire. Ils roulèrent dans la poussière entre les pieds des visiteurs.

— Boudieu ! Mais regardez-les, ces deux jobastres !

Pascal vit l'univers tourbillonner, sentit trois brûlures de claques, en réussit deux et, au moment où il allait égaliser, monta droit au ciel, suspendu par le fond du pantalon, pivota en l'air et se retrouva dans les bras de Gaston. A deux mètres, Panderi maintenait Séraphine échevelée qui tentait de récupérer sa charlotte.

Une dame s'approcha.

— Vé ! il a le sang qui lui coule.

Pascal porta la main à sa joue et Gaston sortit le mouchoir.

— Elle m'a graffigné ! s'exclama le garçon.

— C'est bien fait, dit Séraphine, et je recommencerai.

Panderi gémit.

— Eh bé ! Elle commence bien, l'Exposition coloniale !

— C'est fini, maintenant, dit Gaston. Si vous vous battez encore, on rentre tout de suite et c'est la rouste pour tous les deux.

— Tu ne me bats jamais, hurla Pascal.

— Mon père non plus, il me bat pas, lança Séraphine.

— Toi, hurla Pascal, si je te chope la gargamelle, je t'étrangle. Et puis, en plus, tu sens le savon.

— Écoutez, dit Panderi, si vous n'arrêtez pas, c'est les gendarmes...

32

Les deux hommes se regardèrent, chacun maintenant sa progéniture.

— Tu te tiens tranquille, Frise-Poulet. On tape pas sur une femme, c'est pas beau.

Un sanglot d'indignation sortit de la poitrine du petit, ça alors c'était plus fort que tout, voilà que son père se mettait à mentir à présent !

— Et toi, avec Mireille l'autre jour, tu crois que je t'ai pas vu ?

— C'était par plaisanterie, et…

— On l'a entendue jusqu'à la Belle-de-Mai, ta plaisanterie, et Mireille, elle est restée pendant huit jours sourde comme un toupin.

Gaston rejeta rêveusement son chapeau en arrière.

— C'est drôle, dit-il, les enfants, je crois que je sais pas les élever.

— Regardez, dit Séraphine, il y a un vire-vire là-bas…

Le manège tournait en haut de l'allée, une machinerie énorme rose, verte et bleue avec des chevaux, des cochons et même des tigres qui tournaient en coulissant… Même en plein jour, les ampoules électriques brûlaient, il y en avait partout…

— Ça vous dirait d'y faire un tour ?

Pascal repéra de loin un lion à crinière. S'il pouvait monter là-dessus, il n'aurait pas assez du restant de sa vie pour s'en souvenir.

— Moi je suis d'accord, dit-il.

Séraphine hocha la tête.

— On en fait dix tours, dit-elle, pas plus, parce que après la tête vous tourne et on vomit.

— Va pour dix tours, dit Panderi.

Pascal pensa que si elle lui avait demandé d'aller déplacer la Vierge de la Garde, il serait parti chercher le tournevis.

— On est à la buvette en face, dit Gaston, vous venez nous retrouver quand vous avez fini.

Pascal vit le soleil étinceler dans la bière des bocks, le garçon en long tablier en tenait cinq dans chaque main et zigzaguait entre les chaises pliantes de jardin.

— Allez, viens, dit Fine, après on prendra une limonade.

Ils montèrent les marches du manège et sous le chapiteau la musique résonna. C'était magnifique, une marche militaire comme au 14 juillet. Fine courant devant lui longeait circulairement les cochons, les ânes, les automates, il y avait même un omnibus avec la clochette, on pouvait entrer dedans. Un gosse braillait de terreur installé aux commandes d'un biplan Laté-coère. La main de Fine s'empara de la sienne.

— Viens, on prend le fiacre.

Il eut un regret pour le lion, mais sur le lion il ne sentirait pas l'odeur du savon à fleur.

Ils s'installèrent côte à côte. C'était un équipage à deux chevaux, ils prirent chacun une paire de rênes. Les grelots tintèrent.

— Regarde-les là-bas.

Dans la foule installée aux tables de fer, Gaston et Panderi levaient vers eux leur verre couronné de mousse.

Les gosses se démanchèrent les bras en gestes d'adieux et le manège s'ébranla.

— Ça y est, on tourne !

Ils tournaient et montaient. Jamais plus ils ne s'arrête-raient à présent, ils étaient les étoiles et les planètes et ils seraient heureux toute la vie dans la musique, les calèches, les chevaux, les lions et le grand papillon qui battait des ailes avec une fille dessus, extasiée... Les lumières clignotaient, toutes les couleurs du monde étaient venues soudain, Pascal en voyait les reflets sur les crinières tressées des chevaux de cire, ils descen-daient le long de la tige brillante, s'élevaient encore dans le fracas des notes lancées à la volée, rouge, bleu, vert, jaune... Ils étaient immobiles et la ville virait autour d'eux, les visages s'enfonçaient, disparaissaient, revenaient.

Séraphine fit claquer les rênes et ses dents brillèrent. Elles étaient petites mais si blanches et nettes que Pascal vit dedans tout le manège avec les décorations : des dames romaines qui jetaient des fleurs en guirlandes et jouaient de la flûte. La musique gonfla.

— J'ai perdu mon chapeau, cria-t-elle, et, en plus, tu m'as défait le ruban : regarde.

A la ceinture, la soie moirée pendait. Il approcha ses lèvres de son oreille.

— C'est mieux, dit-il, ça fait plus joli.

Elle le regarda et il retrouva les paillettes d'or, profondes et gaies, une paix merveilleuse et toujours menacée. Cette fille, ou on l'aimait toute la vie, ou il fallait lui mettre tout de suite un coup sur la pigne avant qu'elle ne vous mange les yeux. On ne savait pas. Le mouvement devint plus rapide, ils tournaient, montaient, tournaient, descendaient dans le tumulte des flonflons et l'éclat des ampoules... Pascal ferma les yeux, il décollait, il allait dépasser le plafond de pistache et de vermeil, il s'envolerait avec Fine par-dessus les toits de tuiles tièdes, les jardins aux belles maisons, les tartanes aux voiles couleur de buvard, la maison de Mémé, les ruelles du Panier, le café de l'Estrasse, la poitrine de Mireille et les Chinoises aux poignets tordus.

— C'est vrai, que je sens le savon ?

Pascal secoua les rênes, le manège ralentissait, le monde allait redevenir fixe, ce serait fini, la grande danse ronde et tumultueuse. Ils avaient été tous les deux cette brève minute comme deux étoiles de plein jour. Il se tourna vers elle. Elle lui avait mis des claques, n'avait pas cédé d'un pouce, lui avait gonflé la pipe avec ses Cambodgiennes et un instant l'envie l'effleura de lui répondre que oui, qu'elle sentait le savon, et même avec un mélange d'aïoli en plus.

— Non, c'est pas vrai, tu sens l'eau de Cologne.

— C'est de la lavande, Papa me l'a achetée aux Nouvelles Galeries.

Ils descendirent de la calèche, d'autres enfants couraient autour d'eux et le plancher de bois vibrait sous les semelles. Des mères installaient les plus petits sur les bancs de l'omnibus.

— Si tu veux, dit Séraphine, tu pourrais venir jouer avec moi à la Taraillette.

Pascal sentit l'odeur d'eau du bassin, tout était frais dans l'ombre épaisse. Bientôt les figues seraient mûres et leurs dents crisseraient dans le cœur rouge des fruits.

— Si mon père veut... je veux bien.

— Tu m'appelleras Séraphine, pas Fine, parce que si tu m'appelles Fine, je t'appelle Frise-Poulet.

Dans le contre-jour, ses cheveux moussaient, pendant la bataille les épingles s'étaient défaites, libérant les boucles, elles avaient une couleur un peu comme la commode de la chambre de Mémé quand elle y passait de la cire d'abeille et qu'elle frottait avec un chiffon doux.

Pendant ce temps, Gaston Marocci essuya d'un coup de poignet la mousse qui bordait la ligne inférieure de sa moustache et sortit de sa poche de gilet une montre circulaire ultra-plate à remontoir qu'il avait achetée dix-sept francs au grand horloger de la rue Paradis.

Panderi affalé sur sa chaise apprécia.

— Belle montre !

— C'est une extra-suisse, dit Gaston, le système est breveté, elle ne peut ni retarder ni avancer, elle le voudrait, elle le pourrait pas.

Panderi sourit... Il aimait Gaston, il y avait peu de temps qu'ils se connaissaient mais cela n'avait pas d'importance, ils s'étaient déjà bien amusés tous les deux et ce n'était pas près de finir...

— Et qu'est-ce qu'elle vous dit, votre extra-suisse en ce moment ?

— Elle me dit qu'on a manqué Joffre.

— Tant pis, dit Panderi, les militaires, même quand ils sont maréchaux, ils n'ont jamais grand-chose à dire.

— Vous faites du mauvais esprit, dit Gaston, je vous offre un autre bock.

— En avant pour un autre... Dites, Gaston, vous avez pas peur qu'ils s'assassinent, nos minots ?

Gaston renversa la tête, lissant sa gomina d'une paume précautionneuse. A travers les frondaisons vertes, il vit le ciel d'un bleu indestructible, solide et épais comme un cahier d'écolier. Les rires et les bavardages autour des tables noyaient la musique du manège et le brouhaha de la foule.

— Vous inquiétez pas, s'ils se battent aujourd'hui, demain ils se feront des bises... C'est la loi de la vie ça, regardez le ciel, monsieur Panderi, regardez ces arbres et ce soleil et dites-moi un peu : qu'est-ce que vous voulez qu'il arrive de grave ?

— C'est pour votre petit que je crains parce qu'il a l'air bien brave... Fine aussi, elle est brave, remarquez, mais c'est un tron de l'air, même la sœur me l'a dit à l'institution, elle apprend bien les leçons mais quand elle a une idée elle a la tête dure comme la pierre de l'évier. Je crois que c'est parce qu'il lui manque sa mère. Elle est morte la petite avait quatre ans.

— Moi aussi il lui manque sa mère, dit Gaston, mais elle est pas morte, elle est partie avec un rempailleur de chaises de Château-Gombert. On était pas mariés, remarquez, mais enfin ça fait du tort quand ça vous arrive.

— Et qu'est-ce que vous avez fait ?

Gaston claqua les doigts en direction du garçon.

— Oh, vous savez, c'était surtout une question d'argent... C'est pas qu'elle me gagnait beaucoup, elle était un peu stassi avec le client, elle se remuait jamais, mais enfin je pouvais pas laisser passer... Le rempailleur a payé, et voilà...

Ce n'était pas vrai... Il avait revu la mère de Pascal,

elle lui avait dit être heureuse avec son boumian, seulement ils étaient pauvres, ils faisaient les marchés tous les matins entre la Treille et Carpiane sur les hauts de la ville, lui s'escagassait pour quelques centimes, elle s'était mise à faire des couffins, elle les faisait de travers alors ils ne se vendaient pas. Elle pleurait pour Pascal qu'elle ne voulait pas voir parce qu'elle avait honte, honte d'avoir été pouffiasse et de devenir bohémienne... Et en même temps l'envie de revoir son petit... Gaston était parti en lui laissant cinquante francs... depuis il ne l'avait plus revue, le garçon avait trois ans à l'époque... Il avait appris qu'elle s'était mise à boire un peu après que le rempailleur eut cessé de rempailler, il savait qu'un jour il la reverrait aux fenêtres hautes d'une des maisons noires et étroites entre l'Hôtel-Dieu et la Charité... Elle aurait fait l'aller et retour, pas plus... Il l'avait bien aimée, la mère du petit, certains matins, elle chantait comme un cigalon et il n'avait jamais vu de cheveux plus noirs, noirs à en être bleus. Pascal tenait d'elle de ce côté-là... La seule femme qu'il ait perdue était la seule qui lui ait fait un enfant. Même à Marseille, la vie était mal foutue quelquefois.

A travers la bière des bocks qu'apportait le garçon, ils virent les gosses venir vers eux.

— Alors, les jeunes, on s'amuse ?

Séraphine s'installa en habituée sur les genoux de son père.

— Papa, il pourra venir Pascal, à la Taraillette ?

— Si ça lui fait plaisir, la porte est ouverte.

Les paillettes d'or se multiplièrent instantanément dans les yeux de la petite.

— Alors, il vient demain !

Gaston sourit.

— Vous voyez ce que je vous disais, Panderi, qu'est-ce qui peut arriver de grave ?

— Avec tout ça, dit Panderi, on n'a encore rien vu de l'Exposition...

38

Ils commandaient les limonades pour les enfants lorsque deux hommes en pantalon de golf et casquette à carreaux installèrent une sorte de trépied devant la buvette, vissèrent dessus une boîte carrée à manivelle et commencèrent à la tourner.

— Regarde-le qui fait le café, dit Pascal.

— Il fait pas le café, dit Séraphine, il nous prend en cinéma.

— Il faut toujours que tu dises le contraire des autres pour faire bisquer, dit Pascal.

— Aïe, aïe, aïe, murmura Panderi.

— Li sian maï, fit Gaston... Écoutez les enfants, si c'est encore pour une bastonnade, allez-y une bonne fois pour toutes mais n'oubliez pas que le monsieur vous prend sur la pellicule...

Pascal soupira. Elle disait l'inverse de lui et elle avait toujours raison, ça voulait dire qu'il avait parfois tort : les Chinoises étaient des Cambodgiennes et les moulins à café des boîtes à film mais le monde était doré comme les yeux de Séraphine et rose comme le ruban qui pendait à sa taille.

Devant eux, il y eut un mouvement de foule, les gens couraient, les chapeaux tressautaient sur les têtes.

— Le Corso qui commence, dit Panderi, voilà la fanfare, on va voir Joffre et Lyautey !

Pascal et Séraphine se mirent à courir avec les autres, ils passèrent devant le Grand Palais et celui de la Provence. Sur les marches en faux marbre, des filles en jupette et sandales se dandinaient. Pascal eut envie de dire à sa compagne : « Regarde les baigneuses... »

— C'est des Grecques de l'ancien temps, dit Séraphine.

Il soupira intérieurement... Il l'avait échappé belle : il aurait eu tort encore une fois.

Dans les cris et les vivats, le nuage de poussière s'épaissit, ils étaient arrêtés maintenant.

— Voilà les chevaux, dit Panderi, les hussards.

Pascal sentit les mains de Gaston glisser sous ses aisselles et il s'éleva de nouveau en l'air.

— Ecarte les jambes !

Il se retrouva assis sur les épaules de son père et vit, tout au fond, sur la droite, les lames des sabres luire au soleil. A côté de lui, Séraphine serrait entre ses jambes la nuque de Panderi. Elle lui sourit.

Les trompettes brillèrent et la sonnerie déchira l'air, les drapeaux jaillirent contre les flancs des chevaux. Un hussard passa à moins d'un mètre de lui. Sous la jugulaire d'argent qui maintenait le casque à plumes, les veines du cou étaient gonflées à se rompre et Pascal sut qu'il vivait là un des plus beaux jours de sa vie, qu'il y en aurait d'autres encore bien mieux et que, comme aujourd'hui, Séraphine serait là parce 'sans elle, même avec les plus grandes cavaleries de l'univers et les plus folles musiques, tout serait plat, gris et moche comme les photos d'une ville du Nord dans un livre de géographie.

1925

Maigres enfants
du vieux quartier...

L E matin commençait en fanfare, la rue noire de nuit prenait son coup de lumière sur les toits déjà couleur de peau d'orange. Par la fenêtre, malgré les volets de bois, Pascal regardait le ciel bleuir comme l'œil de Pestadou le jour où il avait pris le coup de poing. Les bruits qui montaient étaient comme les étirements du réveil de la géante... Marseille, la vieille jeune femme, cherchait la bonne position pour vivre un grand jour sur son lit de collines... Vieille parce que les Grecs étaient venus la voir... et les Grecs, c'était l'ancien temps. C'est le maître qui l'avait expliqué. Ils avaient débarqué un jour avec la robe, même pour les hommes, les sandales aux pieds, et les accroche-cœurs sur le front, comme les cagoles de la rue Bouterie. Après, les Romains s'étaient installés avec le soleil sur les cuirasses et leur manie de paver les rues. Et, de fil en aiguille, la ville avait grandi. Peut-être qu'elle grandissait toujours, qu'elle pousserait ses maisons jusqu'aux grandes plaines de cailloux de Provence.

C'était Mémé qui le sortait du lit et surveillait le débarbouillage à la pile de l'évier. Il se frottait les oreilles en lui récitant les leçons. Elle suivait avec le livre parce qu'elle n'était pas bien sûre, et que, pour la table de multiplication, les départements et les os du squelette, elle avait des faiblesses. Les volets grinçaient sur la rouille des gonds et le jour entrait dans la cuisine...

Il dévalait les escaliers, le plumier sautant dans le cartable et courait tout le long de la rue Ferrari, en évitant les seaux de bordilles, le caca des chiens et le torrent du caniveau. Première à gauche et toujours au tournant son pincement au cœur, il abordait le rivage des grandes gronderies et des vastes rigolades : l'école primaire gratuite, laïque et, c'était ça le plus emmerdant, obligatoire.

Le temps était venu où les frondaisons des platanes transformaient la cour de l'école en fosse sous-marine peuplée d'enfants-poissons. Il ne restait sur le coup de trois heures qu'un étroit liséré de soleil, ourlé entre la fin de la dernière file d'arbres et les premières tuiles du toit du préau.

C'était aussi le temps des billes, il avait succédé à celui des osselets qui, lui-même, avait remplacé l'époque des yoyos. Dans l'angle compris entre la fontaine d'eau non potable et les rangées de cagadous aux demi-portes battantes, se réunissait la bande du quartier Chave dans les parfums mêlés et douceâtres des urinoirs et des réglisses mâchonnés le long des récréations.

C'était leur coin : Macari, Pestadou, Pascal, Stoquefiche et le Merlan : cinq tireurs de sonnettes, maigres enfants du vieux quartier...

— Il va savoir que c'est nous, dit Stoquefiche, ça fait pas un pli.

— Et pourquoi il le saurait ? s'entêta le Merlan.

Ils l'avaient surnommé ainsi depuis la maternelle à cause de son crâne plat et de son œil rond d'étonné perpétuel.

— Il sait tout, soupira Pestadou. Quand on a trempé l'éponge du tableau dans la colle forte, il a su tout de suite.

— Pardi qu'il l'a su, fit Pascal, c'était difficile qu'il s'en aperçoive pas, il a mis un quart d'heure pour la lâcher.

Pestadou avait les pavillons d'oreilles perpendiculaires à la tête ; un cou de poulet et, faute d'élastique, des chaussettes en accordéon du 1er octobre au 15 juillet. Il regarda Pascal avec commisération.

— Je veux dire qu'il a su que c'était nous qui l'avions fait, précisa-t-il, nous, la bande de Chave...

— C'était pas difficile à deviner, constata Macari, ça peut pas être les autres, ils sont trop couillons pour ça.

— C'est vrai, dit Pascal. Ça veut dire que si c'est pas nous qui le faisons, c'est personne, et il nous aura fait des tortures toute une année et il s'en va tranquille comme Baptiste... C'est pas de justice.

Pestadou hocha la tête.

— Marocci a raison. On peut pas l'admettre.

Stoquefiche oscilla sur ses talons. Ils étaient assis en rond dans l'ombre froide des arbres géants.

— Moi, dit-il, je le fais pas, parce que d'abord, et d'une, j'habite trop loin et, en plus, il va savoir que c'est moi.

— Et qu'est-ce que ça peut faire que tu habites loin ?

— C'est facile à comprendre, Pascal : comme je peux pas prendre le tramway à la Blancarde avec mon pot de cagade dans le cartable, il faut que j'y aille à pied et pour ça que je parte de chez moi à six heures du matin... ça va faire louche.

— Et pourquoi tu peux pas prendre le tramway avec ton pot de cagade ? demanda le Merlan.

Stoquefiche haussa les épaules, excédé de tant d'incompréhension.

— Parce que ça sent trop bon et que les voyageurs viendront me demander l'adresse du parfumeur.

— D'accord, dit Pestadou, tu habites loin, mais comment tu veux qu'il sache que c'est toi : tu vas pas y mettre ton nom dessus quand même !

— Et pourquoi tu cagues pas ici à la récréation ? dit Macari. Ça supprime le transport ; tu vises bien au milieu du papier et on n'a plus qu'à mettre les rubans autour...

Stoquefiche eut une moue navrée.

— Je peux pas, avoua-t-il, je cague que le matin… Et encore pas tous…

Devant cette particularité nouvelle, les garçons méditèrent. Le plan était difficile à réaliser. Plus qu'on avait pu le croire de prime abord. Voilà quelques mois qu'ils avaient conçu le projet de se venger d'Arthème Soupèle, instituteur à vociférations permanentes, bordelais de surcroît et, surtout, adepte du vire-main balancé à toute volée. Le Merlan qui confondait l'angle droit avec les participes passés et Charles Martel avec le Puy-de-Sancy en avait pris plus que sa part durant toute l'année scolaire, à tel point que Pestadou et Pascal lui avaient conseillé d'en parler à son père.

— Mon père, avait répondu le Merlan, si je lui dis que le maître me tape sur le melon, il va me casser la figue pour faire équilibre.

C'est alors que, dans un bel élan de solidarité, la bande du Boulevard avait décidé une terrible vengeance. Remplacer l'habituel cadeau de fin d'année par un étron énorme et chaleureux. Un de ces cônes superbes et moulés dont le squelettique Stoquefiche avait à la fois le secret et l'exclusivité.

Pestadou qui avait le sens de la logique avait prononcé la sentence :

— C'est celui qui est le plus maigre qui cague le plus, avait-il proclamé. Stoquefiche, c'est toi qui fourniras.

Dans la lueur d'améthyste tombant du feuillage, le long des trottoirs ensoleillés des rues du retour, dans les chuchotements des heures de classe interminables, ils avaient mis au point les détails du complot… Le paquet fait, ils le déposeraient tous ensemble sur le bureau, entre le compas enfariné de craie et la mappemonde bosselée. Pascal avait préparé l'étiquette, qu'ils placeraient bien en évidence en lettres d'imprimerie pour masquer l'écriture :

CADEAU
DE LA PART DES ÉLÈVES DU COURS ÉLÉMENTAIRE
2ᵉ ANNÉE
POUR LEUR MAÎTRE PRÉFÉRÉ
QUI L'A BIEN MÉRITÉ

C'était en ces premiers jours de juillet la grande préoccupation de Pascal Marocci, l'affaire qui l'accaparait au plus haut point. Pour le reste, l'avenir était sans nuages, les vacances étaient là : il allait donc retrouver Séraphine et les jours couleraient, heureux, jusqu'à la fin du monde, c'est-à-dire jusqu'au 1ᵉʳ octobre, le jour de la rentrée...

Ce soir-là, il accompagna Pestadou jusqu'au coin de la rue Château-Payan, ils se battirent un peu auprès de la fontaine pour savoir qui boirait le premier et, comme à son habitude, Pascal grimpa deux par deux les marches de l'escalier sombre qui sentaient l'eau de lessive et le coulis de tomate, surtout sur le palier du premier étage parce que c'était Espérance Brunetti, la fille du marchand de pizzas, qui en préparait toute la sainte journée pour mettre sur la pâte élastique et dorée.

Il sonna et Maria Marocci vint ouvrir. Encombrée dans son tablier provençal, elle contempla son petit-fils un moment, se pencha pour l'embrasser et constata qu'elle avait de moins en moins de chemin à faire pour atteindre sa joue. Cela prouvait que la vie était bien faite : lorsque les grand-mères avaient de plus en plus de mal à se courber, les enfants devenaient grands pour leur faciliter la tâche.

A voir ses yeux, Pascal comprit qu'elle allait lui annoncer une mort. Cela arrivait une fois par semaine au moins : c'étaient des gens du quartier, la plupart du temps, mais ce qui la ravissait le plus c'était le décès des gens célèbres.

— Le Titou Polinelle vient de partir.

Pour elle, d'ailleurs, les gens ne mouraient pas, ils

partaient. On pouvait croire ainsi qu'ils allaient revenir.

Pascal posa son cartable dans l'entrée et s'accroupit pour défaire les lacets de ses brodequins.

— Qui c'était ?

— Un chanteur de l'Alcazar, c'est lui qui faisait le baryton dans les opérettes.

Ce qui épatait Pascal, c'est que tous étaient pour elle des inconnus, mais plus ils étaient célèbres et plus leur disparition la rendait triste. L'année d'avant, un soir d'hiver, lorsqu'il avait ouvert la porte, il l'avait trouvée lugubre.

— Lénine est parti.

Celui-là, c'était un gros. Pascal avait marché sur la pointe des pieds toute la soirée pour respecter le deuil. En finissant la dernière cuiller de pistou, il avait tout de même demandé :

— Pourquoi tu es triste ? Tu dis toujours que les communistes, c'est des bandits, qu'ils coupent tout en deux, même les gens... Et Lénine, c'est le chef des communistes, alors s'il est mort, c'est très bien.

Maria Marocci avait chaussé ses lunettes et assujetti le dé sur la phalange de son index. Après avoir mâché le fil et l'avoir passé à travers le chas de l'aiguille, elle avait laissé tomber :

— Quand quelqu'un meurt, c'est jamais bien, Pascal, rappelle-toi-le : c'est jamais bien et même c'est toujours du malheur, même les criminels...

Trois mois avant, ç'avait été le tour de Sarah Bernhardt... alors là aussi, grande soirée triste.

— Une artiste pareille ! avait-elle murmuré...

— Tu l'as vue jouer Mémé ?

— Jamais.

— Et alors comment tu peux dire qu'elle était une grande artiste ?

— Et c'est parce que je me serais trouvée dans la salle que tu crois que ça aurait changé quelque chose pour elle ? Ne dis pas d'ânerie, Pascal. Même Gaston, à ton âge, il avait plus de bon sens que toi...

Mais le pire, ç'avait été le 20 juillet 1923. Cela faisait près de deux ans et Pascal s'en rappelait encore... en pleines vacances, au plus fort des beaux jours, tout juste si elle avait pas allumé les cierges parce que Pancho Villa lui aussi était parti.

Il avait beau se retourner la cervelle, Pascal n'arrivait pas à comprendre le lien existant entre le révolutionnaire mexicain et la vieille manutentionnaire marseillaise, mais il existait bien car la tristesse durait.

— Qu'il soit parti, celui-là, répéta-t-elle plusieurs fois, ça me retourne toute, j'en ai une estoumagade terrible.

Pascal essaya de lui changer les idées avec le mariage de Max Linder mais il s'aperçut que Maria Marocci était parfaitement insensible au bonheur des grands et ne s'intéressait qu'à leur fin tragique... Quelques jours plus tard Gaston emmena sa mère et son fils voir jouer Harold Lloyd. Ils rirent beaucoup et Pancho Villa disparut à tout jamais de la mémoire de la vieille dame. Il devait être rejoint dans le beau royaume d'oubli par la grande Sarah, le terrible Vladimir Ilitch, Titou Polinelle qui chantait si joliment et, un an plus tard, le 23 août, Rudolf Valentino dont elle ne connaissait même pas le visage mais qui vint grossir la petite troupe des grands morts de Mémé Marocci... Max Linder s'y trouvait déjà comme s'il avait voulu retenir l'attention de la vieille dame, il s'était suicidé deux ans après son mariage.

Et c'est ainsi que commença pour Pascal l'été de 1925, avec la mort d'un chanteur de l'Alcazar et un cadeau spécial pour Arthème Soupèle, instituteur au cours élémentaire 2e année de la rue Coppelo...

1927

Le Noël de la Taraillette

— Ça y est ! tu t'es brûlé, bestiari !

Pascal secoua sa main en sautant sur place.

— Ça me lance dans le doigt !

— Montre-moi que je te mette de l'huile.

— C'est pas la peine, Mémé...

Il la connaissait, elle mettait de l'huile partout, sur les brûlures, sur les doigts meurtris quand il se les prenait dans la porte, sur les cheveux pour qu'ils soient souples, elle lui en faisait même boire quand elle avait l'impression qu'il n'avait pas été depuis longtemps.

— Ça fait combien de temps que tu as pas été ?

— Été où, Mémé ?

— Tu sais très bien ce que je veux dire, ne fais pas ton avantageux et réponds : ça fait combien de jours ?

— Je sais pas, j'ai pas compté.

— Alors viens prendre une cuiller, c'est aussi bon pour la mémoire...

Elle l'avait élevé au respect du travail et à l'huile d'olive... Ça lui passait un peu mais de temps en temps, elle avait des revenez-y.

Il reposa la cafetière sur le couvercle de fonte de la cuisinière. Le tuyau ronflait, la plaque de chauffe prenait une couleur de bronze.

— Tu vas finir par mettre le feu... Fais attention...

La vieille dame montra la fenêtre.

— Si je chauffe pas aujourd'hui, on me retrouve raide.

Elle avait entassé les fichus les uns sur les autres sur ses épaules, et retrouvé les vieilles chaussettes de laine d'autrefois, celles qu'elle enfilait par-dessus les bas de coton quand elle travaillait sur les docks les jours d'hiver ou de grand mistral.

Pascal avala son café au lait d'un trait.

— Bois pas si vite que tu vas attraper la cagagne.

— Tu me donneras de l'huile.

Par la fenêtre, le ciel ressemblait à l'intérieur du faitout dans lequel Maria Marocci faisait la polenta du samedi, pour la visite de Gaston. Une couleur de tôle émaillée, grise comme un vieux sac. En dessous, le blanc des toits et des rues...

— Vé, même sur le rebord des fenêtres il y en a...

Cela durait depuis deux jours, M. Beloni, le boulanger de la rue des Minimes, disait que par endroits il en était tombé plus d'un mètre... Il avait fallu dégager les rails du tramway avec des pelles... Sur la Canebière, les voitures ne roulaient plus, ils l'avaient même annoncé aux informations et on en parlait dans les journaux de Paris.

— Tu t'enrouleras bien le cache-nez, Pascal, parce que si c'est pour attraper un rhume, c'est pas la peine de bouger d'ici.

— J'attraperai pas de rhume.

Maria soupira.

— Cette petite, elle te fera devenir chèvre, sortir dehors par un temps pareil, je vous demande un peu à quoi ça ressemble... Comment ça s'appelle déjà votre jeu ?

— C'est de la luge... C'est comme un petit traîneau, on s'assoit dessus et on glisse jusqu'en bas...

La grand-mère réfléchit quelques secondes et demanda, soupçonneuse :

— Et comment tu t'arrêtes exactement ?

C'était la partie de l'opération sur laquelle les idées de Pascal étaient les plus vagues...

— Je crois qu'il y a un frein.

Elle hocha la tête.

— Tu crois mais tu en es pas sûr ! Très bien, mais si on vous ramène ce soir avec la tête fendue, vous viendrez pas vous plaindre.

Pascal regarda l'horloge de la cuisine. Elle avait déjà un quart d'heure de retard.

— Mais, Mémé, j'ai treize ans quand même et Séraphine...

— Tu as treize ans mais tu es toujours aussi couillon et cette petite, c'est pareil, elle est brave mais c'est une fadade, elle t'entraîne partout dans les dangers et toi, tu suis...

Le coup de la sonnette de rue propulsa Pascal vers la porte.

— La voilà, c'est pas trop tôt.

Il courut dans le couloir et vit un cercle cotonneux tourbillonner au-dessus de la rampe d'escalier. En quatre enjambées elle émergea sur le palier. Entre la fourrure blanche de la toque et celle du col du manteau, le visage était rose de froid.

— Qu'est-ce qui est arrivé ?

— C'est la voiture qui glissait dans les rues, on est allés doucement...

Elle entra et courut embrasser Maria.

— Bonjour, Mémé.

La vieille frissonna.

— Mon Dieu, que tu es glacée ! Rien que de te voir, ça m'estransine.

Pascal enfila son manteau. C'était toujours la même sensation lorsque Séraphine venait rue des Bons-Enfants, elle apportait toujours autre chose avec elle, elle irradiait un monde plus facile, plus spacieux, elle chamboulait tout... La commode cirée, l'armoire à glace de la chambre, avec pourtant les quatre colonnes, la suspension avec les anges en pâte de verre, la grotte de la Sainte-Baume encadrée en doré, toutes les belles choses de l'appartement devenaient un peu maigriottes, un peu ridicule. Il suffisait qu'elle soit là pour ça, avec son rire plein de dents brillantes et ses cheveux qui dansaient...

— Raconte-moi un peu ce que vous allez faire exactement, parce que l'autre fada, il sait pas me dire.

Séraphine lança vers Pascal un œil de malice.

— On va faire de la luge, Mémé.

— Oui, ça, je le sais, mais dis-moi, est-ce que tu en as déjà fait, toi ?

— L'année dernière, en Autriche.

Les yeux de la vieille dame s'arrondirent.

— Tu as été en Autriche ?

— Oui, faire du ski.

Pascal intervint :

— Elle t'a pas montré les photos ? Elle a besoin de deux bâtons pour se retenir, sinon elle glisse jusqu'en bas.

Séraphine le toisa.

— Pôvre petit, va, si tu étais là-dessus, tu ferais pas ton fier...

Mme Marocci beurra une tartine et la tendit à la petite :

— Mange ça.

— J'ai pas faim, Mémé.

— Mange, quand il fait froid il faut manger, sinon on meurt.

Séraphine mordit dans le pain et déglutit avec peine. Maria en profita pour continuer son interrogatoire.

— Et où c'est exactement que vous allez la faire, cette luge ?

Séraphine répondit la bouche pleine.

— Pascal vous l'a pas dit ? On va à la Vierge.

La grand-mère s'assit lentement sur la chaise de

paille et posa ses coudes sur la toile cirée de la table de la cuisine.

— A la Vierge de la Garde ?

Séraphine rit.

— Il y en a pas trente-six.

— Et vous allez monter jusqu'en haut ?

— Pas jusqu'en haut, dit Pascal, même pas la moitié, on descend tout doucement, on s'arrête et voilà... tranquilles.

— Et tu crois que je vais te croire ! s'exclama Maria.

— Bien sûr que tu vas me croire, on est pas jobastres quand même, si on part du haut en glissant, on aurait tellement d'élan qu'on risquerait de passer au-dessus des toits d'Endoume et d'atterrir dans le Vieux-Port. Comme un obus.

Séraphine éclata de rire.

— L'écoutez pas, Mémé, il vous fait marcher.

— Et puis, si je me casse un bras, dit Pascal, terminé pour l'école, ce serait le bon côté.

— Pour ce que tu y fais à l'école, je me demande comment ça pourrait être pire... Allez file et revenez vite que je vais me faire le mauvais sang...

Il embrassa sa grand-mère et ils dévalèrent les escaliers... La Lancia les attendait sur le pas de la porte... Pascal serra la main au chauffeur engoncé dans un tas de fourrures. La rue était vide, blanche et silencieuse... Marseille se taisait, écrasée et stupéfaite par l'agression de toute cette neige impitoyable. Rien ne bougeait. Ils étaient les trois derniers survivants, un peu comme dans un livre de Jules Verne... La voiture démarra, longeant les façades grises.

— Regarde, dit Pascal, il n'y a plus de couleurs, on est comme dans un film, entre le noir et le blanc...

— C'est l'hiver, dit Séraphine. L'hiver, les couleurs s'en vont, comme les oiseaux.

Il ne sentait plus ni son nez ni ses oreilles. Leurs respirations faisaient panache.

— Quand est-ce qu'il achète la limousine, ton père, parce que le cabriolet c'est pas pour te dire mais il y a des saisons où c'est pas le rêve.

Séraphine remonta son col de fourrure jusqu'au nez.

— Ça m'étonnerait qu'il en rachète une de longtemps, dit-elle, il vient de vendre l'usine de Gardanne.

Pascal siffla. Ça, c'était un coup dur.

— Il dit pourtant que tout va bien...

— Il dit toujours que tout va bien. Quand il tendra la sébile devant l'église des Chartreux, il dira que ça peut pas aller mieux.

— C'est pas demain qu'il la tendra, il lui en reste quand même deux autres...

— Les usines, conclut Séraphine, c'est comme de tout, ça file...

En contrebas, au-delà de la masse sombre et des créneaux de Saint-Victor, le port dessinait un rectangle de plomb rayé des mâts noirs des barques blanches... La neige recouvrait les collines, au large s'étendait la mer d'aluminium...

— Peut-être il s'en occupe pas assez, de ses huileries...

Pour ne pas s'en occuper, il ne pouvait pas faire davantage, le père Panderi, entre les filles de l'Estrasse, les stations au Café Riche, les dîners chez Basso et les ballettis du dimanche aux quatre coins des Bouches-du-Rhône, il ne lui restait guère de temps.

— S'il s'en occupait, je crois que ce serait pire... Il a jamais travaillé de sa vie, alors il sait pas comment il faut faire... C'est comme toi pour le ski, si tu montes dessus tu tombes à la renverse ; lui, si tu lui donnes un travail, c'est pareil, il se retrouve les quatre fers en l'air.

— Il pourrait apprendre, dit Pascal. C'est quand même pas sorcier, le travail.

— On arrive, annonça Séraphine. Regarde comme c'est beau.

58

La pente immaculée grimpait jusqu'à la basilique... L'auto peinait, chassant des quatre roues.

— Il faut s'arrêter, dit Pascal, on grimpe à pied avec la luge et on redescend.

— Vé, les skieurs !

Ils étaient trois, deux femmes et un homme en pantalon de golf, ils descendaient en long chasse-neige et leurs cris portés par l'air froid parvinrent jusqu'à eux.

Le chauffeur parvint à extraire la luge de la malle arrière.

— Vous arriverez à la monter ?

Pascal acquiesça et prit la ficelle, la tirant derrière lui. Ses pieds s'enfoncèrent dans la neige dès les premiers pas.

— Je suis tes traces, dit Séraphine, je me mouille moins les souliers.

Ils commencèrent à grimper.

— On dirait le Mont-Blanc, haleta Séraphine.

Pascal ferma les yeux, l'air froid lui serrait le crâne. Il fixa un point très haut... C'est de là qu'ils partiraient, il fallait y arriver... Lorsqu'il y avait un effort à faire, il fallait penser à autre chose, essayer tout du moins, laisser monter des souvenirs...

Cinq ans ! Ils étaient passés à toute allure, comme les Parisiens au château d'If... Et toutes ces années avaient été marquées pour lui par le lien du bonheur. La villa de derrière la colline : la Taraillette.

Tous les après-midi des cinq étés au bord du bassin aux poissons rouges, à se construire des cabanes, à se dire des histoires... Ils s'étaient même fait un théâtre pour deux, sous les branches du figuier... Ils fermaient par un rideau pourpre comme à l'Opéra, c'était une voile de vieille barque qu'elle avait trouvée au grenier et qu'ils avaient peinte en rouge avec la peinture qui empêchait la grille de rouiller... Chaque soir, il revenait rue des Bons-Enfants avec des mains de meurtrier et

Mémé lui passait la pierre ponce en lui prédisant l'échafaud et même pire...

Ils avaient des costumes ; pour faire le prince, il portait la couronne de papier doré que l'on donne le jour des Rois et, pour épée, il prenait une branche de noisetier, avec deux épingles à linge pour simuler la garde.

Ils préparaient tout, ils avaient des décors confectionnés avec des caisses d'oléagineux venus du Sénégal que Panderi avait fait rapporter à la villa sur ordre de sa fille... Ils les avaient entassées, peintes, découpées pour élever des châteaux, des donjons, des cathédrales... Vers trois heures ils levaient le rideau avec une ficelle, c'était peut-être l'instant que préférait Pascal... Avec la couronne, l'épée, une cape de Séraphine sur l'épaule, il voyait le rempart entre la salle et lui disparaître. La salle, c'était le parc aux ombres bleues, la mousse violette sur les troncs, les taillis... Le silence des feuilles denses et le vrombissement des mouches de l'été... leur public... Ils commençaient leur pièce. En général, c'était l'histoire de Saint Louis qu'ils jouaient. Séraphine était la Sultane, elle faisait la belle pour l'empêcher de continuer la Croisade, elle lui apportait des melons, des pastèques, des tartines avec du chocolat râpé, tout leur quatre heures, mais lui résistait, prononçait des phrases définitives et outrageuses.

— C'est pas avec tes rataillons que tu vas m'empêcher de partir à la guerre, pute nègre !

Elle le faisait prisonnier, étant à la fois elle-même et une armée de gardes, et le jetait dans une fosse profonde, mais il était sauvé par une autre dame, arabe aussi mais gentille celle-là, et c'était elle encore... A deux, ils jouaient deux cents rôles, par moments ils ne s'y retrouvaient plus, le ton montait, ils se disputaient, il fallait baisser le rideau. Un jour ils se battirent, elle lui envoya un coup de bâton qui servait pour les trois coups, il la poursuivit et, d'une poussée, la flanqua dans le bassin. Elle en sortit entièrement verte, comme un nénuphar, avec un paquet de vase sur la tête, des lentilles d'eau jusque dans les oreilles...

L'assommant, c'est qu'elle voulait toujours se marier à la fin, tout ça pour s'enrouler dans le voile de batiste de la tante Marie qui se trouvait dans la malle de l'ancienne chambre de Mme Panderi. Ils devaient se promener lentement, faire tout le jardin pas à pas dans les cris des cigales pendant qu'elle envoyait des bisous à tous les buissons ; après, avec componction, ils s'agenouillaient devant le palmier de l'entrée qui représentait l'Evêque et parfois le Pape de Rome et il fallait sourire en plus comme le ravi de la crèche... Heureusement qu'après il fonçait à cheval à la tête de ses forbans, brûlant tout sur son passage, hurlant à gorge déployée... La plupart du temps, la bonne sortait, les yeux hors de la tête. Elle ne s'y faisait pas, la pauvre Zoé :

— Il va me faire devenir courge à crier comme ça, à chaque fois je crois qu'il y a un mort...

Parfois, ils quittaient le parc et entraient dans la vieille maison aux arcades... Pascal avait l'impression qu'il ne connaîtrait jamais toutes les pièces, qu'il en existait d'autres, secrètes, derrière les tentures... Au centre de la cour intérieure, un jet d'eau déréglé crachotait dans la vasque de faïence.

En début d'après-midi, Séraphine et la bonne versaient de pleins seaux d'eau sur le carrelage, la fraîcheur entrait alors dans chaque pièce ouvrant sur le patio... Mais ce qu'il préférait c'était peut-être la terrasse sous l'eucalyptus... L'hiver les feuilles craquaient sous leurs semelles comme du contre-plaqué, c'était l'endroit des chaleurs, leur coin d'Afrique... Elle n'était pas loin l'Afrique, d'ailleurs, en se penchant un peu ils voyaient un triangle de Méditerranée grand comme les mouchoirs que les cow-boys se mettaient devant la bouche pour attaquer les trains du Far-West dans les films du samedi au cinéma du boulevard Chave... Un mouchoir d'un bleu terrible qui donnait mal aux yeux... Eh bien, s'ils traversaient ce triangle, et s'ils filaient tout droit, ils y seraient en Afrique, en plein milieu des nègres cannibales, des missionnaires en casque et barbiche et des généraux à monocle perchés sur des dromadaires...

Les murs des pièces de la Taraillette étaient couverts de clichés. Le grand-père était un maniaque, il avait connu Nadar et photographiait tout ce qui bougeait. Il se prenait d'ailleurs surtout lui-même : à la plage avec le maillot rayé, devant son cabriolet Dampierre et Voutron, parmi les ouvriers devant la première usine — les lettres de l'enseigne brillaient, elles ne devaient pas être encore sèches : « Etablissements Panderi, huiles et produits dérivés »... C'était lui le fondateur, il avait créé l'empire, les fabriques de Gardanne, de Bonsecours et la dernière, la géante, celle de la Cabucelle. Du coup, il en était entré au conseil municipal, avait amoncelé les décorations et était mort comme l'éclair en se payant une belle sieste crapuleuse avec une grande fille du vallon des Auffes qui lui faisait l'aïoli le dimanche et des extras le reste du temps ; elle s'appelait Fernande mais on la surnommait Tafanari, ce qui voulait dire qu'elle possédait des fesses de soleil, des fesses semblables aux fruits gonflés de sucres riches qui poussent dans les pays du paradis.

Bref, le grand-père Panderi s'en était allé d'un grand coup de coronaire et le petit François Panderi était revenu de Paris où il dormait depuis deux ans sur les cahiers du lycée Saint-Louis. Il avait dix-sept ans, se trouvait à la tête d'un royaume. Très vite, avec une force de décision qui surprit les associés de son grand-père, il déclara que, irrévocablement, il consacrerait le reste de sa vie à ne pas en faire une rame. Marié à dix-neuf ans avec Eglantine Nobois, fille d'un papetier de la rue Paradis, ils eurent une fillette tout de suite, Séraphine, et voyagèrent pendant deux ans, laissant dans tous les palaces, agences de voyages et autres transatlantiques des notes hallucinantes. Eglantine qui avait le sens de l'économie en souffrit et préféra mourir de tuberculose, ce qui se faisait beaucoup à l'époque, le jour anniversaire des quatre ans de sa fille. Séraphine confondit d'ailleurs longtemps sa mère avec une poupée, marquise à fanfreluches et falbalas qu'on lui offrit ce jour-là ; elle la considéra durant les deux ans qui suivirent comme un succédané avantageux de la trop effacée et trop peu connue Eglantine.

Pascal découvrait ce monde de richesse, d'honneurs, de mesquineries et regrettait de n'avoir pas d'histoire... Le petit appartement de la rue des Bons-Enfants était presque vide de passé... un sous-verre, quatre photos dans un tiroir, il avait l'impression que les pauvres n'avaient pas de souvenirs ou de si pauvres souvenirs qu'ils ne s'en rappelaient guère... Plus les gens étaient riches, plus la mémoire était vaste... C'était cela que lui apprenaient les murs épais de la Taraillette et c'est cela qu'il achèterait un jour, avec les pierres, les tuiles et les arbres, ce passé qu'il s'offrirait en prime et lorsqu'il en serait le maître tous les souvenirs des Panderi seraient siens et alors, peut-être, il épouserait Séraphine...

— Tu m'étouffes, ne me serre pas au cou...

Il la sentait trembler de peur et de plaisir à travers l'épaisseur des vêtements... Elle passa ses bras autour de sa taille.

— On va se tuer, Pascal...

Le derrière meurtri par le bois de la luge, le garçon bloqua sa respiration. La pente dévalait jusqu'aux toits de la ville, tout en bas. Il se retourna, effleurant la joue de la petite.

Le savon.

Cinq ans qu'elle sentait son savon à fleurs. C'était une odeur pour toute la vie. S'ils se mariaient, il lui dirait de ne pas en changer, jamais.

A la verticale, juste au-dessus d'eux, comme un

surplomb de montagne, la Vierge tenait dans ses bras un Jésus enneigé.

— On peut descendre à pied, dit Séraphine, c'est pas une honte.

Ils étaient sur une sorte de dôme, l'avant de la luge portait dans le vide, il suffisait d'un coup de talon et ils partiraient, en fronde, comme le caillou de David contre Goliath.

— La course de la mort, haleta Pascal, tiens-toi bien.

Il sentit des lèvres contre sa joue. Elle ne l'avait jamais embrassé, même pas dans le jardin de la villa quand ils faisaient les mariés devant l'évêque en tronc de palmier. Ce n'était peut-être pas vraiment un bisou d'ailleurs, simplement elle s'était penchée un peu trop fort et sa bouche à elle s'était rencontrée avec sa joue à lui, ça pouvait arriver, le hasard, comme quand on vous marche sur le pied dans le tramway.

— Zou !

L'estomac décroché, il enfonça le talon dans la neige et lança un coup de reins à se démancher la colonne vertébrale. Instantanément, la ville monta à leur rencontre. Le hurlement continu de Séraphine vrilla le sifflement du vent contre ses oreilles.

— Arrête, Pascal !

— Pas encore...

La terre entière montait vers eux, ils distinguaient de plus en plus les détails. Là-bas, de l'autre côté, Gaston les regardait peut-être par l'échancrure de la rue Tasso.

Pascal ne sentit pas la bosse. Ils la prirent de plein fouet. Il sentit Séraphine décoller du siège et serra les dents. La luge partit en aéroplane sur cinq mètres de distance. Elle oscilla dans l'air, se rétablit, rebondit deux fois et retrouva la pente.

— Le poteau, cria Séraphine... Le poteau électrique !

Il était droit devant et se ruait sur eux. Pascal lança la jambe, redressa, ils se penchèrent comme dans un side-car et passèrent à moins d'un centimètre... La luge bascula à droite, à gauche, se recentra et se retrouva dans l'axe de la plus grande pente. L'accélération fut subite et les porta à quarante à l'heure en une fraction de seconde.

— Arrête! hoqueta Séraphine, je n'ai que treize ans...

Pascal devina sous la neige le toit de la cabane du jardinier. S'il se la prenait, ils voleraient vraiment par-dessus les toits d'Endoume.

— Saute!

— Où?

Elle le serrait tellement fort qu'il ne pouvait plus bouger.

— En l'air...

Moins de vingt mètres.

Il s'arc-bouta sur les jarrets, battit l'air de ses bras.

Dix mètres.

Il se dressa d'un coup, le temps d'un battement de cil ils furent debout sur la luge. Ils sautèrent ensemble, ils étaient encore en plein ciel qu'ils virent le traîneau monter en flèche folle comme un cerf-volant. Ils retombèrent en pleine poudreuse et roulèrent sur vingt mètres avant de s'arrêter enfarinés des pieds à la tête comme les masques du Carnaval.

Séraphine se releva la première et s'approcha du garçon...

— Oh! coquinasse, murmura-t-elle, j'ai jamais eu tant peur.

Elle tremblait un peu et il eut envie de faire comme dans les films d'amour avec Ramón Novarro... Le coup du protecteur, avec le bras qui enveloppe et le beau regard profond qui creuse jusqu'au fond des yeux, mais elle se moquerait, c'était sûr, il la connaissait trop.

Ils se retournèrent et suivirent des yeux la longue trace zigzagante que leur passage avait laissée...

— Boudiou, fit Pascal, on s'est vraiment envolés... Tu te rappelles?

Elle secoua de ses mains gantées la neige qui la recouvrait.

— J'ai pas oublié, dit-elle, c'est pas tellement vieux... j'en suis encore toute fadade.

Ils se regardèrent... Il y aurait cela aussi désormais entre eux, la peur, cette blancheur, le silence, la vitesse et les bras serrés autour de lui. Ce serait leur Noël, un Noël blanc encore plus beau que celui avec la crèche et les santons.

Tout en bas, le chauffeur montait vers eux, silhouette noire encore minuscule sur l'étendue blanche.

— Je crois qu'il a récupéré la luge, dit Pascal, voui, il l'a... Tu veux qu'on en fasse encore une fois ?

Il faisait le faraud à présent que c'était fini, il s'en était bien sorti, il avait pris toutes les initiatives, c'est lui qui avait évité le pylône, donné l'ordre du saut final... Mais c'était bien agréable que ce soit terminé.

— D'accord, dit Séraphine, on recommence !

Une immense lassitude s'empara du garçon. Il regretta de ne pas l'avoir noyée l'été dernier dans le bassin ou transpercée avec le glaive de Saint Louis. S'il refusait de redescendre, elle le traiterait de peureux ou de fille ou de dieu sait quoi, ce n'était jamais les mots qui lui manquaient à la Séraphine, quand elle était lancée. Elle barjaquait pire que les filles du bar de l'Estrasse. Il tenta de prendre l'air joyeux :

— Allez, en avant !

La mort dans l'âme, il redescendit faussement gaillard vers le chauffeur des Panderi afin de récupérer le traîneau. L'homme avait l'œil rond et la goutte au nez.

— Vous allez encore remonter là-dessus ?

Pascal entrevit une lueur d'espoir.

— Il est peut-être trop tard ? Il vaut mieux rentrer, non ?

Le chauffeur regarda le ciel comme s'il voyait une horloge.

— Oh ! vous avez tout le temps... Il doit même pas

être quatre heures, vous pouvez vous amuser tant que vous voulez... Moi, personnellement, je serais pas rassuré là-dessus ; mais vous êtes jeunes...

Pascal pensa qu'on pouvait être jeune et récolter une triple fracture du crâne.

Il remonta vers Séraphine qui piétinait à mi-pente... Quand il parvint jusqu'à elle, il soufflait comme un phoque du pôle Nord...

— Si tu veux, dit-elle, on part de plus haut...

Depuis quelques minutes le ciel se déchirait comme un journal mouillé... A travers les effilochures, un rayon passa comme un faisceau de projecteur, le diamètre grossit et le soleil éclata sur la ville poudrée...

— Regarde, dit Pascal, on est dans un bijou.

Tout brillait autour d'eux. Au cœur d'un écrin de velours, des milliards de perles explosaient dans la lumière blanche... et lorsqu'ils dévalèrent à nouveau la pente ils eurent l'impression un instant qu'ils plongeaient dans l'aveuglant éclat d'un immense et liquide diamant transparent et nacré, à la beauté insupportable.

Dans la lueur des bougeoirs provençaux et des candélabres d'argent, les boiseries de la salle à manger de la Taraillette resplendissaient.

C'était comme à l'église quand les cierges étaient allumés...

— On dira ce qu'on voudra, c'est quand même plus joli que l'électricité.

Panderi sortit de la cuisine, un tablier trempé d'eau de mer autour de la taille, un plat de quatre douzaines de fines de claire entre les mains.

— Vous avez bien raison, madame Marocci, resservez-vous de porto, j'ai monté la bouteille pour vous...

Au dernier échelon de l'escabeau, Pascal se pencha et accrocha l'ange à la trompette au-dessus du toit de la grange où allait naître l'enfant Jésus.

Séraphine éternua. Depuis le coup de la luge, elle se traînait le gros rhume... Lorsque Pascal était arrivé avec sa grand-mère, elle lui avait murmuré : « J'ai la tête dans un carcan, ça m'esquiche de partout », mais il n'était pas question de rester au lit un soir de réveillon, ils avaient installé la crèche sur le bahut et placé les santons pendant une bonne partie de l'après-midi. Panderi était arrivé avec la Lancia pleine : les coquillages, le gigot, et les treize desserts... Depuis, Zoé s'escrimait dans la cuisine et ne laissait entrer personne, sauf le maître de maison.

— Gaston viendra plus tard, avait annoncé Panderi, il a du travail à terminer.

Pascal ne posait jamais de questions. Il savait qu'il y avait eu des histoires chez l'Estrasse, une nouvelle était arrivée qu'on appelait Mayonnaise, Mireille lui avait expliqué pourquoi : elle tournait le robinet du monsieur à toute vitesse comme une fourchette pour faire monter les œufs. Pascal avait ri mais avait été choqué... Avec Mayonnaise, les emmerdements étaient venus, des hommes voulaient la racheter, une équipe de nervis venus d'Aubagne, l'Estrasse avait dû sortir le bâton de derrière le comptoir, il y avait eu une vitre de cassée. Gaston tentait d'arranger l'affaire, on l'avait beaucoup vu ces temps derniers avec deux Sénégalais, grands comme des arbres, qui se louaient à la journée comme gardes du corps et demeuraient le reste du temps dans la carcasse d'un rafiot espagnol échoué dans les vases du bassin de radoub... Pascal connaissait son père : plus il fumait lentement, plus les soucis étaient grands, et depuis quelques semaines, chaque cigarette durait une éternité... la fumée restait droite, figée dans l'air en une colonne de patience grise.

Deux mois auparavant, Panderi avait emmené Gaston jusqu'à l'autre bout de l'univers, tout en haut du cap Canaille, un coin de sauvages bâti de pierres, de vent, de soleil et d'embruns... Face à la mer, il avait fait l'aveu : il aimait Marthe, la petite putarasse de la rue Bouterie, la plus discrète, la plus timide de toutes... Il ne supportait plus qu'elle se fasse des clients au bar de l'Estrasse ou dans les ruelles du quartier chaud... Il ne l'épouserait pas, évidemment, parce que, tout de même, elle avait un passé et lui avait Séraphine et des associés, déjà que les affaires allaient pas fort, si on savait qu'il se mariait avec une créature ça serait la fin de tout, un coup à lui faire vendre encore une usine... Embarrassé, Panderi avait expliqué que, si Gaston était d'accord, bien entendu, son projet ce serait d'installer la petite dans un appartement de la rue Saint-Ferréol, un coin où on ne la connaissait pas... Il lui ferait une petite rente pour vivre et il se partagerait entre elle et la Taraillette... Et puis Séraphine devenait grande ; si elle s'apercevait un jour de quelque chose, elle comprendrait bien, elle était pas bête... Il restait un problème à régler : celui du manque à gagner. C'est vrai que c'était un préjudice pour Gaston, une fille qui s'en va, ça fait jamais de bien au porte-monnaie, alors, lui, Panderi paierait l'amende, rubis sur l'ongle... il n'y avait jamais eu d'histoire entre eux, il ne fallait pas qu'il y en ait. Gaston Marocci avait écouté, regardé la mer et relevé le col de son manteau mastic... C'était la mode cet automne, le pardessus clair, beurre rance, les épaules de déménageur et le feutre cassé comme les voyous des films américains.

— Et Marthe, qu'est-ce qu'elle en dit de tout ça ?...
— Ça lui plairait bien...

Parbleu, ça pouvait lui plaire, elle quittait les matelots, les matelas, les fadas de la braguette, les malades du pantalon, tous les galopins du traversin et elle se trouvait un brave homme, encore jeune, veuf avec les millions... On pouvait tomber plus mal...

— Écoutez Joseph, ça m'embête qu'il y ait de l'argent entre nous, jusqu'à présent on s'était évité ça...

C'était vrai, Gaston lui fournissait les petites, bien sûr il leur reprenait les sous, que lui, Panderi, leur donnait, mais c'était indirect, ça ne comptait pas...

Panderi se sentit ému, Gaston venait de l'appeler Joseph, c'était rare... Pourtant ils ne se quittaient guère tous les deux... Il est vrai que beaucoup de choses avaient rapproché le fils de famille du souteneur... Leur amour commun des femmes et des lieux à femmes, les tournées de pastaga jusqu'au mitan de la nuit, les peaux fatiguées des filles dans les chambres louées au quart d'heure, les escaliers des rues toujours bruyantes et les roustes des marins saouls dans les petits matins de migraine... Et puis les deux enfants s'entendaient bien. Pascal avait passé tous les étés à la Taraillette. Les deux hommes allaient au football presque chaque dimanche, depuis que l'O.M. avait eu la Coupe de France, ils étaient devenus supporters... Ils en parlaient des heures durant.

— Le shoot, c'est pas tout dans le football, il y a le dribble, la vitesse et aussi l'intelligence, et celui qui n'a rien dans la coucourde, eh bé, ce sera jamais un joueur.

Pandéri faisait signe à l'Estrasse de remettre les verres à niveau et sortait les dominos de la boîte.

— Qu'est-ce que vous êtes en train de me dire, Gaston ? Qu'un joueur comme Boyer n'a rien dans la tête ?

— Je dis pas ça, je dis qu'Alcazar joue plus fin, c'est tout...

A l'autre bout du bar, Ma Quique soupirait en direction de Mireille qui se faisait un raccord de mascara.

— Mon Dieu, Nine, ça y est, ils sont partis avec leurs histoires de ballon, on peut chanter *Carmen,* ils s'en apercevraient même pas...

— Alcazar joue fin, mais parfois même il joue tellement fin que c'est trop fin et il s'emmêle tout seul.

Marocci sursautait d'indignation.

— Et la semaine dernière devant le Red Star, quand il a marqué le but, il s'est emmêlé ?

— Justement, c'était sur passe de Boyer qui a repris le centre de Dewaquez.

— Parlons de Dewaquez, dit Gaston, et nous sommes d'accord.

— C'est pas trop tôt, bâillait Mireille, mais ça m'étonnerait que ça dure.

— C'est le plus fin de tous, poursuivait Pandéri, on est bien d'accord là-dessus, il a tout pour lui, le jeu de tête, la feinte, le contrôle, ce qui est malheureux c'est qu'il n'a pas de pied gauche.

Gaston tapait sur la table, prenait l'Estrasse à témoin.

— Pas de pied gauche, Dewaquez! Mais où vous allez le dimanche, Panderi, au water-polo?

— Li sian maï, murmurait Ma Quique... Paye-moi un Picon, Mireille, ils sont partis pour l'après-midi...

— C'est pas un pied gauche qu'il a, Dewaquez, c'est de l'or en barre, vous entendez, Panderi, de l'or en barre...

En fixant le mur du haut du promontoire, Gaston avait revécu toutes ces années, les nuits de fête, les pique-niques dans les collines avec les petits... Il avait même présenté sa mère à Panderi et il avait apprécié la façon mondaine que son ami avait eue de converser avec la vieille dame... Gentillesse et respect, cela avait impressionné Maria, du coup elle avait tricoté un cache-nez pour les dix ans de Séraphine et ils passaient en général le Noël ensemble, à la Taraillette... Joseph Panderi avait décrété que le réveillon devait être réservé à la famille, c'était sacré... Gaston était d'accord, Ma Quique et Marthe avaient la permission de minuit pour aller à l'église de la place des Carmes et Mireille passait le jour du Seigneur avec son fils, derrière Malpassé où les sœurs l'élevaient, des femmes tout en noir avec toujours le bas de la robe pleine de feuilles mortes, les sœurs de Sainte-Rose-de-Lima, elles semblaient sévères mais, avec elles, Mireille était tranquille, elles lui apprendraient les bonnes manières, à son petit, elle ne voulait pas que plus tard il ait l'air d'un caramantran devant le beau monde.

— Écoutez, Joseph, cette histoire m'embête, vous croyez vraiment que Marthe c'est votre bonheur?

Panderi avait sorti de la boîte à gants de la voiture une gourde d'argent toute plate, remplie d'alcool blanc et l'avait tendue à son ami.

— Gaston, nous sommes des hommes de fête, pas de bonheur, je sais pas grand-chose de la vie mais je sais au moins ça : je suis pas fait pour la profondeur ni l'éternité… Marthe me plaît, c'est vrai ; quand je la vois partir avec un autre, ça me fait comme un virement dans l'intérieur, mais si en cette minute vous me dites que c'est pas possible, je le comprendrais. Ce n'est pas la femme de ma vie parce que ma vie n'est pas faite pour une femme.

Gaston avait bu, soupiré, ses yeux toujours un peu plissés sous l'habitude de la cigarette s'étaient emplis de la turquoise de la mer… Un instant il avait soupesé les deux êtres : Marthe, un peu toujours pâlotte, un peu maigrelette, mais rieuse avec les clients et les cheveux qui lui sortaient toujours du chignon pendant qu'elle montait l'escalier, Panderi, l'ami fêtard, cœur sur la main, si brave, si généreux, si faible, si ignare pour les choses du football.

— Prenez-la, Joseph, je vous la donne… De toute manière, il y en a une autre qui doit venir bientôt et quatre, ça m'aurait fait beaucoup.

Voilà, c'était dit, un geste de seigneur…

L'autre, c'était Mayonnaise, la bastarde d'Aubagne avec l'œil de ruse et un pétard à faire damner un capelan. Elle avait travaillé un temps rue de La Reynarde pour un frottadou de champ de foire qui portait un couteau de cuisine aiguisé glissé dans la ceinture de son pantalon. Les cousins de Mayonnaise étaient descendus un soir, le frottadou s'était fait scier trois doigts sur le rebord du trottoir avec son propre couteau… Gaston, qui tenait à garder ses phalanges intactes, négociait avec la famille mais c'étaient des voraces, rien n'était gagné.

Cela faisait des années que Gaston naviguait entre les clans avec ses trois gagneuses. Les pires étaient ceux de Saint-Jean qui tenaient tous les bordels du haut quartier de la rue Caisserie à la place Vivaux. Toutes les filles étaient à eux. Ceux de Saint-Mauron se partageaient le reste. Les combats étaient incessants entre les deux bandes. La semaine précédente on avait relevé sept cadavres rue des Trois-Soleils. Trois ans auparavant, Gaston avait rencontré Antoine La Rocca, le caïd de Saint-Jean, et avait obtenu la paix après une discussion de trois heures dans l'arrière-salle du Chicago House. Ils avaient bu quatorze pastis et écouté une quarantaine de fois Rina Ketty au gramophone. Il avait pu conclure également un accord avec les frères Russo et Lemone dont on disait qu'il avait toujours trois revolvers sur lui et portait le pardessus même en plein été. A partir de cet instant, la cote de Gaston avait monté, on disait de lui qu'il était diplomate ; rester indépendant dans la guerre des gangs n'était pas une petite affaire, il y fallait du doigté et de la patience, tout, à chaque instant, pouvait être remis en question. L'arrivée de la nouvelle pouvait renverser le périlleux échafaudage. Depuis quelques semaines, les fusillades avaient repris, le 13 décembre encore, les Saint-Mauron avaient fait un carnage rue de la Loge. Quatre bars visités à coups de fusil, deux morts dont le patron du Céline-Bar, un ami de Spirito dont on savait qu'il ne pardonnait jamais. Cela sentait le roussi. Et puis Noël était venu, une halte pour les deux hommes, une soirée de repos entre les huîtres, le gigot, les treize desserts et la douceur qui venait des vieux murs. Les lumières des bougies se refléteraient dans les yeux sombres des enfants, de ceux délavés de Maria Marocci et la paix descendrait en eux pour un moment, la nuit et les étoiles recouvriraient la ville, tout deviendrait calme et serein, une nuit de lumière, de coton et de bien-être...

— Pascal, voilà ton père...

En suspendant les guirlandes aux rideaux, Séraphine avait aperçu la silhouette de Gaston dans la ruelle.

Pascal courut à travers le jardin jusqu'à la grille.

— Adieu, Frise-Poulet.

— Tu sens le froid.

Gaston reposa son fils à terre. A treize ans, le petit devenait lourd. Il faudrait qu'il perde l'habitude de le soulever... Ça faisait gâté, mais c'est vrai qu'il le voyait moins que les pères ordinaires. Pascal aimait embrasser son père parce qu'il était toujours rasé impeccable. L'été, quand la barbe poussait très vite, il allait jusqu'à deux fois par jour chez Barassol, le coiffeur qui faisait le coin de la place des Moulins.

— Pandari a ouvert les huîtres ?

— Voueï, et moi j'ai fait là crèche avec Séraphine.

— Et Mémé ?

— Elle boit le porto.

Gaston rit. Avant qu'ils ne franchissent la porte d'entrée de la Taraillette, Pascal demanda :

— Et tes affaires, ça va mieux ?

Le rire s'accentua et le diamant du petit doigt de Marocci brilla au milieu des cheveux de l'enfant dont Gaston avait perçu l'inquiétude.

— T'inquiète pas, vaï, c'est réglé, complètement.

Pascal se sentit mieux. A la place de Marthe, ce serait Mayonnaise et voilà ; quand une part, on en prend une autre et tout va bien comme ça, c'est la loi de la vie.

Séraphine sauta au cou de Gaston.

— Vé, comme il est beau, il a mis l'épingle de cravate !

— C'est Noël, mais toi aussi, dis donc, tu as la belle robe... tu fais demoiselle à présent !

Séraphine remua ses boucles.

— Pas encore, mais bientôt tu vas voir, j'aurai les talons, le maquillage et tout le bataclan...

Gaston embrassa sa mère.

— Bonsoir, madame Marocci.

— Bonsoir, Bicou...

Pascal aimait voir ensemble la mère et le fils, ils se respectaient... jamais il ne les avait entendus se dire de grandes choses, sans doute parce que les grandes choses ne se disent pas et qu'il y avait de la pudeur avant tout, autant chez l'ouvrière d'autrefois que chez le proxénète d'aujourd'hui...

Panderi jaillit comme un diable à ressort avec des coupes de cristal dont les pieds étaient glissés entre ses doigts.

— Té, Gaston! je parie que vous avez oublié le champagne!

Gaston sortit une bouteille de chaque poche latérale de son manteau.

— Et ça, c'est du pissadou?

Pascal se sentit nager dans une eau douce et claire. Il était environné de bonheur : il y avait des temps forts par instants. Les étés dans le parc de la villa, sur la terrasse d'où l'on voyait l'Afrique... Les grenadines sur les guéridons de marbre du bar de l'Estrasse où son père était roi, les soirs d'hiver quand il épluchait les marrons avec sa grand-mère dans la vieille cuisine... Il y en avait plein d'autres, de bons moments : les jours où Mémé faisait les oreillettes, les sorties hurlantes dans la cour de récréation, la cour aux platanes où il jouait aux billes avec Frondelet, Macari, Pestadou et les copains de la rue Saint-Savournin. Le cinéma de la Canebière où il allait voir Charlot quand Gaston lui donnait les sous... Et puis, il fallait bien se le dire, il y avait Séraphine au-dessus de tout le lot, comme l'étoile du berger au-dessus des rois mages... Elle était emmerdante toujours, discuteuse et elle avait de plus en plus raison... Dans son école pour gens chics, elle apprenait bien plus de choses que lui, dans sa laïque, gratuite et obligatoire... Lui savait les participes passés et encore pas très bien, et puis Marignan, le mont Gerbier-de-Jonc, le mètre étalon à Sèvres, toutes les tables de multiplication par cœur et les départements presque sans faute, mais Séraphine c'était cent fois pire que lui, elle lisait, alors forcément elle savait plus de choses... Et puis il faut dire qu'à la Taraillette il y avait une pièce entière avec uniquement des livres, et reliés en plus, tout autour des murs, elle pouvait choisir, tandis qu'à la rue des Bons-Enfants il n'y avait rien, Mémé n'aimait pas trop lire, elle regardait les gros titres du *Petit Provençal*, en passant, quand elle faisait le marché, au kiosque à l'angle de la Plaine, ça lui suffisait pour savoir où le monde allait... Son plaisir à elle, c'était l'opéra, ça, elle avait toujours aimé... Gaston lui avait offert un poste avec les écouteurs, ça marchait à galène, il fallait piquer l'aiguille sur un morceau de charbon tout brillant et on entendait le ténor jusque dans le fond de sa tête... Elle ne chantait pas, mais elle connaissait les airs, *La Tosca, La Bohème, Rigoletto*... Le dimanche matin, par les fenêtres ouvertes, les hommes chantaient en se rasant... En face, au même étage, de l'autre côté de la rue, le père Espérard poussait le « lamento ». C'était la même comédie à chaque fois. A la note de la fin, Mémé annonçait : « Il l'a pris trop haut, il va caguer... »

Espérard caguait et Maria Marocci se penchait sur la rue, par-dessus la barre d'appui.

— Moins haut, Antoine ! Prends-le moins haut, sinon tu cagues.

Antoine Espérard surgissait, la mousse à raser jusqu'aux oreilles, comme si on lui avait lancé un gâteau plein de chantilly comme dans un Laurel et Hardy.

— Je peux pas prendre bas, Maria, je suis ténor, ténor léger, comme Villabella...

— Alors, tu cagueras toujours !

A l'étage en dessous, Mme Bastini, marchande de fruits et légumes sur le marché de la rue des Feuillants, posait les coudes sur le rebord de sa fenêtre entre les cageots de poivrons et de courgettes.

— Allez, monsieur Espérard, chantez-nous-la encore, ne nous faites pas languir...

Antoine Espérard toussotait et repartait vaillamment à l'assaut...

— Cette fois, prévenait Mémé, c'est la catastrophe... Il l'a pris encore plus haut que d'habitude. « Et je n'ai jamé-é-é-é- tant aimé-ééé... »

La voix dérapait d'un coup, partait en sifflet de

locomotive, déraillait dans le contre-ut, mourait en chuintement époumoné...

Pascal sentait la rue rire tout entière, cela montait du pavé, entre Notre-Dame-du-Mont et la Conception.

Ravie, la mère Bastini relançait la machine.

— Encore une fois, monsieur Espérard, vous y étiez presque, c'est parce que vous vous entraînez pas assez...

— Je suis trop léger, expliquait Espérard, c'est pas le coffre qui me manque, mais je suis trop léger...

— Cette Bastini, murmurait Mémé, elle est sans pitié, tu vas voir qu'elle va encore arriver à le décider...

Elle n'avait pas achevé sa phrase que la voix de fausset s'élevait à nouveau à travers la rue, montait jusqu'aux tuiles des toits, Mémé s'essuyait des larmes de rire.

— Mon Dieu ! peuchère... Ferme la fenêtre, Pascal, je ne veux pas entendre ça.

— Oh non, s'il te plaît, Mémé, encore une fois, juste une...

Cette fois, c'était le massacre. Exorbité, dressé sur la pointe des orteils, Espérard s'arrachait les tripes, tout finissait en épouvante, sur un terrible cri d'égorgé... Toutes les fenêtres s'étaient garnies, les applaudissements crépitaient.

— Allez, Espérard, la même, tu vas voir que, cette fois, tu y arrives... Encore un petit effort...

Cela faisait dix ans que cela durait, Mémé avait compté, Espérard s'était installé juste avant la fin de la guerre, en 1917... dix ans de *Tosca* dominicale, cela avait été pour Pascal la seule éducation musicale... Séraphine apprenait le piano, elle n'aimait guère mais enfin elle jouait des airs... Ce qu'elle aurait voulu c'était la trompette, quelque chose d'un peu guerrier qui fasse du bruit mais, pour les filles, ça ne se faisait pas.

— En ce moment on travaille Gluck, on a fini Schubert, c'est pas trop tôt. Mais c'est Chopin que je préfère. Tu connais Chopin ?

— Non, mais je connais *La Tosca,* il y a une belle chanson à la fin, seulement si tu la prends trop haut, tu risques de caguer...

Panderi avala l'eau de mer citronnée qui garnissait le fond de la coquille et émit un claquement de langue.

— Les petits, tant que vous ne serez pas capables d'apprécier les huîtres, vous ne serez pas devenus grands...

Pascal eut un coup d'œil vers Séraphine qui piochait dans son vol-au-vent.

— J'aime bien les oursins, dit-il, c'est presque pareil que les huîtres.

— C'est pas pareil, c'est l'inverse, dit Séraphine, il y en a un qui pique, l'autre qui pique pas ; l'un qui est salé et l'autre qui est sucré. A part ça, c'est la même chose !

Pascal lança la jambe sous la table, mais ne rencontra que le vide.

— Tu as voulu me donner un coup de pied, dit-elle, j'ai senti le vent...

— Si un jour vous vous mariez, dit Maria Marocci, je vous conseille de mettre votre vaisselle sous clef.

Pascal se rétracta. Il n'aimait pas que l'on parle de ça. Il avait fait un rêve il n'y avait pas très longtemps, à peine un rêve d'ailleurs puisqu'il avait rêvé qu'il était dans son lit et, comme il se trouvait vraiment dans son lit, ça ne pouvait pas être un rêve complet, mais un rêve quand même puisque Séraphine s'y trouvait avec lui, il avait senti la peau nue de ses bras et leurs jambes étaient emmêlées comme la fois où ils s'étaient baignés aux Catalans et qu'elle avait eu peur d'un crabe. Il avait, toujours dans son rêve, vu les yeux de Séraphine se fermer et un plaisir lui était venu, douloureux, aigrelet, inoubliable, cela faisait partie des choses qui se déroulaient en dessous les couvertures... Un univers de merveilles terribles, jubilantes et cachées qui serait le leur, à tous les deux.

— Allez, goûtez ça, que vous connaissiez un peu ce que c'est que le bon vin...

Pascal vit Séraphine faire la grimace... Le liquide pétillant dans son verre, de l'or liquide, la couleur de la fête... Mais il ne fallait pas trop en boire, cela rendait malade d'abord, fou ensuite.

Zoé apportait le gigot piqué d'ail... Tout autour, les pommes de terre crépitaient dans le jus bouillant... Pascal recula, tirant sur son ventre la serviette empesée brodée du « P » des Panderi.

— Madame Marocci, cette année vous nous chantez quelque chose, vous l'avez promis la dernière fois.

— Chante *La Tosca,* Mémé, suggéra Pascal, comme Espérard. Et Séraphine pourrait jouer du piano.

Elle tendit le poing vers lui à travers la table.

— Bonne idée, approuva Gaston, personnellement ça me ferait plaisir...

— Allez, te fais pas prier, Fine, dit Panderi tendrement, c'est Noël aujourd'hui.

Pascal sentit les bulles de champagne crever contre ses joues, les lumières des bougies dansaient et la robe de Séraphine était en velours d'un vert épais comme les bouteilles de vin quand elles sont vides, avec aux manches et au col une dentelle blanche mousseuse comme un savon à barbe. Quand il reposa le verre sur la table, Zoé entra dans la pièce.

— Monsieur Marocci, c'est pour vous, il y a un monsieur qui vous demande.

Gaston avait commencé à découper le gigot, il acheva la tranche commencée et déposa sur la nappe le couteau à manche d'argent en prenant soin de ne pas faire couler le jus.

— Comment il s'appelle ?

— Il n'a pas dit, il vient de la part de l'Estrasse. C'est pressé, paraît-il.

Cela arrivait quelquefois, rarement cependant, un ou deux soirs où Gaston mangeait avec sa mère et son fils il avait dû quitter la table... Mireille avait le chic pour tomber sur des violents. L'hiver dernier, elle s'était fait faire le sac à main et le type l'avait laissée assommée dans la chambre, deux canines brisées au ras de la gencive et un œil comme un feu d'artifice pendant quinze jours. Elle attirait les arsouilles. Le plus souvent, c'était un client qui demandait un rabais, le ton montait, le client se faisait traiter de rascous, balançait une gifle, la fille allait aux cris, tout le quartier se retrouvait sur le palier de la chambre, il fallait intervenir parce qu'il y en avait de furieuses dans les ruelles, des costaudes qui se battaient avec les marins et qui étaient loin d'avoir le dessous... Au 14 de la rue de l'Amandier, deux d'entre elles approchaient pas loin des cent kilos et elles avaient le pastisson facile. La plus mince des deux avait assommé un gendarme entraîneur de l'équipe d'haltérophiles de la brigade. Il fallait intervenir vite, arracher le malheureux des mains des enragées, trop content de s'en sortir en allongeant le montant de la somme fixée, plus la petite prime pour le dérangement.

Gaston soupira et enfila sa veste qu'il avait suspendue au dossier de la chaise.

— Je vais voir, dit-il, s'il faut vraiment que j'y aille. Je fais juste l'aller et retour, vous m'attendez pour le dessert.

Il cligna de l'œil vers Pascal, lissa sa moustache de l'ongle du pouce et sortit dans le couloir.

— Gaston Marocci?

— C'est moi.

Gaston voyait mal le nouveau venu. Il devina simplement une silhouette frêle. Le visiteur était nu-tête, il ne lui sembla pas l'avoir déjà vu. L'homme lui tendit son chapeau.

— Joyeux Noël! dit-il.

Gaston vit le chapeau tomber et l'explosion lui fracassa le tympan. L'odeur de poudre balaya ses narines. Le deuxième coup percuta dans le premier et le troisième dans le second. Il glissa sur le tapis qui recouvrait les mallons et sentit fondre sur lui une redoutable paresse dont il ne reviendrait pas. L'homme remit le minuscule automatique dans sa poche, il était si petit qu'il parut impensable à Marocci que la mort puisse venir de lui. Le visiteur ramassa son chapeau troué et sortit au ralenti, laissant la porte ouverte sur le jardin. L'odeur des pins entra, froide et amère.

Le souteneur s'évanouit un quart de seconde. Lorsqu'il refit surface Joseph Panderi maintenait le buste de son ami contre son genou. D'un coup de menton, Gaston montra le sang qui maculait sa chemise.

— Attention à ton costume, tu vas t'en empèguer partout...

Il le tutoyait pour la première fois. Panderi enregistra deux choses en même temps : Pascal immobile en contre-jour, cerné par la lumière des bougies et la mort qui s'installait en douceur dans les yeux de son ami.

— Ne bouge pas, petit !

Pascal s'immobilisa. Derrière lui, assise toute droite, les poignets posés de part et d'autre de son assiette, Maria Marocci venait de fermer les yeux. Il était inutile de voir ce qu'elle savait déjà. Autrefois, sur le bassin de la Grande Joliette, dans le ventre d'un brick-goélette majorquin, l'une de ses amies lui avait dit une phrase qu'elle n'avait jamais oubliée : « Ton Gaston, Maria, il est trop joli et quand on est trop joli, ça peut finir mal. » Ça finissait mal. C'était le destin.

— L'Estrasse a des sous à moi... prends-les pour Pascal et pour ma mère...

Panderi sentit la secousse qui souleva le blessé. Il eut l'impression que son cœur venait de s'ouvrir... Ses vannes lâchèrent et les larmes voilèrent le monde.

— Ne t'inquiète pas, je m'occuperai du petit, comme de Séraphine, de ta mère aussi.

Gaston leva la main gauche et approcha la bague du visage de son ami. Le diamant brilla.

— Tu la donneras à mon fils, plus tard, lorsqu'il aura vingt ans... tu lui diras que si la pierre est transparente, c'est parce qu'elle est faite de l'amour des femmes. Adieu, Bicou.

Il se recula et contempla, désolé, le revers sanglant de la veste de son ami.

— Tu vois, c'est ce que j'avais dit : tu t'en es empègué partout.

La tête de Marocci heurta doucement la cloison. Il était mort.

Un sanglot souleva la poitrine de Panderi. Dans moins d'une heure, ce serait Noël.

Quatre jours après, la police marseillaise retrouvait le meurtrier de Gaston Marocci. Le plus étonnant de tout, c'est que l'assassinat n'avait rien eu à voir avec la belle Mayonnaise, le tueur semblait avoir voulu assouvir une vieille rancune, une histoire de fille volée dans un bordel du Sud algérien, du temps des bataillons d'Afrique et où, après enquête, le beau Gaston n'était impliqué que de très loin... Un malentendu...

L'année 1927 n'avait plus que deux jours à vivre lorsque Pascal mena son père jusqu'au caveau de famille du cimetière Saint-Pierre. L'endroit ne se trouvait pas loin de la maison, il n'y avait que la rue à descendre. Il faisait très beau ce matin-là, la neige des jours précédents avait complètement fondu. Le mistral de la nuit avait lavé le ciel d'un grand coup de tempête et Pascal sentit sur son visage le soleil de l'hiver, lointain mais bienfaisant. Derrière le catafalque, il marchait entre Panderi et Séraphine en noir pour la première fois ; il la trouva jolie, même avec les yeux rouges. Mémé avait été trop malade et le docteur ayant fait la piqûre lui avait interdit de sortir. Après venaient les filles du bar, et des hommes en feutre cassé que Pascal ne connaissait pas, c'étaient eux sans doute que Gaston désignait lorsqu'il annonçait : « Ce soir je sors avec des " amis ". » Les amis étaient venus. Carbone était là. On se le montrait de loin.

Les pas des chevaux frappaient contre les pavés et les roues du corbillard oscillaient, secouant les larmes d'argent, le plumet de deuil et les couronnes de fausses perles et de vraies fleurs. A un croisement, une rose tomba. Pascal la ramassa et décida de la garder toujours, séchée dans les pages d'un livre... Il avait eu un père de soleil, de grenadine, de cigarettes et de jolies femmes, un père de clarté et de mer bleue... Il aurait maintenant un papa de pétales fanés, un papa de fleur morte, fin et transparent comme une aile d'ange dans un vitrail de plein soleil... Il allait entrer dans l'année de ses quatorze ans... Il allait falloir devenir grand à présent et pour cela il serait seul.

Derrière lui, Ma Quique et Mireille ruisselaient comme les rigoles des toits du Panier lorsque les orages d'avril crevaient sur la vieille ville...

Au cimetière, Pascal discerna entre deux troncs de pin la silhouette filiforme de l'Estrasse et elle fit surgir l'odeur de sciure mouillée, d'anis et de tabac blond... C'était déjà l'odeur d'autrefois, l'odeur qui ne reviendrait plus... A côté de lui, Marthe serra le bras de Panderi, livide.

Les cordes se tendirent et le cercueil glissa dans le caveau... La cigarette lentement fumée, l'infinie tranquillité du sourire, le diamant du petit doigt dans les cheveux gominés passés au bakerfix :

— Tu me mets une grenadine pour le petit...

1930

La Parisienne

Alexandra Brumeullet, née Champotier, lissa du dos de sa fourchette d'argent les dentelles arachnéennes de la nappe dominicale brodée à son chiffre. En face d'elle, Georges-Honorin Brumeullet, son époux, fixait le vide, ou plus exactement le buffet Henri II aux colonnettes en cascade dont les faux vitraux laissaient apercevoir des amoncellements de vaisselle et de verrerie. La seule vision de cette accumulation produisait toujours chez Georges-Honorin un effet d'ennui inextinguible qu'il ne s'était jamais expliqué.

Entre les deux époux Brumeullet, Séraphine, sanglée dans sa robe de pensionnat, se gratta les genoux sous la table, remonta ses socquettes et contempla par les hautes fenêtres l'alignement des façades de la rue de Monceau. Derrière elle, un feu étique s'étouffait dans une cheminée aux marbres tarabiscotés. Un vrai feu de Parisiens. Les guéridons pliaient sous des bronzes chinois et Séraphine sentit tout le poids amer de ce dimanche automnal.

Alexandra Brumeullet lâcha sa fourchette et revint avec précaution au livret de correspondance que la jeune fille lui avait présenté, comme elle était tenue de le faire chaque mois, le couple, vague connaissance de Joseph Panderi, lui servant de famille d'accueil. Elle l'ouvrit avec la répugnance que l'on met à renverser un cancrelat sur le dos, poussa un soupir décent, le referma et prononça un jugement inattaquable du point de vue de la logique :

— Si vos efforts étaient plus grands, vos résultats s'en ressentiraient.

Séraphine prit l'air persuadé et vaguement repenti de ceux dont la bonne volonté est évidente et se demanda comme chaque dimanche quand cette bon dieu de suspension allait s'écraser sur le crâne oblong de Brumeullet-la-pincée qui se trouvait placée idéalement en dessous pour la recevoir.

— Qu'en pensez-vous, Georges-Honorin ?

Georges-Honorin ne pensait plus dès qu'il avait franchi le seuil de la porte de son appartement. Dès le velours de la chambrière retombé, son esprit se fermait comme un clapet et une somnolence invincible s'emparait de lui. C'était encore l'une des choses qu'il ne s'expliquait pas : il la mettait, les jours de mauvaise humeur, en partie sur le compte de la lourdeur de la décoration, en partie sur celle d'Alexandra ex-Champotier.

— Bien d'accord avec vous sur ce point.

Séraphine savait qu'il ignorait totalement avec quoi il se disait d'accord et se demanda quel effet cela lui ferait si elle lui décochait un shoot en plein tibia...

Deux ans qu'ils étaient ses correspondants. Deux ans qu'elle passait son dimanche, ceux toutefois où elle n'avait pas été consignée, dans cette salle à manger Henri II-Louis-Philippe mâtinée sino-vénitienne, à les écouter émettre sentences et maximes entre le vol-au-vent financière et le veau marengo.

— Je ne comprends que bien peu votre réticence aux merveilles des langues mortes, poursuivit Alexandra, vous n'avez obtenu que 7 sur 20 dans cette matière, vous devriez comprendre, surtout à votre âge, que si un peu de savoir ne nuit pas, beaucoup de savoir n'en profite que mieux. Qu'en pensez-vous, Honorin ?

Honorin levait un quart de paupière comme les dockers de la Joliette soulèvent les sacs d'arachides.

— Totalement en accord sur ce point avec vous.

C'était vrai que Séraphine Panderi traînassait sur ses devoirs de grec et de latin, elle avait d'autres sujets de préoccupation et d'intérêt. Il lui semblait que cette année, la première des années 30, était plus rapide, plus forte, plus vivace que toutes celles qui l'avaient précédée, et surtout remplie de milliards de choses pétillantes et gaies : on avait inventé la robe fluide et le chapeau cloche, Costes et Bellonte venaient de traverser l'Atlantique d'est en ouest et, à New York, on construisait un building qui serait plus haut que la tour Eiffel, Séraphine en connaissait même le nom : le Chrysler. Si l'on ajoutait à cela Alain Gerbault réalisant le tour du monde à la voile en solitaire et le dernier roman de Maurice Dekobra, il y avait de quoi en oublier les déclinaisons latines. Sans parler de Gandhi pour lequel elle éprouvait une admiration sans bornes et qui venait d'être arrêté après sa marche à la mer, avec plus de soixante mille indépendantistes.

L'année dernière, elle avait essayé d'en parler avec Pascal.

— Tu connais Gandhi ?

— Voueï.

— Et qui c'est, Gandhi ?

— Tu es devenue institutrice pour me poser tout le temps des questions ?

— Réponds voir un peu si tu le sais : qui c'est Gandhi ?

Pascal avait eu un sourire de triomphe.

— C'est un hindou, il a les jambes comme des bâtons et il s'est fait un caleçon dans son drap de lit...

Elle tenta de chasser Pascal de la salle à manger parisienne... Il n'avait rien à y faire, sinon à lui amener des larmes sous les paupières... Pascal était l'inverse du couple Brumeullet, il était le rire, le soleil et la vie...

Eux, la pluie, le froid, la sévérité et la catastrophe... Tous les dimanches, d'ailleurs, la conversation roulait sur la guerre, toujours proche... Alexandra hochait sa tête sentencieuse et évoquait le triomphe du parti national-socialiste aux dernières élections allemandes... Un raz de marée... Déjà Hitler demandait la révision des traités...

Quinze jours auparavant, Séraphine avait voulu placer son mot, d'abord par politesse, pour montrer qu'elle suivait l'actualité et surtout parce qu'il lui était difficile de rester silencieuse longtemps. Elle avait renchéri sur le danger que représentait le nazisme derrière la frontière... Erreur fatale, elle s'était attiré une double admonestation. D'abord les jeunes filles bien élevées n'avaient pas à se mêler de politique nationale ou internationale et, ensuite, sa remarque prouvait bien qu'elle n'y connaissait strictement rien car Adolf Hitler était pour la France le rempart le plus efficace contre le bolchevisme qui ne tarderait pas à déferler sur l'Europe.

— En proclamant que le salut de l'Allemagne réside dans la destruction de l'idole démocratio-marxiste, Hitler apparaît comme un chef d'Etat conscient, lucide et responsable ; qu'en pensez-vous, Georges-Honorin ?

— Sur ce point, avec vous, accord total.

Alexandra Brumeullet, tenant couteau et fourchette comme d'infiniment cassables et précieux instruments de chirurgie, ajoutait en général que la ligne de défense en train de se construire le long de la frontière allemande par l'ingénieur Maginot permettrait de contenir les chars russes si les hordes de l'Est n'avaient toutefois pas été arrêtées par les vaillantes troupes allemandes.

Séraphine, bouillonnante de rage mal contenue, se mordait l'intérieur des joues. La mode était d'ailleurs aux pommettes creuses, Marlène Dietrich remplaçait sur les écrans les stars bien nourries, aux bonnes joues candides, Pearl White et Mary Pickford... On annonçait la sortie prochaine d'un film où elle faisait scandale, cela s'appelait *L'Ange bleu,* et l'on disait qu'elle s'y montrait à demi nue avec un chapeau haut de forme...

C'est que le cinéma parlait à présent... Un an auparavant, cela avait fait scandale au Moulin-Rouge... Les acteurs chantaient mais c'était en américain, il avait fallu rembourser...

Séraphine cherchait désespérément des sujets de conversation, surtout ceux susceptibles de l'éloigner de son carnet de correspondance.

— Vous avez vu, monsieur Brumeullet, la dernière Buick ? Sur les réclames ils prétendent qu'elle passe à cent kilomètres à l'heure en trente secondes...

Georges-Honorin levait lentement une deuxième paupière qui ne découvrait qu'une demi-pupille comme un rideau mal tiré, et avant qu'il ait eu le temps de se sentir pris à partie, sa femme émettait quelques bruits buccaux traduisant sa réprobation envers des sujets aussi futiles.

— Séraphine, vous devriez tourner davantage votre attention sur ce que l'on tente de vous apprendre plutôt que sur de pareils enfantillages.

— Sur ce point, accord absolu avec vous.

Séraphine replongeait dans les sauces amères et figées de son veau marengo et tentait d'oublier les amertumes de la vie. Tout à l'heure, Georges-Honorin Brumeullet, après l'habituelle tarte à la frangipane, la reconduirait au collège au volant d'une Hotchkiss aux velours râpés... Ils passeraient alors par la place de l'Etoile, redescendraient par les larges allées du Bois qui menaient vers les jardins de Saint-Cloud et l'institution...

Ce soir-là, lorsque Séraphine rentra, elle se dirigea, après avoir salué la sœur gardienne, vers le dortoir où elle devait attendre l'heure du dîner.

Elle n'avait pas mis un pied dans le long corridor livide que Nicole de Saint-Fray bondissait vers elle et l'entraînait à toute allure sur le parquet glissant jusqu'à la chambre qu'elle partageait avec Victorine Delandaire.

— Regarde, Panderi, regarde ce que s'est acheté Victorine...

Victorine, richissime rejetonne de Flavien Delandaire, fabricant de bretelles et de supports-chaussettes assortis dont les modèles dits « A la Royale », « Regency », et « Magicsouple » faisaient fureur, sortit de sous son lit une boîte-écrin et fit apparaître avec un mystère ravi un soutien-gorge à bonnets renforcés, pointus comme des crayons taillés.

— Mon Dieu ! dit Séraphine, comme les actrices à Hollywood !

Nicole de Saint-Fray plaqua la double pyramide sur son torse efflanqué.

— Avec ça, dit-elle, si mon crétin de vicomte ne me coince pas dans les écuries lors du prochain bal, je me fais nonne. Essaie-le, Panderi.

— Je l'ai acheté à la Belle Jardinière, dit Victorine, la vendeuse m'a dit que ça idéalisait la poitrine...

Séraphine tâtait les paquets de mousse caoutchoutée sous le tulle rose.

— Je comprends que ça l'idéalise, dit-elle, tu gagnes dix centimètres d'un seul coup.

— C'est ça qui leur plaît, dit Nicole de Saint-Fray, je vois bien le vicomte : à chaque fois qu'il me voit, il me regarde par-devant, il constate que c'est toujours au point mort, il fait la grimace et il s'en va. C'est démoralisant. Et toi, Panderi, comment tu fais avec le tien ?

Séraphine eut un geste vague :

— Ça nous intéresse pas tellement...

Elle n'aimait pas parler de ces choses, ni même y penser... Elle n'avait jamais surpris ce genre de regard scrutateur de la part de Pascal... Ou peut-être une fois, l'année dernière, quand ils s'étaient baignés au Prophète... Mais elle n'en était même pas sûre, cela avait été rapide, presque insaisissable... Cela viendrait... Cela faisait partie des choses qui venaient toujours... Un jour, Pascal et elle seraient dans un lit. C'était sûr. Et si cela n'advenait pas, alors ce n'était pas la peine de continuer ce long chemin de vie plein de grec et de latin, d'Alexandra Brumeullet, de sœurs en cornette le long de ces murs si pâles dans ce grand couvent malade au bout de la ville grise..

— Qu'est-ce que tu as, Panderi?

La grosse Delandaire se penchait vers elle, inquiète. Séraphine reprit conscience du décor : au-dessus des lits aux couvertures tirées, des crucifix étroits, presque filiformes, semblaient des fissures noires sur les murs de plâtre blanc. Suspendues à des plafonds lointains, des lampes pendaient misérablement... Elles seraient bientôt allumées, il faudrait alors se rendre en rang à la chapelle et ce serait le temps des prières du soir... Les cloches tinteraient...

Séraphine tenta de sourire et remit dans les mains de sa propriétaire le soutien-gorge idéalisant.

— C'est rien, dit-elle, simplement, parfois, je me languis...

1932

Le Théâtre de la mer

EMMERDEUSE, ça c'était pas nouveau. Dès le premier jour, il avait eu de quoi s'en apercevoir, mais si en plus, elle faisait sa prétentieuse, alors là, ça ne passerait pas.

Pascal inclina sur le côté gauche sa casquette Albert Préjean et entama en chaloupant la montée d'Endoume. Ça y était à présent, on disait de lui comme on l'avait dit de Gaston, qu'il était un beau petit. Sa grand-mère avait découvert quinze jours auparavant la bouteille de brillantine qu'il avait cachée sous la pile de draps, dans le haut de l'armoire à glace, et l'avait confisquée parce que ça faisait mauvais genre. Du coup, il s'était confectionné un shampooing à l'huile d'olive qui lui conférait des boucles lourdes et cartonnées. Heureusement, elle n'avait pas découvert la petite bouteille de sent-bon que Pestadou lui avait échangée contre un paquet à peine entamé d'américaines, le sent-bon avait effacé l'odeur des olives… Peut-être pas effacé complètement d'ailleurs, ça faisait plutôt un mélange, il avait l'impression de sentir la salade de courgettes et en montant les ruelles surchauffées, il crut marcher à l'intérieur d'un restaurant tant les parfums qu'il dégageait étaient puissants.

Qu'est-ce qu'elle croyait ? Que parce qu'elle avait toujours les dents de Ripolin, les cils aussi longs, les lumières dans l'œil et, en plus, maintenant, le pétard moulé dans la robe et le corsage à faire moudre tous les moulins de la Crau en sens inverse, elle allait le faire tourner chèvre ?

Six mois qu'il ne l'avait plus vue... De toute manière, ce n'était plus comme avant depuis que Panderi l'avait mise à l'institution pas loin de Paris... Lorsque la deuxième usine avait été vendue, Pascal avait espéré que Séraphine redescendrait, que la pension reviendrait trop cher, et puis non, elle était restée, là-bas, dans son couvent, à apprendre les couillonnades des riches, comment on tient sa fourchette et à se poser le cul juste sur le bord de la chaise. Au début, il avait compté les jours avant les vacances, il allait la chercher gare Saint-Charles avec Panderi et puis, petit à petit, il n'y avait plus pensé... Cela datait surtout du moment où Pestadou et lui avaient commencé à faire les dancings américains : les salons Pélissier surtout, c'était sur la Plaine, pas loin de chez lui, bien pratique. Il s'était acheté la casquette à la mode, la cravate à système et le pantalon flanelle... Il s'était mis à fumer la cigarette lentement, comme Gaston, et il avait appris le fox-trot et les danses aux noms anglais... Un soir, aux salons Pélissier, il avait invité une nistonne de Chute-Lavie aux mollets tout ronds et aux talons hauts qui se faisait avec le rouge à lèvres une bouche d'étroite cerise, comme les vedettes de cinéma. Elle s'appelait Françoise, mais ses amis l'avaient surnommée la Bourrique, par gentillesse, car elle était de tempérament un peu entêté. Après un tango appuyé, Pascal et elle s'étaient fait une bise ventouse de vingt-cinq minutes qui lui avait transformé les jambes en cannellonis et le cœur en réveille-matin.

Depuis, tous deux recherchaient les coins d'ombre, les rochers écartés de la baie des Singes et de Malmousque, les anses désertes du Prophète ou du vallon de l'Oriol, et là ils faisaient les caligneries, mais pas plus, parce que Françoise avait reçu les avertissements : un enfant qui vous arrivait était une chose terrible qui vous brisait la jeunesse et la vie, elle avait connu des filles de son ancienne école de la Belle-de-Mai qui avaient dû quitter Marseille, elles avaient pris le train avant d'avoir le gros ventre et on ne les avait plus revues, les pauvres, et on disait même de l'une d'elles qu'elle était à Paris et qu'elle faisait la vie autour des casernes pour élever l'enfant de l'amour...

Au soir tombant, tandis que les vagues maigrelettes suçotaient en contrebas les roches de vertige, Pascal s'enfonçait dans les aiguilles de pin et les fragments de silex chauds encore du soleil de l'après-midi et devenait spécialiste de l'anatomie féminine en explorant le corps dardé bien que barricadé de la Bourrique... Dans le parfum violent des romarins et de la farigoule, il progressait par régions successives, s'emmêlant un peu dans les chemises à coulisses, les corsets layettes au laçage en accordéon, il se relevait, la tête en feu, exaspéré, secouant les herbes sèches accrochées à sa veste, le cœur bourré de honte envers Séraphine à qui il n'avait rien promis et à qui il pensait toujours... Mais la Bourrique n'avait rien à voir avec le sentiment, elle lui permettait de s'informer, de s'y retrouver dans les courbes, les dômes et les combes et, tandis que les lèvres soudées aux grands chalumeaux des cent mille désirs ils s'échangeaient des litres de salive, il avait toujours su que ce n'était pas de l'amour et que Françoise Morepian, la petite danseuse des salons Pélissier qui vendait en semaine rue de Rome des articles de frivolité (articles de Paris, foulards, ceintures, sacs à main, lingerie fine), ne resterait jamais dans sa mémoire que sous la forme d'un souvenir gracieux, parfaitement interchangeable, et qui lui permettait de se faire des soirées instructives et rigolotes dans les criques abandonnées qui cernent la grande cité du bord de mer...

La sente montait... En redescendant par l'autre versant de la colline il arriverait plus rapidement au rendez-vous… Il ne marchait pas vite pour ne pas être en sueur, la chemise détrempée sous la veste…

Cette Séraphine, c'était une damnation, il ne la voyait plus que tous les 36 du mois et, chaque fois, c'était la même chanson, pour il ne savait quelle raison il se sentait les paumes moites rien que d'envisager que dans moins d'une heure il allait la retrouver.

Pascal chassa Séraphine de son esprit et enfonça les mains dans les poches de sa veste, 39,75 F chez High Life Tailor.

Le temps avait coulé depuis la mort de son père…

Panderi avait tenu parole. Il avait versé à Maria Marocci la somme que lui versait Gaston et, après que Pascal eut obtenu son certificat d'études, il avait fait venir le garçon.

— Pascal, si tu veux faire les études, tu me le dis, il faut que ce soit comme si ton père était là… Alors si tu veux devenir savant, c'est pas compliqué : en octobre je t'inscris au lycée Mongrand.

Pascal avait hoché négativement la tête. Non, pas les études, il ne se sentait pas fait pour… Et puis Mémé était vieille, Panderi était brave mais un jour il se lasserait peut-être de verser les sous, il valait mieux assurer. Et puis, à quatorze ans, la plupart des garçons travaillaient.

— Monsieur Panderi, si vous aviez une place pour moi dans une de vos usines, ça me rendrait service…

Ça n'avait pas été si facile que ça parce que les établissements Panderi, huiles et produits dérivés, connaissaient plus le licenciement que l'embauche, mais un jour, Pascal avait franchi le seuil de l'usine de la Capelette, endossé la blouse grise bien repassée de la veille par sa grand-mère et commencé à apporter des lettres et des papiers dans les bureaux, arpentant huit heures par jour des couloirs couleur de moutarde sèche… De vieux messieurs en manches de lustrine somnolaient dans de hautes pièces sombres en remuant des pots de colle, des ciseaux ébréchés et s'amusaient à balancer du haut de l'index des tampons-buvards qui tanguaient comme de minuscules rocking-chairs...

Le jour de ses quinze ans, Pascal comprit qu'il fallait fuir ce cimetière.

Pestadou et deux autres du quartier travaillaient à la poissonnerie Vieille, charriant les caisses de rougets et de dorades. Leurs mains étaient brûlées des écailles glacées incrustées dans les mancherons des diables lourds comme des hommes morts, c'était un travail d'enfer au milieu des vociférations et des piétinements, mais au moins cela vivait, et Pascal n'en pouvait plus de ses ombres fantomales qui, dans la pénombre des bureaux oblongs, écrivaient en gothique sur des registres sentant le moisi... Un matin, il quitta le chemin de l'huilerie et prit celui de la poissonnerie... C'était derrière la mairie, un faux temple romain, bourré de charrettes d'ânes et de paniers ruisselants... Il était mieux payé et sut vite connaître les patrons des restaurants du bord de mer cherchant la belle baudroie ou les poulpes du jour... Il se fit des pourboires, il acheta avec ses premières cravates... Panderi ne lui reprocha pas d'être parti, il avait des ennuis d'affaires et, de plus, dans son quatre-pièces de la rue Saint-Ferréol, Marthe se languissait, elle voulait des voyages, et même regrettait parfois le bar de l'Estrasse, surtout ce pauvre Gaston parce qu'avec lui, au moins, elle ne s'embêtait jamais, parce que c'était un vrai homme et qu'il avait de l'invention... Bref, elle lui bassinait l'existence avec son ancien ami.

Ce samedi soir, normalement, Pascal aurait dû aller danser... Il aurait dû retrouver la Bourrique à la place habituelle, en bordure de piste, en train de siroter sa limonade à la paille à l'ombre des platanes dans la lumière du crépuscule, les amis devaient y être déjà. Pestadou avec sa chemise de soie spécial-dancing et le petit foulard autour du cou comme le héros de la pièce au Gymnase quand on jouait des opérettes marseillaises... Il cherchait des filles, le Pestadou... Enfin une au moins... Il l'avait avoué à Pascal un soir qu'il avait pris trois mandarins-picon pour se noyer la désespérance.

— N'importe laquelle, Pascal, même borgne, même avec les yeux fadas, le cul comme la porte d'Aix, les jambes de travers, et bestiasse en plus, couillonne comme ses pieds, eh bé, tant pis : je la prends et bien content parce qu'il m'en faut une, n'importe comment ou j'éclate, c'est une question de vie ou de mort.

Pascal avait réfléchi.

— Des filles j'en connais, et même des superbes.

La glotte de Pestadou avait fait un va-et-vient d'ascenseur.

— Même pas besoin qu'elles soient superbes, si c'est des filles, ça suffit...

Il lui avait donné l'adresse du bar de l'Estrasse... Mireille et Ma Quique s'y trouvaient toujours...

— Seulement, je te préviens, il faut les payer.

Pestadou avait écarquillé les yeux.

— Oh ! coquin ! des radasses ! J'en rêve mais j'oserai jamais, je fais trop jeune !

— Qué trop jeune, si tu y vas avec la barbotteuse, évidemment ça sera difficile, mais habillé comme tu es là...

— Alors puisque tu les connais, tu viens avec moi.

Et Pascal avait présenté Pestadou aux filles du bar... Pestadou avait regardé le corsage de Mireille et les yeux lui étaient sortis de la tête.

— Il est bien joli ton ami, Pascal, mais est-ce que tu crois qu'il a les sous ?

Pestadou avait clamé d'une voix enrouée :

— Je comprends que j'ai les sous ! Ça fait quinze jours que je lave la poissonnerie à moi tout seul...

C'était vrai, le malheureux balançait les seaux d'eau après le départ des poissonniers, balayant les tables, entassant les entrailles vertes des poissons blancs sur la charrette des balayures, émergeant à peine pelle en main, de monceaux de têtes triangulaires aux yeux cerclés d'or, noyés de mouches bleues taillées dans le saphir. Pestadou, les doigts bagués de varech, rinçait les bacs aux rascasses, aux morues, aux langoustes, le tout pour cinq sous, mais cinq sous après cinq sous, qui c'est qui allait pouvoir s'offrir la septième merveille du monde ?

Pestadou et Mireille étaient sortis, lui devant, elle derrière, et Pascal avait commandé une menthe à l'eau parce que dans la grenadine il y avait trop de souvenirs. Il avait à peine ouvert la bouche pour faire la conversation avec l'Estrasse et Ma Quique que Pestadou avait refranchi la porte en sens inverse, précédé de Mireille l'opulente.

— Eh bé, s'était exclamé l'Estrasse, tu as volé devant l'aéroplane !

Pestadou était devenu un peu rouge et Mireille avait ri de ses lourdes lèvres d'écarlate.

— Il était un peu pressé, mais il reviendra. Hein, tu reviendras, ma Nine ?

Le menton bloqué par les doigts enjôleurs de la fille, Pestadou avait soufflé :

— Demain. Je retourne demain !

En partant, Mireille avait glissé un billet dans la poche de Pascal et, en l'embrassant, avait murmuré :

— Si tu en connais d'autres, de petits jeunes comme celui-là, tu me les emmènes, ça me change des vieux gratte-semelles qu'il faut aller chercher Molinari avant qu'ils soient contents...

Mais Pascal n'était plus retourné dans le vieux bistrot, Pestadou en prenait à présent le chemin tout seul et y allait même les yeux fermés.

Et les semaines passaient à charrier les caisses de vives et d'oursins entre les colonnes lourdes du temple aux poissons... L'hiver les poissonnières glissaient du charbon de bois dans les chaufferettes et rabattaient par-dessus leurs jupes noires et multiples, laissant monter la chaleur... Une nouvelle criée était en préparation de l'autre côté de la ville, les halles Delacroix ; ce serait moderne, avec la verrière, tout le confort, mais ça n'allait pas vite, on disait que la municipalité avait les crédits, mais les patrons de pêche freinaient des quatre fers pour des raisons obscures. En attendant, les couffins et les étals surchargés de rougets et de fielahs s'entassaient au pied des hautes colonnades de la vieille halle. Ici non plus, Pascal ne resterait pas toujours, il le savait et cela l'aidait à porter les charges, à les monter et descendre du socle de la vieille bascule qui avait pesé depuis plus d'un demi-siècle tout ce qui, entre Cassis et Sormiou, avait été sorti du ventre bleu de la Méditerranée.

Pascal repoussa sa casquette sur l'arrière du crâne et vérifia si le cran de ses cheveux ne descendait pas trop bas sur le front.

Un théâtre.

Elle lui donnait rendez-vous dans un théâtre.

Ça c'était bien un coup de Parisienne, un coup pour se faire valoir... Il y était presque à présent, deux ou trois raidillons et il déboucherait dessus... C'était sous les pins, dans la roche, elle l'attendrait à l'entrée.

Le soleil glissait vers la mer mais la chaleur était encore forte, dans les collines au-dessus de lui, les rochers cuits à blanc tremblaient dans la fournaise de l'air... Il n'était pas possible qu'un jour le ciel cessât d'être bleu. Ce pays avait une particularité : les jours ne voulaient pas y mourir... Cela mettait toujours une éternité avant que les crépuscules ne s'installent et que naissent du fond du soir les premiers vents de lointaine fraîcheur... Alors montaient les parfums des fleurs épaisses crochées dans le calcaire et qui vivent sans eau, rôties vivantes au long des étés.

Elle était là, déjà, en haut, appuyée au balustre de pierre. Elle l'attendait.

Elle était l'inverse de la Bourrique, la fille de Panderi. L'une cherchait l'éclat des couleurs, les rouges, les jaunes, les verts, les bleus, le rose des joues et le noir des yeux, elle brillait comme un sou neuf dans des robes confectionnées dans des coupons de tissus à fleurs qui sentaient les soldes des grands magasins populaires... L'autre s'épanouissait en douceur dans le piège fluide des grands tailleurs discrets... Sans maquillage ou presque, elle offrait sur fond de mer le profil parfait des filles pour qui la beauté est facile comme la vie.

Elle le regardait monter et leva le bras vers lui en signe de reconnaissance... Il sourit de loin. Il avait essayé son sourire sur toutes les petites des ballettis et savait que peu résistaient. Il avait le charme du coin de bouche, la séduction de la commissure avec la fossette dont la Bourrique disait qu'on en mangerait...

— Adieu, Séraphine...

Elle ne prit pas la main du garçon.

— Tu sais bien qu'on ne dit pas « adieu », Pascal, on dit : bonjour.

Heureusement qu'elle souriait et qu'il était ému de la revoir, sinon elle aurait encore pris un vire-main comme ceux qu'il lui avait balancés autrefois à l'Exposition coloniale dans la poussière des grands platanes du parc Chanot.

— Adieu, ça veut dire bonjour à Marseille, et tu es à Marseille, alors réhabitue-toi. C'est pas parce que tu viens de Paris que tu vas nous apprendre à parler...

Elle rit. Elle avait grandi encore. Pas autant que lui, et puis maintenant elle avait les talons, pas bien hauts, mais quand même ! Et puis les cheveux courts lui allaient de mieux en mieux...

— Tu me fais pas la bise ?

Il frôla la joue de soie. La savonnette toujours, ce serait l'odeur de toute sa vie.

— Mon Dieu, Pascal, pourquoi tu mets une casquette pareille ? On dirait un chapeau de comique... Tu ressembles à Fernandel dans *Les Gaietés de l'Esca-dron...*

Il l'inclina sur le côté, au ras de l'oreille gauche, en vrai voyou de La Marsiale mais il eut l'évidente sensation qu'il ne l'impressionnait pas. Cela d'ailleurs n'avait pas d'importance, le vieux charme revenait à la surface, la connivence du parc de la Taraillette et cette envie de fondre comme le beurre sur une table en plein midi.

— Et ton examen que tu as passé ? Ce baccalauréat ?

— Je l'ai eu.

— Alors, bravo !

Voilà, elle était encore un peu plus loin, déjà qu'elle avait toujours su plus de choses que lui, à présent qu'elle avait les diplômes, ce n'était même plus la peine de discuter de rien, elle aurait toujours raison.

— Et toi, tu es content de ton travail ?

— Tu sais, le poisson, c'est toujours un peu la même chose...

Elle baissa la tête comme si elle prenait conscience de la nuit qui venait, ses yeux s'emplirent de l'ultime rayon, il traînait là-bas, en haut de la mer, comme au dernier acte d'un vieux mélo, une lame d'épée rouge du sang du jour. Pascal sortit un paquet d'High Life bout doré.

— Pourquoi tu me donnes rendez-vous ici, on pouvait aller au cinéma, à l'Odéon ils jouent *Fanny*... Tu n'aimes plus le cinéma ? C'est ton coup de baccalauréat qui t'a changée ?

Elle le regarda craquer l'allumette et respirer la bouffée qui montait dans l'air tiède, elle pensa que le garçon fumait comme son père, il avait la même façon de rejeter la tête pour contempler la volute jusqu'à ce qu'elle se soit dissoute. Elle eut envie de le serrer contre elle, de le garder, de lui faire oublier le Noël de la fusillade dont il ne lui avait jamais reparlé mais qui lui avait comme repeint les yeux d'émail triste. Le garçon d'autrefois riait par tous les pores de sa peau... Celui-ci faisait l'enjôleur mais quelque chose était mort en lui qui ne reviendrait plus... Elle seule peut-être... Elle seule saurait faire remonter aux surfaces les éclats d'un enfant cassé — elle le reconstruirait avec de la patience et de la colle d'amour...

Les mois de l'institution... Par les hautes fenêtres, le parc s'étendait sous le ciel blanc, les gazons spongieux s'imbibaient aux averses, et les hivers n'en finissaient pas... A l'angle de la chapelle, le terrain montait jusqu'aux grilles... Paysage humide qui lui glaçait l'âme, elle cherchait les souvenirs de chaleur où, sous les pins parasols, dans les ombres profondes de la Taraillette, elle voyait le garçon courir en couronne de carton doré, épée de bois, et espadrilles rapiécées à la place de l'ongle du pouce... Plus tard il apparaissait, plus grand, plus mince, plus triste... Mais c'était lui encore, embrasse-moi, Pascal, que je me languis trop, que je m'en fous de Tite-Live et d'Hélène et de Troie et de Lagarde et Michard et des équations au centième degré, viens mon beau, mon paradis de quand nous étions petitous et que tu me donnais des gifles, mon pitchounet des étés d'or, qu'est-ce que tu attends pour m'emporter comme sur les chevaux d'autrefois, au grand galop d'après-midi... Oh, Pascal, si tu...

— Mademoiselle Panderi, cela fait deux fois que je vous interroge.

Séraphine émergeait, secouait la nostalgie, sa peine, Marseille se mourait... sous les pluies de Saint-Cloud... Elle était si loin d'ailleurs, la ville sans nuages... C'était là-bas, dans un autre univers... Au fin fond du bas de la carte de géographie, la Taride suspendue au mur qu'elle n'osait pas regarder de peur que les larmes lui viennent.

— Excusez-moi, ma sœur...

Pascal tira une deuxième bouffée...
— Avant, tu aimais le cinéma, ça te plaît plus ?
— Je suis forcée de venir... j'ai ma cousine qui danse, c'est un spectacle de ballet...

Pascal toussa.

— Avec les tutus et les pointes ?

— Oui.

Il hocha la tête sentencieusement.

— Ça va être un brave coup de barbe !

Elle le comprenait, mais elle avait eu envie de le retrouver là, le sentir près d'elle dans la nuit, sous les étoiles de L'Estaque, devant l'amphithéâtre, au milieu des pins contorsionnistes... Elle était venue plusieurs fois au théâtre Sylvain, avec son père et des amis du Prado : *Le Misanthrope, Les Huguenots*... Elle ne s'était que peu souciée du spectacle, ce qui comptait c'était autre chose, c'était...

Il y eut un « ah ! » en contrebas, une exclamation de foule : les lumières venaient de s'allumer.

Oui, c'était cela qu'elle aimait, la magie du plein air et des lampes invisibles.

— Regarde comme c'est beau...

C'était une soudaine enclave de lumière dans la nuit encore pâle, une conque de pierre blanche et de frondaisons... Pascal sentit que cette soirée compterait, qu'elle serait d'un autre ordre... qu'il y avait les samedis de limonade et de java piquée, les flonflons des orchestres à bandonéons aux tangos renversés qu'il balançait les mains rivées aux reins de la belle fille toute peinte de santé crépitante et de fards en réclame... Et puis, soudain, c'était le vieux théâtre qui s'emplissait doucement dans la lueur des feuillages transparents et une autre était là... Il ne lui arriverait jamais à la cheville, c'était sûr, elle était créée pour les rois et les princes, pour les couillons à raquettes de tennis qui ont des automobiles à grandes roues, savent l'anglais avec l'accent et portent des pantalons assortis à la coque des paquebots à croisières... Mon Dieu ! pourvu que je ne sente pas la clovisse... C'est le pire, la clovisse ; une clovisse de quinze grammes, ça vous contient toutes les odeurs de toutes les mers... Il y avait eu un arrivage juste ce matin, soixante caisses venant de l'*Abbé Faria,* le bateau de maître Barasse qui relevait les casiers le long des côtes des Sanguinaires, soixante caisses, ça pouvait empuantir toute la ville et il les avait eues sur l'épaule un plein matin.

— Mémé, je sens pas la clovisse ?

La vieille dame levait les yeux au ciel.

— Tu sentirais plutôt comme l'intérieur d'une parfumerie... Avec ce que tu dépenses comme savon, en plus, tu risques pas.

— Viens, on va rejoindre nos places.

Ils descendirent les marches taillées dans la roche... Les gens arrivaient de plus en plus nombreux, on les distinguait mal dans la pénombre, assis sur des chaises de jardin... Des ouvreurs passaient entre les rangées, guidant les familles...

Séraphine trébucha et il la prit par le bras.

— C'est la lanière du talon qui glisse.

Elle se retint à lui pour la remettre et ils s'installèrent... Dans la fosse, sous le parquet de la scène, la lumière accrochait l'amidon des faux cols des premiers musiciens. Pascal sentit contre son bras celui de Séraphine.

La féerie, voilà, c'en était une, mais il en avait toujours été ainsi avec elle, il lui suffisait d'apparaître, elle avait le don pour la faire jaillir, il ne s'y habituait pas... Une féerie qui venait de sa présence et des jeux des projecteurs à travers les feuilles translucides... Avec l'électricité, tout devenait faux... Les premières étoiles sentaient la toile peinte, les troncs accrochés aux gradins lui parurent de cartonpâte et la pierre se mit à ressembler au papier froissé qui entoure, sur les buffets de Noël, les crèches provençales. Dans l'orchestre, un haubois lança un trille qui vrilla l'air chaud comme un vol de mouettes.

— Tu aimes la danse ?

Elle se tourna vers lui. La lumière cerna son profil d'un trait large comme un plomb de vitrail.

— Pas tellement, mais j'avais promis à ma cousine, et puis je voulais te montrer le théâtre, c'était une occasion.

S'il lui prenait la main, ça ferait peut-être trop couillon... Depuis la Bourrique, il était plutôt porté sur la méthode rapide, les grands élans qui renversaient les résistances, balayant les pudibonderies, mais ce soir, c'était Séraphine, il n'allait pas se jeter sur elle avec la bouche aspirante, les mains pétrisseuses et tout le saint-frusquin... Impensable.

La salle était pleine à présent, un vent balaya la scène encore vide et des applaudissements coururent, répercutés par les murs et les gradins ; ils ressemblaient à une pluie soudaine, une bourrasque d'été : le chef d'orchestre salua, cassé en deux comme les vieux messieurs dans les bureaux de l'huilerie quand passait Panderi. Tout s'éteignit et une lueur unique rôda sur la scène devenue d'un vert aquatique... Ils étaient dans une grotte sous-marine, au fond d'une mer paisible.

Pascal se pencha soudain.

— Je vais arrêter la poissonnerie, chuchota-t-il, j'ai un projet, dans pas longtemps je serai riche.

Elle ne répondit rien, il sentit les doigts de la jeune fille chercher et trouver les siens...

Séraphine toujours, cela faisait si longtemps qu'il l'avait décidé... Depuis le premier jour... La musique à présent : celle des violons et celle de leurs paumes jointes entre les deux chaises, des mains liées... Il sentit les larmes lui venir... Il était un homme pourtant mais quelque chose l'emportait dans les notes, dans les jambes des danseuses qui avaient surgi dans les faisceaux... dans le lent vertige de la soirée soyeuse et des voiles balancés par des femmes aux yeux tirés jusqu'aux tempes... Ce devait être ça l'avenir... Une décision que l'on prenait un soir où l'on jouait *Giselle* dans un théâtre de rocaille et de verdure près d'une fille qui vous tenait la main que vous n'aviez pas osé lui prendre... C'en était fini des caisses de poisson, il allait trouver de quoi se mettre à son niveau, tout se méritait, même les femmes...

— Ma cousine, c'est la troisième dans le fond, sur la gauche.

Le murmure avait effleuré son oreille. Pascal se pencha à son tour.

— Elle a les jambes comme une esquinade...

Il y eut un « chuut » sévère derrière eux...

Je ne sais pas comment je m'y prendrai mais je l'aurai, j'aurai tout : la voiture, le bateau, on fera les voyages, aux Amériques même avec l'habit queue-de-morue ; elle s'amusera tellement qu'elle ne se rendra jamais compte que je suis plus bête qu'elle... Enfin, pas plus bête, mais moins instruit. Il n'y a que sur le poisson que je pourrais lui en apprendre. Et encore pas sûr parce que le baccalauréat, pour l'avoir, on vous pose des questions sur tout, sur le monde entier et à toutes les époques, même les choses de l'ancien temps, les choses de la terre, de l'air et de la mer.

Séraphine sentit le pouce du garçon remonter le long de ses doigts, atteindre son poignet, redescendre, recommencer, c'était une tendresse, une autre musique d'épiderme qu'il jouait là sans s'en rendre compte... Un lancinement naissait, une envie de mourir, de lâcher les amarres du voilier de la vie. Si elle le laissait encore faire elle tomberait par terre, en digue-digue, comme les fadades, comme une sans-vertu, une moins-que-rien, une paillasse à homme seul, l'inverse des sœurs à Notre-Dame de Saint-Cloud, les grandes dames grises aux yeux lisses, à la cornette d'une blancheur de cierge qui lui apprenaient ce Dieu auquel elle n'arrivait pas à croire vraiment... Comme il était loin, ce soir, le Jésus de la chapelle, il n'y avait plus que ce garçon au regard de malice et de malheur qui lui faisait des frissons rien qu'en lui tenant la main...

Elle dénoua ses doigts d'entre les siens et son cœur ralentit... Devant, sur le plateau du théâtre, les ballerines tournoyaient. Derrière elles, les arbres avaient disparu, avalés par l'obscurité, il ne subsistait plus que la danse au creux du théâtre. L'amour venait, en voyou, et s'installait, magnifique voleur étoilé en plein mitan du cœur. D'un grand coup de cambrioleur, il vous embarquait votre âme et vous laissait tout fada, comme le soleil du matin lorsqu'il glissait sur les barcasses qui sortent du port entre Saint-Jean et Saint-Nicolas.

Fernande Rimonelli se pencha vers la Bourrique. Ses yeux en pointe d'épingle reflétaient les lampadaires maigriots de la tonnelle.

— Et alors, qu'est-ce qui lui arrive après ?

La Bourrique avala le quart de son diabolo, s'essuya les lèvres, tira sur son corsage à dentelles bouillonnantes, bougea le pied pour faire miroiter la boucle du soulier, sourit à Pascal, tripota un faux camée en bakélite à deux francs vingt-cinq et vérifia l'incarnat de ses ongles trop longs.

— Prends ton temps, dit Pestadou, tu nous fais pas languir...

— C'est la meilleure, protesta la Bourrique, si vous êtes pas contents vous avez qu'à aller le voir, ce film, j'aurais pas à vous le raconter.

Fernande Rimonelli, dite Pot d'anchois à cause de son mètre quarante-neuf, sentit que la suite allait lui échapper.

— Allez vaï, sois brave, Nine, l'écoute pas, c'est un sans-patience. Allez zou, raconte.

Pascal fermait les yeux dans le vide et ses yeux ce soir étaient d'encre. Elle n'était pas venue.

Voilà, c'était aussi simple que ça, elle n'était pas venue. Pas de quoi en faire un drame.

Hier soir, ils avaient quitté le théâtre dans les derniers... Séraphine devait attendre sa cousine qui la ramènerait en auto et ils étaient seuls dans la nuit épicée... Une nuit où les pierres chauffées tout le jour restaient chaudes sous les étoiles. Ils avaient marché un peu, le long de la corniche en lents va-et-vient. L'ombre des îles interrompait sur l'eau le ruban d'argent de la lune. Pascal avait décidé qu'il comptait cinquante pas et, au cinquante et unième, il l'embrasserait. Au fur et à mesure que les dizaines passaient sa gorge se desséchait. A trente, il n'avait plus de salive ; à quarante, le cœur lui sautait dans la chemise ; à cinquante il se donna dix de mieux ; à soixante il se dit qu'il valait mieux aller à la centaine pour avoir un chiffre rond ; et à quatre-vingts il perdit le compte. Comme il décidait de se lancer, la cousine arriva en jouant du klaxon dans une Citroën flambante et antipathique, une traction noire comme l'entrée de l'enfer.

Ils eurent le temps — juste avant de se quitter — de se donner rendez-vous pour le lendemain à dix-neuf heures devant chez Boka, elle aurait fini de faire des courses.

Il sortait de la poissonnerie à dix-huit heures, il sprinta jusqu'à la rue des Bons-Enfants, se lava dans la grande bassine à confiture, aspergea toute la cuisine, se fit crier par Mémé Marocci, s'habilla, se traça la raie sur le côté, laissa la casquette à la maison et à dix-neuf heures sonnées au clocher des Réformés, il était à l'endroit fixé.

Quatre-vingt-dix minutes plus tard, il y était encore.

— Alors Nine, tu nous dis la suite ?

— J'attends que Pascal m'écoute, dit la fille, pour le moment il pense à autre chose.

Pascal écrasa son mégot dans la soucoupe.

— Je t'écoute, continue.

La Bourrique pinça les lèvres et annonça d'un coup la nouvelle :

— Et alors, à ce moment-là, Marius revient !

Fernande Rimonelli faillit tomber de sa chaise.

— A Marseille ?

114

— Voueï !

Même Pestadou semblait échaudé.

— Dans la maison de Panisse ?

— Voueï, un soir où il croit qu'on le voit pas, il revient.

— Qué brigandas, murmura Fernande... Et Fanny, qu'est-ce qu'elle fait ?

— Qu'est-ce que tu veux qu'elle fasse ? Elle a le mari et le petit, elle peut pas sauter dans le tramway avec lui pour lui faire plaisir !

— Mais elle l'aime toujours au moins ?

— Té pardi, c'est même encore pire depuis qu'il est parti.

Pestadou gémit, repoussa son canotier et étendit ses jambes sous la table.

— Ces histoires d'amour, moi, ça me gonfle. Déjà *Marius,* ça m'avait complètement gonflé mais alors maintenant qu'il y a la suite, ça me gonfle encore plus, surtout que ces personnages, ils ne savent jamais ce qu'ils veulent.

Fernande Pot d'anchois faillit grimper sur sa chaise sous le coup de l'indignation.

— Qu'est-ce que tu y comprends toi à l'amour, banaste ? Tu nous fais le plaisir de promener tes cageots de merlans et de nous épargner tes jugements, qué ?

Pascal ne desserrait pas les dents. On lui aurait demandé de dire trois mots pour sauver sa vie qu'il n'aurait pas pu... Tout était lourd : l'air, les platanes, les musiciens sur l'estrade, les guéridons de fer, les garçons qui passaient les bocks et les panachés au-dessus des têtes des danseurs... Il avait marché seul dans la nuit, avait eu envie de monter à la Taraillette, de poser sa joue sur le mur et de mourir là d'un coup de chagrin, et puis il avait repris le chemin des salons Pélissier, déjà pleins de monde... Sous l'une des tonnelles, la Bourrique et les autres occupaient la même table, comme tous les dimanches soir... Ils s'étaient exclamés.

— Pascal ! Tu devais pas venir...

Il avait inventé une histoire, n'importe quoi.

— Viens faire le boston, c'est ta préférée.

— Attends, je vais fumer un peu...

Depuis, Françoise racontait le nouveau film de Pagnol, il venait de sortir dans un grand cinéma de la Canebière, on y faisait des queues sur les trottoirs.

La voix de la fille lui parvenait à peine, les guirlandes d'ampoules suspendues au-dessus de leurs têtes oscillaient dans le vent qui s'était levé un peu depuis la tombée de la nuit...

Elle n'avait pas pu venir... Ou alors elle n'avait pas voulu, elle avait dû réfléchir que c'était pas possible. L'argent et l'instruction d'un côté, la misère et la couillonnade de l'autre ; les ballets classiques avec les pointes et l'orchestre comme à la radio, et, en face, les tangos des ballets voilà, ça c'était une belle différence et c'est ça qu'elle n'avait pas supporté.

Hier soir, c'était elle qui avait parlé presque tout le temps, lui il avait répondu « oui », « non », une phrase de temps en temps pour montrer qu'il avait quand même un petit quelque chose dans le carafon, mais ça n'avait pas dû lui suffire et, une fois au chaud dans son lit, elle avait dû se penser qu'il n'avait pas beaucoup de conversation, le Pascal... L'émotion finie, les violons rentrés, elle avait dû faire la différence entre lui et les culs-cousus qu'elle fréquentait habituellement et qui devaient te faire des phrases à toute vitesse, des phrases longues comme dans les livres des lycées. Il devait y en avoir de beaux merles, à lui tourner autour... Il y en a même qui devaient guigner la fabrique, ceux-là, il faudrait qu'ils se dépêchent parce que c'était la dernière, et avec Panderi aux commandes, ce ne serait pas long qu'il mette la clef sous la porte.

Voilà, c'était ça l'explication, pas la peine de s'esquicher la comprenette, c'était pas bien difficile à deviner : elle se marierait pas avec lui, c'est tout... Et puis elle

116

connaissait son père à lui, elle avait bien aimé Gaston, mais quand même, ça devait pas lui paraître très reluisant d'avoir un phénomène comme lui dans sa famille, un flingué au pistolet comme les gangsters de cinéma...

— Mon Dieu, Pascal, tu as une tête à faire peur, qu'est-ce que tu as ?

— Laisse-le, dit Pestadou, il réfléchit.

— Et César, demanda Fernande, qu'est-ce qu'il fait César, dans cette histoire ?

— César ? Eh bé, au début il voudrait que son fils retourne et puis quand il retourne, il le renvoie sur son bateau.

Pestadou cracha sur le gravier et eut un ricanement.

— C'est ce que je disais, c'est une histoire où les gens savent pas ce qu'ils veulent.

Fernande explosa.

— Et toi, tu le sais ce que tu veux ? Pénible !

Pestadou eut un regard torve sur le giron de la petite.

— Pardi, je comprends que je le sais ! Et même je le sais bien...

Elle haussa les épaules.

— Et après ? Qu'est-ce qui se passe ?

— Eh bé, Marius s'en va et tout revient comme avant...

— Moi, dit Pestadou, je suis marseillais, je vis à Marseille tous les jours. Alors, s'il faut en plus, quand je vais au cinéma, que je voie des histoires de Marseillais qui se passent à Marseille, eh bé, je le dis et je le répète : ça me gonfle. Ça te gonfle pas, toi ?

Pascal émergea. La bouche lui brûlait tant il avait fumé ce soir...

— Qu'est-ce qui me gonfle ?

La Bourrique triompha :

— Vous voyez qu'il ne nous écoute pas ! Il vient avec nous et il ne nous écoute pas ! C'est un monde quand même ! Pourquoi que tu nous dis pas qu'on est pas intéressants, que ce qu'on dit, ça vaut pas la peine qu'on ouvre ses oreilles pour l'entendre ? Pourquoi tu...

Elle était lancée et, lorsqu'elle était lancée, rien n'arrêtait la Bourrique. Si, il y avait un moyen, un seul.

L'orchestre venait d'attaquer un tango. Pascal se leva avec effort.

— Allez, rapplique, Galinette, celui-là il est pour nous.

Le moulin à paroles de Françoise s'arrêta de tourner. Ils se dégagèrent de la table et approchèrent de la piste. Il sentit aussitôt le corps de la petite encastré au sien. Voilà, ça repartait et ce serait ça à présent la vie : la criée au poisson jusqu'à la vieillesse et ce corps de bonne fille contre lui tout le long des nuits... Ce corps, ou un autre, cela importait peu... Tous se ressemblaient...

— Allez ! chavire-moi un peu, bandit...

Pascal aimait le tango... C'était une source d'invention, de liberté... Un copain lui avait appris le pas de Santiago en sifflant entre ses dents sur le trottoir de la rue des Bons-Enfants. Marocci était doué, il avait brodé des variantes, dansant droit, impassible, alternant les lenteurs troublantes et la violence retenue des habaneras... Il savait que la Bourrique en fondait, du cœur au ventre... Ce soir surtout où il s'était montré si lointain, elle s'accrochait à lui comme à un radeau en vraie goulue de la vie...

— Pascal ?

Il l'écarta, bascula des hanches en matador, effacé face au taureau, la reprit en porte-à-faux, changea d'appui et ils tournoyèrent trois fois, en volupté... Sur l'estrade, le petit chauve à grosses lunettes se déchirait l'âme sur l'accordéon, Pascal stoppa net, cassa la fille en deux à la taille, la releva sans effort, insinua sa cuisse entre les siennes et revint en arrière en ondoiements coulés, oiseau triste sur la grève, planant...

— Voueï ?

En gros plan, les yeux de la petite étaient troubles, il pouvait voir le violet des paupières et le gras charbonné qui collait les cils trop courts.

— Si tu veux, ce soir, tu viens chez moi...

Reprise des violons, c'était le moment préféré, celui de la mort douce, quatre notes élastiques, étirées, presque pleurardes comme si la musique ne voulait plus se détacher de l'archet et restait là, accrochée aux cordes comme un drap mouillé en travers des rues du vieux quartier... Pascal déplaça sa paume dans le dos de la petite... et perçut le frémissement à travers la toile fine... Les femmes n'étaient pas difficiles à avoir, c'est ce que son père lui avait appris, sans jamais lui en parler bien sûr, mais c'était ce qui ressortait de sa vie... comme un testament, l'héritage de Marocci.

— Et ton père, qu'est-ce qu'il va dire ?

— On passera par la cuisine. Et puis il dort.

Ce soir, il aurait la Bourrique, demain une autre, Pot d'anchois qui ne demandait que ça. C'était ça la vie, pas autre chose et ça suffisait, pas la peine de s'estransiner les sangs avec des histoires de sentiment pour des cagarelles de pas grand-chose qui faisaient les mijaurées avec le pauvre monde.

— Ça te fait plaisir au moins ?

Il sourit et l'attira contre lui pour la dernière figure... Une douceur lui venait pour cette fille, elle était brave, un peu moulin à paroles mais elle était du même monde que lui, pas plus, pas moins, et contre son chagrin il la sentit se blottir, fraternelle, amicale et pratique, comme un bateau pour le pêcheur.

— Regarde qu'ils sont beaux, dit Pot d'anchois, rêveuse.

Pestadou haussa les épaules et accentua la mimique dégoûtée qu'il affectionnait depuis quelques semaines, car il trouvait que cela lui conférait un genre anglais :

Pot d'anchois enregistra la moue du garçon et ses jambes courtes battirent l'air sous sa chaise.

— Écoute, arrête de faire une tête pareille, on dirait toujours que tu sors du cagadou et que c'est pas propre. Regarde-les danser et dis-moi s'ils sont pas beaux. Si tu me dis non, c'est de la jalousie...

Les doigts de l'accordéoniste plaquèrent l'accord ultime... Pascal renversa sa partenaire et ils finirent joues collées, englués l'un à l'autre comme les sardines des boîtes. Pris dans le charme lourd de fin de tango, Pascal affleura de ses lèvres la bouche étroite de sa partenaire qui sourit et décolla le corsage de son dos, pinçant le tissu entre deux doigts.

— Boudiou, quelle suée !...

Pascal pivota pour regagner la table et c'est à ce moment-là qu'il la vit. Elle se tenait debout juste en bordure de piste, dans la lumière verticale des lanternes vénitiennes. Il sentit son sang refluer jusqu'à la pointe de ses doigts et de ses orteils. Tout était vide au milieu de son corps. Un paquet de coton.

Elle le regardait. Elle avait tout vu : le tango, la bise, ses amis sans doute, la Bourrique qui s'était frottée, et lui, le gigolo de quartier, le danseur argentin...

— Séraphine...

Elle ne l'entendait pas, dans le brouhaha, elle vit seulement les lèvres remuer. Ce n'était pas possible, ce n'était pas elle, pas ici, elle n'était pas faite pour ça, ce n'était pas son monde, ici on parlait fort, c'était le mauvais genre, la grosse musique, les couillonnades d'un dimanche soir... Et elle, plantée, avec la robe riche, le regard perdu en lui comme si elle coulait au cœur d'un grand naufrage.

Soudain, elle se tourna et fila droit sur la sortie d'un pas de chasseur. Pascal démarra en trombe, bousculant un couple. La main de l'homme le cloua contre un arceau de la treille et il sentit les épines de rosier lui mordre le dos. Pascal le connaissait, il venait souvent

120

au bal, une petite frappe de Mempenti, un amateur de castagne…

— Oh! Minot, tu viens de manquer là, tu fais les excuses à la dame et bien poliment.

La rage monta au ventre de Pascal avec l'envie de frapper à la volée cet emplâtré qui faisait le joli cœur. Depuis qu'il soulevait les caisses, Pascal avait pris du muscle et l'autre avait déjà le bedon sous la chaîne de montre, mais s'il déclenchait une bagarre, ce serait un brave pastis et il perdrait Séraphine.

— Excusez-moi, je vous avais pas vue…

Sans attendre de réponse, Pascal fonça… Il lui sembla entendre loin derrière lui l'appel de la Bourrique mais il franchit en trois enjambées le hall d'entrée et fut sur le trottoir. Devant lui, la place vide et le rond de la lune en plein centre du bassin.

Des talons claquaient sur la gauche, dans l'ombre des façades.

Il partit en flèche et, au croisement, dans l'argent de l'échancrure de la rue de la Bibliothèque, il vit le reflet de la robe pâle, les chevilles fines qui volaient au-dessus des pavés, tout disparut à nouveau comme dans un truquage de cinéma, Pascal accéléra encore et se trouva dans la descente.

— Séraphine!

Elle ne ralentit pas, il l'aperçut droit devant, elle courait comme une fillette, comme à dix ans, de toutes ses forces dans le parc si frais lorsqu'il la poursuivait avec son sabre de bois et sa couronne de carton…

— Séraphine!

Il fonça en dératé, piochant l'asphalte. Il prit le virage à quarante-cinq degrés, gagna cinq mètres d'un coup, redressa sa course et décolla du sol, le pied droit pris dans un seau de fer rempli de papiers gras, de graines de pastèque et de pépins de tomate… Il s'éleva comme les saints sur les tableaux de l'église des Chartreux, plana sur trois mètres et atterrit comme Roland Garros dans un fracas

qui réveilla la ville, expédiant trois poubelles de fer-
blanc, couvercles compris, aux quatre coins du département.

La douleur monta le long de sa jambe, il rua,
dégageant son pied du seau d'ordures. Deux des poubelles rebondissaient dévalant la rue en pente, percutant
l'une dans l'autre dans un tintamarre à réveiller les
morts, la dernière s'écrasant contre un mur. Un carré de
lumière jaune inonda le garçon.

— C'est pas un peu fini, ce bataclan ?

Pascal leva les yeux : un homme se penchait à la
fenêtre du troisième étage. De nouveaux rectangles
s'illuminaient, trouant les façades.

— Tu n'as pas mal ?

Elle était debout, dans l'encoignure de l'une des
portes, tout près de lui.

— J'ai dû me craquer un os du pied, mais à part ça, ça
va...

Il fit semblant de souffrir et agrippa son bras. Au-
dessus d'eux les voix éclataient.

— Félicienne, te penche pas, si c'est des Arabes, ils
ont vite fait de t'envoyer le couteau...

— Viens, chuchota Pascal, rase les murs...

Ils se faufilèrent le long des grilles espagnoles des rez-
de-chaussée, les grilles ventrues aux lourds barreaux de
fer et entrèrent dans la rue Curiol... Il la sentait vibrer
contre lui mais ne parvenait pas à savoir si c'était la
peine ou le rire.

— Et d'abord, dit Pascal, on va un peu parler parce
que tu as des choses à me dire.

— On s'arrête, j'ai plus de souffle.

Ils étaient arrivés devant Saint-Vincent-de-Paul, les
flèches blanches se dressaient sous la lune et leur ombre
embrochait l'avenue comme l'épée à lame double d'un
spadassin géant. Devant eux, la Canebière était vide
jusqu'à la mer... Les phares d'une voiture au loin
découpèrent un bref instant un pan d'immeuble et, à

l'autre bout, les terrasses éclairées des cafés du port se reflétaient dans les glaces...

— Assieds-toi, dit Séraphine, de toute façon c'est pas cassé parce, sinon, tu ne marcherais pas...

Pascal laissa échapper un soupir de martyr et ils s'installèrent sur un banc de la promenade.

— Ah ! parce que tu es médecin aussi ? Décidément tu sais tout, tu dis aux gens s'ils ont le pied en miettes ou pas sans même leur faire lever le soulier !

— Je te dis que tu n'as rien de cassé, tu devrais être content et...

— Non, dit Pascal, je suis pas content, je suis pas content du tout et je serai jamais plus content et ne m'énerve pas parce que la première fois que je t'ai vue tu as eu droit au racati, alors fais bien entention que ça ne recommence pas.

— Fais bien « attention ».

— Attention à quoi ?

— On dit fais bien « attention », pas fais bien « entention ».

La colère fusa, énorme, boursouflée, subite et retombée lorsque les deux bras de Séraphine furent autour de son cou. Il sentit la chatouille des cheveux... Le savon de fleurs, comme autrefois.

— J'ai pas pu venir ce soir, Pascal. Mon père n'a pas voulu.

La main du garçon disparut sous les boucles sombres... Tout allait redevenir clair, il le sentait, tout reprendrait : les couleurs, les odeurs et les bruits... La paix s'approchait, sur la pointe de ses ballerines comme les danseuses du théâtre Sylvain...

— Mais comment tu as fait pour me retrouver ?

Elle mit un doigt contre ses lèvres.

— Je suis sortie après le départ de Papa. Zoé m'a aidée et j'ai pris un taxi jusque chez ta grand-mère qui n'en revenait pas de me voir.

— Qu'est-ce qu'elle t'a dit ?

— Elle m'a dit : « Ah ! c'est avec toi qu'il avait rendez-vous ! Je comprends pourquoi il a usé trois bassines d'eau, une bouteille d'eau de Cologne et un quart d'heure devant la glace pour se faire la raie ! »

Pascal se trémoussa sous le malaise mais elle reprit :

— Quand je lui ai dit que je t'avais manqué et que je te cherchais, elle m'a dit : « Le dimanche, il est peut-être avec ses amis, au balletti. Il va toujours au même, c'est pas loin. » J'y suis allée et c'est là que je t'ai vu...

« Ça y est, pensa Pascal, c'est là que je commence à avoir tort. »

— ... que je t'ai vu danser.

« J'ai attendu une heure et demie et c'est moi qui ai tort. »

— Tu danses bien d'ailleurs. Mieux que ton pot de peinture.

« Et voilà, c'était fatal, c'était à lui de se justifier. »

— Écoute Séraphine, quand j'ai vu que tu ne venais pas, je suis allé retrouver mes amis... Je trouve ça normal, non ? Ce sont des choses qui se font...

— Je me demande, dit Séraphine, si elle prend du Ripolin ou de la Valentine.

Pascal eut l'illumination ; il s'engouffra dans l'échappée :

— Et pourquoi ton père n'a pas voulu ? Tu lui as dit que c'était avec moi que tu sortais ?

Elle desserra ses bras.

— Oui, je lui ai dit.

— Et il a pas voulu quand même ?

— Non.

Qu'est-ce qui s'était passé dans la tête du vieux fêtard ? Pascal savait qu'il entretenait toujours Marthe, ce qui ne l'empêchait pas de monter au Panier, dans les claques à matelots... On le connaissait autant dans les salons de chez Aline qu'au comptoir de l'Estrasse. Et puis il y avait les cercles de jeu où l'argent filait entre ses doigts... Il en était déjà à sa deuxième fabrique vendue, l'autre allait suivre... Mais tout cela ne comptait pas, il y avait le serment qu'il avait fait à la mort de son ami... Il avait tenu parole et jamais Pascal n'était venu le trouver pour rien.

— Et pourquoi il a pas voulu ? Il te l'a dit ?

Il devina l'acquiescement dans la pénombre.

Les platanes interdisaient au clair de lune de pénétrer sur le cours... Contre les troncs épais les paquets de chaises pliantes et de parasols étaient attachés par des chaînes de fer.

— Et qu'est-ce qu'il t'a dit ?

— C'est à cause du député.

— Qué député ?

— Pas le député lui-même, mais son fils... On peut marcher un peu maintenant... Si tu pouvais me raccompagner, j'aurais moins peur... A moins que tu préfères retourner voir ta figure de Carnaval...

Pascal se leva, mimant l'effort suprême. Elle le soutint et ils descendirent en direction des barques balancées sur le chatoiement des eaux grises...

L'affaire était simple : au cours d'une réunion à la chambre de commerce, Panderi avait rencontré le député de l'arrondissement et ils avaient fini la soirée à la Réserve. Il y avait tellement de cadavres de bouteilles de champagne sur leur table qu'ils n'arrivaient plus à se voir. Ils se fréquentèrent souvent à partir de cet instant et, pour des raisons obscures, décidèrent de marier leurs enfants. Le fils du député avait vingt-quatre ans, achevait pour la quatrième fois de se faire recaler au baccalauréat et cherchait à se caser. Panderi, ébloui, décrivit Séraphine comme une demoiselle réservée et riche d'espérances. C'est en effet à elle que reviendrait l'huilerie. Abusé par l'alcool et par l'immense fantaisie des chiffres avancés par son propriétaire, le député vit l'avenir de son rejeton assuré et les deux pères considérèrent l'affaire faite. Séraphine, demandant l'autorisation de minuit pour se balader avec un porteur de caisses de poisson, fils de maquereau, n'avait pas été bien accueillie.

Elle terminait ses explications lorsqu'ils abordèrent la masse sombre des jardins Pierre-Puget.

— Mais comment est-il, ce fils de député ?

Elle rit, sentant l'inquiétude du ton du jeune homme.

— Mais j'en sais rien... je ne l'ai pas vu. C'est une lubie à Papa, ça va lui passer, tu sais comment il est...

La pente était rude. Séraphine remarqua :

— Tu marches bien mieux.

— C'est parce que ça chauffe...

Ils avancèrent en silence à travers les ruelles. De nouvelles villas s'étaient construites ces dernières années, même des maisons entières, avec des étages. Les grands jardins s'étaient vendus en lots séparés et la nuit ne sentait plus l'arbre.

La ruelle blanche de lune s'infiltra en coulée d'eau fraîche entre l'incendie des flammes hautes des cyprès et à gauche le mur de la Taraillette apparut. Ils arrivaient.

« J'ai même pas le temps de compter jusqu'à cent, pensa Pascal, je resterai couillon toute ma vie, elle ferait mieux de prendre le député. »

Il aspira une bouffée d'air poivré comme une soupe au pistou et la colla contre la pierre avant de l'avoir seulement décidé. Il sentit les lèvres s'entrouvrir et il pensa à une naissance de fleur immédiate dans un élan de printemps... Ils se cramponnèrent l'un à l'autre et leurs dents se heurtèrent...

Je resterais ainsi le restant de ma vie... Derrière ce mur nous avons tant joué, pitchounets sans histoire... Sous leurs paupières la nuit devint rose et folle, légère et joyeuse comme le ruban autour des boîtes de dragées... Ils s'arrêtèrent, cherchant l'air, poissons dans la nasse. Il sentit les doigts de la jeune fille sur sa nuque. Il devina son sourire.

— C'est la soirée des bises, dit-elle. Tu en es à ta deuxième...

Il ferma les yeux.

— Et toi, tu as déjà embrassé des garçons ?

— Soixante-cinq.

— C'est drôle, dit Pascal, tu sais quand j'ai compris que je me marierais avec toi ?

— Non.

— Sur le vire-vire. Le jour de l'exposition. Dans la petite charrette.

— Moi bien avant. Quand je t'ai demandé si tu avais une fiancée. C'était pour être sûre que la place était pas prise.

— Eh bien, tu vois, elle est pas prise.

Le mistral se levait, un vacarme lent venait des hautes branches, il enflait peu à peu, retombait. Une agonie sortie de la poitrine de la nuit...

— Alors on se marie, dit Séraphine, c'est décidé ?

— C'est décidé. Pour le fils du député, tu dis que tu as le temps, tu réfléchis, tu fais traîner, et voilà, je le connais, ton père, il est brave comme tout : s'il sent que ça te plaît pas, il insistera pas... Mais lui parle pas de moi s'il a des rêves de grandeur, je suis pas encore le candidat idéal...

— C'est pas tout, dit-elle, et la peinturlurée, qu'est-ce que nous en faisons ?...

— Une pierre au cou et droit dans l'eau de la calanque...

Elle rit et il la prit de nouveau contre lui.

— Recommence, dit Séraphine, quand je pense que depuis dix ans j'en avais envie...

— Fallait demander, fadade...

A nouveau il sentit la peau mouillée et chaude, la bouche comme une blessure tranquille ouverte dans sa danse d'immobile frénésie... Il allait pleuvoir. Demain le ciel serait lavé comme une dalle bleue par le torchon de l'air... A peine audible sous le grand vacarme mouvant qui les enveloppe, il entend le nom d'autrefois, le nom qu'elle menaçait de lui donner lorsqu'ils jouaient sur leur terrasse africaine :

— Je t'aime, Frise-Poulet.

Il songea que ça faisait couillon de dire « moi aussi ».

— Pareil comme moi Fine, chuchota-t-il.

Déjà, grosses comme des pièces de cinq centimes, les premières gouttes tombaient.

1935

La Bandera

ARRIVÉ devant le ponton de l'Impérial, Mitraillette Vesperone ancra ses godillots dans la poussière blonde, enfonça son calot jusqu'aux sourcils et, d'un coup d'épaule, réajusta sa fourragère. Il s'était attribué lui-même le surnom de « mitraillette », le trouvant plus militaire que Séraphin, son nom de baptême.

— J'y vais pas, dit-il. Si j'y vais, j'ai plus assez pour me payer le claque, alors pas question, votre Jean Gabin, vous avez qu'à vous le voir tout seul...

— Y a pas que Gabin, dit Pascal, il y a Viviane Romance.

— Et elle est pratiquement nue tout le temps, dit Petche, allez viens, regarde les photos d'abord, tu décideras après.

Pascal et les deux autres entrèrent dans le hall, plein de monde en ce dimanche après-midi.

C'était l'unique cinéma de Saint-Florent et l'on y jouait *La Bandera*... Vesperone regardait les photos d'un air méfiant.

— Je la vois pas à poil une seule fois.

— Évidemment, dit Petche, ça t'attirerait toi, mais ça ferait fuir les familles.

Vesperone promena autour de lui un regard lourd.

— Pas sûr, dit-il, tu connais pas les Corses...

Pascal s'impatienta.

— Alors, qu'est-ce que nous faisons, on va le voir ce film ou non ?

Vesperone scrutait l'affiche. Gabin en calot à pompon et bandes molletières tirait au fusil sur des Arabes lointains. Dans un coin, une fille dansait, les poignets lourds de bracelets. Le dessinateur ne l'avait guère flattée, mais c'était pour elle que Pascal avait insisté pour venir : il s'était découvert une passion pour Annabella ; il pensait qu'elle avait quelque chose de Séraphine, c'était indéfinissable, dans la bouche ourlée peut-être, mais surtout dans le trouble qui naissait par moments dans le regard...

— Et puis non, dit Vesperone, je vais au claque, au moins je sais ce que j'y trouverai, tandis que votre *Bandera,* je sais pas bien ce qu'il y a dedans.

Pascal le laissa partir et les deux militaires se mirent à la queue.

— Celui-là, dit Petche, on peut pas dire qu'il y ait grand-chose qui l'intéresse dans la vie, à part les femmes. Moi je préfère un film à une gonzesse, ça me fait plus penser à des choses.

— Ça dépend des films, dit Pascal.

Petche rêvassa un moment.

— Ça dépend peut-être aussi de la gonzesse, remarqua-t-il.

Ils payèrent demi-tarif pour les militaires, et entrèrent dans l'univers pourpre et brumeux de l'Impérial, grand bateau échoué à l'angle de la place ensoleillée. L'ouvreuse les emmena jusqu'au pied du rideau et ils s'assirent sur les sièges claquoirs au milieu des familles de Saint-Florent. Les femmes aux aisselles marquées d'une auréole sombre, aussi belles que lourdes, surveillaient leurs petits aux cheveux de charbon, vissés sur leur siège par la crainte de taloches et l'attente du plaisir... Les hommes étriqués dans la serge noire des costumes de ville fumaient dans le foyer en attendant la sonnerie. On voyait les cylindres blancs des cigarettes mal roulées sous la barre épaisse des moustaches et Pascal pensa que rien n'était plus sévère et triste que ce pays de plein soleil. Il régnait dans la salle une lueur d'aquarium et le diamant au petit doigt de Pascal accrochant un rayon pétilla soudain comme un incendie minuscule. Cela faisait un an que Mémé lui avait donné la bague... Le jour de ses vingt ans, comme Gaston l'avait voulu. Il avait failli se battre avec le Pestadou à son sujet lorsqu'il la lui avait montrée la première fois.

— Elle est belle, avait reconnu le garçon, elle brille bien.

— C'était à mon père, avait expliqué Pascal, c'est un souvenir.

Pestadou l'avait examinée de plus près et avait conclu sans méchanceté :

— Alors si elle est à ton père, elle doit représenter de braves coups de quiques !

Pascal avait eu la lèvre d'en dessous un peu fendue et Pestadou un œil à demi fermé mais cela n'avait en rien entaché leur amitié.

— Ça y est, dit Petche, c'est pas trop tôt.

La lumière baissa en même temps que la sonnerie retentissait. Les hommes écrasèrent les mégots dans les cendriers Byrrh et vinrent s'asseoir à côté de leurs femmes. Pascal, la nuque cassée, vit le rideau s'écarter et Mussolini jaillit, soudain remplacé par le trot rapide, dans les rues de Rome, d'un bataillon de Bersaglieri, les plumets des casques ondulaient comme une mer défilant devant une foule serrée.

« A Rome, tout semble prêt pour l'intervention éthiopienne que les autorités jugent de plus en plus nécessaire et, malgré les tentatives d'apaisement venant des démocraties, il semble que le Duce ait pris une décision, espérons pour la paix du monde et le bonheur des peuples qu'elle sera la bonne... »

— Ils font chier avec l'Éthiopie, murmura Petche...

« A Paris, la mode ne perd pas ses droits et la capitale reste toujours à l'avant-garde des élégances, cet hiver nos compagnes porteront... »

Des femmes tournaient, robes plissées à l'antique, manteaux cintrés, fourrures, un monde blanc, satiné, inconnu.

« M. Chaplin tourne son premier film parlant, cela s'appellera *Les Temps modernes;* souhaitons que le célèbre comique international offrira de notre époque une image réconfortante et joyeuse... A Colombes, c'est l'Olympique de Marseille qui, face au Stade rennais...

Petche balança un coup de coude à son voisin.

— Regarde qu'on parle de ton pays !

Les joueurs blancs déferlent à toute allure, la balle fuse, tête ennuyée d'Albert Lebrun, tir de Kohut, filet secoué, plongeon désespéré du goal. La foule se lève.

« Et c'est finalement sur le score de 3 à 0 que les joueurs de l'antique Phocée triomphent et ramèneront une fois de plus leur trophée sur la Canebière... »

Pascal aperçut la silhouette familière du pont transbordeur derrière la coupe brandie par Charbit et sentit la tristesse venir. Il était loin le transbordeur, peuchère ! Il se trouvait à plus de huit mois encore, et Séraphine pareil. Deux cent cinquante-six jours exactement. Deux cent cinquante-six au jus...

« Le mariage du général Hermann Goering et de Mlle Sonneman s'est déroulé hier à Berlin en présence du Führer. Vers quinze heures, à la sortie de la cathédrale... »

Les poitrines chamarrées des dignitaires du Troisième Reich pâlirent, le visage de Séraphine envahit l'écran, noyant l'archevêque, la foule dans la Wilhelmstrasse et sur l'Unter den Linden... Un visage aux yeux pailletés, comme ceux des costumes des clowns dans les cirques, un visage transparent au travers duquel défilait déjà le bataillon de légionnaires aux képis de sable... Le film commençait... Pascal se laissa couler, les omoplates broyées par le dossier de bois dur et tenta d'oublier les yeux emplis des diamants du rire...

— TRENTE à quinze.

Séraphine desserra légèrement son bandeau, assura sa prise autour du manche de bois, prit une lente aspiration, lança la balle verticalement au-dessus de sa tête et frappa.

La balle heurta le filet avec un bruit flasque.

— Il faut lifter davantage vos balles, ne frappez pas avec le plat de la raquette...

Elle serra les dents. Elle ne détestait pas le tennis, mais elle avait horreur de perdre, et puis surtout cette grande banaste de Lucien Mérignon commençait à lui gonfler sérieusement la figue avec ses commentaires de technicien. Non seulement il la battait, mais en plus il lui expliquait pourquoi. Cela lui donnait l'impression de perdre deux fois le même match. Elle sortait de ces rencontres la chemisette à tordre et l'orgueil en charpie.

Elle fit rebondir trois fois la balle sur le sol et prit sa place pour effectuer son deuxième service.

— Pivotez sur vos hanches en frappant, accompagnez le coup...

Elle le regarda mimer en se dandinant et décida de le tuer net en lui expédiant un coup droit juste entre les deux yeux. Elle servit mollement, courut au filet sans conviction et se fit passer par un revers impeccable qui frôla la ligne. La voix de Lucien Mérignon retentit et

Séraphine eut l'impression qu'on l'entendait dans tout Marseille.

— Quarante-quinze. Jeu et partie. Vous ne vous concentrez pas assez, mademoiselle Panderi, vous avez la tête ailleurs qu'à votre jeu...

Comme à chaque fois qu'elle sortait du terrain de tennis de la villa qu'occupaient les parents Mérignon dans les jardins du Prado, Séraphine se demanda ce qu'elle était venue faire là. Un soir de l'été dernier, dans une sauterie à laquelle elle avait été invitée et où la jeunesse dorée marseillaise s'était retrouvée, elle avait effectué avec lui trois rumbas d'affilée. Il avait dû prendre cette constance pour un signal car, après lui avoir offert une coupe de punch au rhum des îles, il avait approché d'elle son visage de grand flandrin marqué par une acné huileuse et une fatuité imbécile et tenté de l'embrasser en utilisant le style Gary Cooper dans *Les Trois Lanciers du Bengale,* film qui faisait fureur rue Saint-Ferréol.

Séraphine, dont l'alcool avait ralenti les réflexes, s'était retrouvée entre les bras de Mérignon. Étonnée de cette situation toute nouvelle, elle avait d'abord pensé que le garçon ayant trébuché s'était rattrapé à elle, mais lorsque son insistance à presser sa bouche de la sienne avait touché à l'entêtement, elle l'avait repoussé avec furie.

La mèche grasse barrant son front rougeoyant de séborrhée, Lucien Mérignon avait protesté :

— Mais, Séraphine, ce sont des choses qui se font...

Elle avait alors regretté de ne pas avoir de raquette pour lui en balancer un coup direct mais s'était calmée. Elle avait même failli lui dire qu'elle était fiancée et qu'il arrivait à l'heure des brousses.

Depuis, les leçons de tennis avaient repris dans le parc... Mérignon ne s'y était plus frotté... Son père occupait une place privilégiée à la Chambre de commerce de Marseille, c'était un appui qu'il fallait se ménager. Lorsque Séraphine avait rapporté l'incident à

Joseph Panderi, celui-ci avait avalé d'un trait une flûte de champagne-pastis, cocktail détonant dont il était l'inventeur et l'unique utilisateur.

— Fine, avec les Mérignon dans la poche, on triple le marché de l'huilerie...

— Et alors, dit-elle, c'est pour cette raison qu'il faut que je me laisse esquicher dans les coins par leur couillon de fils?

— Qui te parle d'esquicher? Tu te le maries et après tu le trompes avec qui tu veux, et comme ça on est tranquilles tout le reste de la vie...

Séraphine haussait les épaules, rentrait dans sa chambre et rayait une journée. Ce soir-là il en restait encore deux cent trente-sept. Deux cent trente-sept jours et Pascal serait là. Sans raquette, sans acné, sans chambre de commerce et sans un sou. Mais il serait là.

Elle avait une photographie de lui en militaire, prise en Corse; elle retrouvait son air de voyou tendre, on voyait la mer derrière... la même que celle qu'elle apercevait de la terrasse de la Taraillette, c'était elle qui les séparait et les réunissait à la fois, la grande dalle de saphir immobile que le soir ridait doucement... Appuyée à la balustrade de pierre Séraphine songeait que le vent était comme les années, il faisait naître les plis ténus de la vieillesse sur la peau intacte et bleue de l'eau. Le vent était comme le temps et le temps un jour lui ramènerait le beau soldat de son enfance, le brigandas qui lui avait bourré le cœur de bonheur et de larmes, de larmes surtout depuis tous ces mois où il n'était plus là...

Elle referma le tiroir sur la silhouette de Pascal et alluma Radio-Paris : « La première expérience de télévision a eu lieu hier soir au ministère des P.T.T. en présence de la presse et du ministre, M. Mandel. Ce fut un superbe succès pour la France et pour ses laborieux ingénieurs. En effet, nous pûmes voir, ainsi que nos collègues, à la fois l'image de la comédienne et la comédienne elle-même, Mlle Bretty, qui nous raconta le voyage en Italie de la Maison de Molière... »

Séraphine sentit sur elle l'accablement de cette fin de dimanche. Elle avait beaucoup travaillé ces temps derniers... Elle avait rapporté jusque dans sa chambre les livres de comptes de la fabrique et avait passé sur eux de longues heures.

« Le maréchal Pétain de passage à Berlin a rendu hommage aux morts allemands de la dernière guerre en compagnie du général von Reichenau. M. François-Poncet, ambassadeur de France, accompagnait le héros de Verdun dans son voyage... »

Et si elle allait voir Maria Marocci ? Cela faisait bien longtemps qu'elle n'avait pas monté les escaliers de la vieille maison de la rue des Bons-Enfants... La vieille dame ne vieillissait pas, son œil frisait toujours et Séraphine aimait l'entendre parler de son petit-fils... Elle n'éclairait la lumière que bien après la nuit venue, une habitude d'économie, elles restaient toutes les deux dans la pénombre, près de la fenêtre ouverte par laquelle entraient les derniers bruits de la rue, l'odeur éternelle de la lessive et des écorces de melon charriées dans les caniveaux. Tout à l'heure elles se partageraient un pan-bagnat d'une demi-livre arrosé d'un blanc de Cassis dont la vieille dame disait qu'il tuait le ver. Elle demanderait ensuite à Séraphine :

— Je te fais l'omelette de tomate ?

Devant le refus de la jeune fille, elle émettrait quelques regrets concernant la force physique et morale des jeunes générations qui ne savaient plus manger et finirait par remonter le phono. Elle changerait l'aiguille d'acier et poserait sur le plateau le disque où Villabella chantait *La Dame blanche*. Avant que ne monte dans la nuit la voix du ténor, elle préciserait que c'était Pascal qui lui avait offert cette machine parlante et que ça prouvait bien que, même si parfois il faisait le fier et avait le mauvais genre avec le foulard dans la chemise et le pantalon large du bas comme les marins d'Amérique, il avait le cœur grand comme le ventre d'un bateau vide et que de le savoir là-bas, de l'autre côté de la mer à faire le santon, ça la rendait fadade de souci.

Séraphine avait posé sa main sur celle de la vieille dame, avait attendu la fin du disque, la dernière note, et avait dit doucement :

— On est fadades toutes les deux, Mémé...

Alors la peine était entrée, une peine presque douce et il avait semblé à Séraphine qu'en tendant la main elle pouvait la saisir et la bercer comme l'on fait pour les petits lorsqu'on réussit, à force de tendresse, à leur chasser le chagrin.

1937

Le retour des Afriques

— OH, Pipette !

Le colosse se retourna. Sur son tablier de caoutchouc le sang caillé et la laine formaient une croûte brune, une cuirasse de boucherie.

— Té, Pascal ! Ça par exemple...

Le grincement des grues et les bêlements des moutons chargés sur les plates-formes des camions remplissaient l'air chaud.

Pipette agita ses doigts couverts de marbrures écarlates.

— Je te touche pas la main...

Pascal lui sourit, évita les flaques entre les pavés disjoints, le gazole, l'eau de mer et le sang des bêtes couraient en rigoles.

— On te voit plus chez l'Estrasse, Pascal...

Pascal repoussa son feutre, dégageant le front... Le geste de Gaston qu'il avait repris... un peu machinalement, un peu volontairement.

— Le travail... Et toi, tu as pas l'air de chômer...

Pipette rit.

— A deux arrivages par jour, j'ai pas le temps de me mettre à l'ombre. En plus, comme ils entassent les bestiaux de plus en plus les uns sur les autres, à l'arrivée il y en a plus de morts que de vivants...

En plein ciel, une grappe de moutons oscilla... A travers les mailles des filets, deux pattes dépassaient, ruant par saccades.

— Reste pas dessous, Pascal, ils vont te caguer dessus...

Les moutonniers venant d'Algérie s'alignaient le long des bassins de la Grande Joliette. C'est là que travaillait Pipette tous les jours du Bon Dieu, déchargeant des cales les cadavres d'animaux étouffés. Des hommes couraient, attachant les pattes des bêtes à des filins... Des goélands tournoyaient autour des paquets d'entrailles que des jets d'eau repoussaient dans les bassins.

— Qu'est-ce que tu fais sur les docks ?

— Je vais attendre un bateau, une amie qui revient d'Afrique...

Le géant eut un rire de fille. Sa voix de ténorino surprenait dans ce corps d'athlète.

— Si elle est pas trop noire, tu me la mets de côté.

Pascal porta l'index droit au rebord de son chapeau.

— Ciao, Pipette, on se fait une fête un de ces soirs...

— Quand tu veux, bicou, tu sais où me trouver...

Pascal s'éloigna, longeant les hangars. Brave type, Pipette, il l'avait connu à l'armée, ils avaient fait le mur ensemble, à Sainte-Marthe et à Saint-Florent, dans toutes les casernes de Corse où ils étaient stationnés...

Dans le civil, Pipette fabriquait des semelles d'espadrille pour les pêcheurs de Saint-Henri et songeait à s'engager dans la Légion lorsque Pascal lui avait eu la place... Il rendait des petits services en période d'élection et tout allait bien pour lui.

Le printemps démarrait vite et fort cette année. Sur les hauts de L'Estaque on avait déjà vu les premières brumes de chaleur et ce matin la brise de mer était tombée très vite, laissant place à l'air brûlé qui descendait des pinèdes. « Heureusement que j'ai mis le costume léger, songea Pascal, sinon, je coulais l'eau. »

144

L'air retentissait à présent des coups de masse de fer frappés sur les coques de bateaux en radoub.

Au môle 10, on déchargeait d'un cargo tunisien du coton d'Égypte et des billots de chêne-liège en provenance du Nord-Maroc... Des chiens se battaient autour d'une caisse de dattes éventrée.

Pascal enjamba des rails. Toutes les marchandises du monde passaient ici : du riz de Saïgon aux chevaux syriens, bateaux bourrés de phosphates, de chaux, d'aloès, de coprah, de graines de ricin, thé, café, cacahuètes des comptoirs français des Indes... Tonneaux de vin grec, de rhum des îles, peaux de chèvres... Le *Santarem* achevait de vider ses cales de tabac d'Amérique et chargeait déjà du blé de Beauce en direction d'Alexandrie. Cette ville était un marché, le marché du monde, et dans un marché il y a toujours de l'or à gagner pour celui qui sait s'y prendre...

Dans cette partie du port les quais étaient interdits au public, mais au poste d'entrée, il connaissait l'un des responsables... Pascal songea qu'il devenait comme son père : il avait toujours un ami quelque part qui lui rendait service, à charge de revanche bien entendu, mais c'est comme ça que l'on progressait dans la vie, et depuis son retour de l'armée, cela faisait plus d'un an à présent, il avait pas mal avancé... La preuve, c'est qu'il avait plusieurs costumes du dimanche qu'il mettait tous les jours de la semaine avec les chemises et cravates pour aller avec. Et puis, il louait le petit appartement rue Longue-des-Capucins, avec le w.-c. sur le palier peut-être, mais à vingt-trois ans il ne pouvait quand même pas rester chez la Mémé, surtout quand on est dans les affaires et qu'il faut recevoir des gens chez soi de temps en temps...

Il enjamba des rails qui servaient aux wagons de céréales et au dernier bassin aperçut le premier paquebot amarré. Il arrivait. C'était le coin des grands navires, des trois-cheminées grands comme des immeubles du cours Belzunce, les transatlantiques qui embarquaient pour les continents et accostaient ici, dans le plus grand port de la terre. Entre les remorques et les étraves géantes, Pascal aperçut une tartane qui louvoyait, cherchant la passe, ce devait être la dernière... on la garderait pour les touristes, mais c'en était fini des voiles et des voiliers... Entre le *Laconia* et le *Paris* les quais étaient noirs de charbon. Ça aussi, c'était le progrès, le monde avançait sur la mer et sur la terre comme une grande usine avec son panache de fumée.

Il longea les carènes monstrueuses... Les amarres grosses comme des arbres vibraient en notes d'orgue. Il en connaissait quelques-uns : le *De Grasse* qui faisait les Indes, le *Lafayette*, l'*Angkor* aux cheminées écarlates, le *Chantilly* embarquant pour Port-Saïd, Suez et les îles de l'océan Indien... le *Félix Roussel* qui avait un tennis entre les cheminées, le *Champollion* aux croisières égyptiennes, l'*Île-de-France*, le roi des mers d'Afrique et de Chine.

Sur le quai la foule s'entassait déjà. La Compagnie avait annoncé l'arrivée du *Ville de Dakar* pour midi.

Pascal chercha l'étui dans sa poche, l'ouvrit et tapota l'extrémité de la Balto sur le couvercle. Dans moins d'une heure, Séraphine serait là.

Arrivé dans le hall de la gare, il se dirigea vers le kiosque à journaux mais ne se sentit pas d'humeur à lire. Un reflet dans une vitre lui renvoya son image. Pascal passait pas mal de temps devant le miroir mais l'apparition éclair de sa silhouette devant ses yeux le surprit : il était devenu son propre père... La coupe des costumes avait changé, on avait dit adieu aux cravates à système, aux plastrons amidonnés et aux faux cols celluloïd, mais c'était Gaston soudain qui venait à lui dans la glace, la même dégaine un peu dolente de jolie crapule calamistrée... C'était drôle, il avait toujours voulu lui ressembler et maintenant que c'était arrivé il en ressentait un malaise comme s'il avait emprunté une apparence qui ne lui convenait pas réellement, un vêtement fait pour un autre avec lequel il n'avait jamais rien eu à voir...

Les porteurs faisaient résonner les roues des chariots sur le ciment ; tout à l'heure ils escaladeraient les échelles de coupée et iraient chercher sur leur dos les malles-cabines pour les amener à quai...

Il s'accouda à un pilier et tira sur sa cigarette.

Un mois qu'elle était partie. Cinq semaines. Trente-neuf jours.

Pourquoi avait-il du mal à s'avouer qu'il les avait comptés ?

Elle était retournée à Paris finalement, elle avait fait une école pendant qu'il se morfondait à la criée. Deux années interminables pendant lesquelles ils s'étaient écrit. Jamais Pascal n'avait autant tiré la langue. Mémé l'avertissait chaque soir qu'il allait se tuer les yeux à écrire comme ça, qu'il se détériorait la santé, qu'il s'arrondirait la colonne vertébrale, qu'il se vidait la tête, qu'il se détruisait la cervelle, rien n'y avait fait : Pascal n'avait pas passé une semaine sans mettre à la boîte une lettre de six pages bourrée de bisous, de mensonges et d'espoirs... Il recevait la réponse le mardi, c'était réglé comme une pendule.

« Je me languis de toi, mais tu dois comprendre : il faut que je sauve l'huilerie de Gardanne, Papa n'y a jamais rien entendu et c'est pas aujourd'hui que ça va lui venir... J'apprends la comptabilité, les échanges, sans ça il va vendre et on finira dans la mouscaille complète, lui et moi... Embrasse-moi Frise-Poulet, mon grand fada, mon amour de la Taraillette... Je compte les jours pour la Noël, elle vient, Pascalounet, elle est loin encore mais elle vient... »

Il glissait la lettre sous son sommier avec les autres, c'était un réflexe de cachottier, inutile et bête. Maria Marocci le savait, de temps en temps elle soulevait le matelas, les rangeait par dates en regardant le tampon de la poste sur les enveloppes et remettait tout en place.

— Pascal, pourquoi tu les mets pas dans ton tiroir, les lettres de Séraphine ?

— Parce que je les jette.

La vieille levait les yeux au plafond, remplissait à ras bord de soupe au pistou l'assiette de son petit-fils et lâchait en provençal une bordée d'injures parmi lesquelles il était question de testa dura, de mule d'Arabie et d'âne rouge de l'Esterel.

De son grand lit paysan, la vieille dame entendait presque chaque soir la plume gratter dans la chambre de Pascal, elle guettait le bruit de la Sergent-Major contre le verre de l'encrier et s'endormait dans la tendresse de cet amour frais comme les draps de lit après la lessive...

« C'est bien long pour moi aussi, Fine, tu le sais, et en plus le service qui vient, moins de trois mois à présent et je serai incorporé. Il y a les permissions bien sûr, mais quand même, ça me fait un souci, peut-être que pour toi après le fils du député, ça sera un ministre et alors, en galère, tu feras la dame dans les grands salons et moi je vendrai des fèves au marché des Capucins. Je t'embrasse comme la dernière fois, mais cent fois plus terrible, avec la grande fureur de l'Amour. Pascal. »

Il s'était demandé à son retour du service en Corse, s'il n'y avait pas une malédiction sur eux : depuis un an qu'ils étaient ensemble à Marseille, ils ne s'étaient presque pas vus. Elle tenait la fabrique à bout de bras, elle avait été voir les banquiers de Paris, les associés de Bordeaux et de Toulouse, et maintenant un voyage au pays des nègres, pour faire baisser les prix des arachides et, en même temps, ces recherches pour accélérer la production... Elle avait déplacé des capitaux dans une fabrique de toile, enfin elle menait une vie de tron de l'air et pendant ce temps le père Panderi sifflait toujours ses pastagas et réglait les factures de la belle Marthe et, il fallait le reconnaître, la rente de Maria Marocci. On disait même qu'il s'était mis à la reniflette depuis quelque temps. De l'éther, peut-être pire, et si ça se savait, ça la foutrait mal... Il faudrait en parler à Séraphine.

La foule s'amassait contre les vitres. Les douaniers faisaient refluer les voyageurs, libérant le quai. Ces arrivées étaient interminables, les manœuvres d'accostage, les formalités, les contrôles, tout ça au gros de la chaleur...

— Pascal !

Il se retourna et vit le couple : Marthe donnait le bras à Panderi. Il était venu chercher sa fille. Pascal leur serra la main. Panderi avait vieilli, sur les tempes les cheveux blanchissaient. Marthe, en voilette et gants chevreau malgré la saison, lui fit le grand sourire.

— Tu te fais rare, petit...

Elle était toujours jolie, plus qu'autrefois... Ses dix ans de vie bourgeoise l'avaient épanouie. Elle avait joué le jeu, était restée fidèle et avait tenu la maison où son amant venait de plus en plus souvent depuis que Séraphine avait pris le pouvoir... Un jour, elle espérait quitter la rue Saint-Ferréol et s'installer dans la belle villa où elle n'était jamais allée, y pénétrer peut-être en épouse... A trente-cinq ans, ce serait une belle réussite.

Elle prit le bras de Pascal, entraînant les deux hommes dans la foule.

— Tiens, le voilà !

Entre les coques géantes, le bateau était invisible mais la sirène venait de retentir...

— Ils entrent dans la rade, dit Panderi.

Marthe tourna ses yeux pâles vers Pascal, elle avait toujours eu un air un peu chinois que la maturité n'avait pas effacé.

— On parle pas mal de toi dans Marseille.

— Qui te l'a dit ?

— Ma Quique. Elle vient me faire des visites de temps en temps...

Pascal aspira la bouffée et attendit de l'avoir relâchée pour demander :

— Et qu'est-ce qu'on dit ?

Les paupières enduites d'un fard discret se baissèrent.

— Que tu as de l'avenir.

Pascal ne répondit pas. Les langues marchaient vite et souvent trop, les nouvelles circulaient comme le mistral... elles grimpaient jusqu'aux toits, rebondissaient le long des murs, filaient dans le dédale des rues pentues et chaudes... C'est vrai qu'à l'arrivée du bateau qui le ramenait de Corse, deux hommes l'attendaient qui avaient connu Gaston, ils lui avaient offert un peu d'argent, comme ça, pour l'aider, parce que lorsque l'on revenait de l'armée, on ne roulait pas sur l'or. Pascal les avait renvoyés.

— Si j'ai besoin de sous, je me les trouve tout seul.

Les deux pistolets étaient partis sans rien dire mais apparemment sa réaction leur avait plu car le lendemain il avait eu une proposition de travail, sérieuse celle-là, dans cette affaire d'exportation. Depuis il se défendait bien...

Haut contre le ciel, l'éclatante paroi d'acier blanc apparut. Comme un rideau de théâtre manœuvré par un fil invisible, le *Ville de Dakar* glissa de droite à gauche, rasant le quai, occultant le spectacle du port. Dans un ralenti de cinéma, les premières lettres apparurent : VILL... Et, comme à chaque fois, Pascal sentit le bonheur venir... On pouvait appeler ça autrement, on pouvait parler de retournement d'estomac, de faiblesse de rotule, d'envie soudaine d'aspirer tout l'air du monde d'un seul coup, mais avant tout c'était cette certitude que l'essentiel lui était rendu, que la vie en forme de femme allait descendre de l'échelle de coupée et que tout dépendait d'elle, que tout le reste, l'argent, les considérations, les petites réussites de métier... tout cela ne comptait pas plus qu'une pétoule de cabri.

— Vé, regarde, les voilà...

Accoudés aux bastingages des ponts supérieurs et inférieurs, les voyageurs agitaient les bras... Sur le quai la foule massée répondit, une rumeur s'éleva surmontée de l'appel des haut-parleurs et du mugissement des sirènes.

— Vous la voyez ? hurla Panderi.

Pascal cherchait, nuque levée, à découvrir la silhouette de la jeune femme au milieu des autres. La réverbération du soleil sur les hublots lui brûlait les yeux. L'eau brassée refluait en houle profonde, léchant les pavés du quai. La vibration des machines s'accentua lorsque dans la manœuvre le navire effectua une courte marche arrière. Sur la dunette, dans le reflet incandescent des glaces, Pascal vit briller les casquettes blanches des officiers.

— C'est beau tout de même, un bateau, remarqua Panderi. Finalement ça m'aurait plu de naviguer, ça, c'est de l'aventure...

Marthe haussa les épaules.

— Avec les moteurs d'aujourd'hui, dit-elle, on risque plus grand-chose : Marseille-Dakar, Dakar-Marseille et on recommence, c'est comme le tram : La Blancarde-Cours Julien, Cours Julien-La Blancarde, tout pareil...

Les porteurs collés aux barrières s'écartèrent pour laisser passer un groupe de gendarmes et de douaniers mêlés à des civils et à des responsables de la compagnie Paquet à laquelle appartenait le bateau. La sirène lâcha un ultime beuglement, un cri d'animal triomphant et avec lenteur la masse s'immobilisa...

Pascal la vit.

Elle était au deuxième pont. Une robe verte à pois noirs. Entre une dame à chapeau bleu et un Noir en casque colonial. Il enregistra d'un coup d'œil qu'elle avait bronzé, un peu maigri et qu'elle était plus belle que Norma Shearer qui faisait un malheur sur les écrans de la ville dans *Marie-Antoinette,* avec Tirone Povère.

Il s'élança, enjambant un tas de valises et de ballots, joua des épaules et arriva dans les premiers.

— Oh ! Fine !

Elle l'aperçut et il reçut son sourire dans le cœur.

— Frise-Poulet !

Elle était juste au-dessus de lui, comme au troisième étage d'une maison. Il mit ses mains en porte-voix :

— Ne saute pas, attends qu'ils mettent l'échelle !

Elle rit, hocha la tête et envoya un baiser à son père qu'elle venait d'apercevoir au milieu des têtes levées... Marthe s'était reculée dans l'ombre des piliers, elle en sortirait plus tard, après les embrassades, sa place était la dernière, par discrétion...

Les premiers voyageurs descendaient au milieu des uniformes des porteurs. Il vit la robe verte disparaître dans la cohue, réapparaître... Des matelots couraient entre les voyageurs dans les rires et les appels... Pascal grimpa quatre marches de la passerelle le long de la coque et la vit descendre, une valise au-dessus de la tête. Il s'insinua entre deux photographes qui bouchaient le passage et elle fut contre lui. Ils pivotèrent sous la poussée de la foule et se collèrent à la paroi du navire pour laisser passer les amoncellements de malles et de sacs.

Elle l'embrassa avec une violence qu'elle n'avait jamais eue.

— Serre-moi fort.

Il la souleva, embrassant les cheveux derrière l'oreille, le cou, la nuque de soleil...

— Tu es noire comme un fond de poêlon !...

Les paillettes de ses yeux dansaient, c'étaient les yeux d'amour, les yeux de sarabande.

— Ça te plaît ?

— Ça te va bien.

Ils rirent ensemble et descendirent les marches.

— Donne ta valise.

— J'en ai encore deux dans la cabine... Je les ai laissées.

— Pourquoi ?

— Je voulais que tu m'embrasses vite, fada...

152

Il l'admirait toujours dans ces moments-là parce qu'elle disait les choses qu'il préférait taire... Il n'avait pas osé lui dire que, lui aussi, il n'en pouvait plus de l'attendre, qu'il avait envie de la tenir si serrée qu'elle ne parte plus... Jamais il n'arrivait à parler de ses désirs.

— Dis-moi le numéro, je vais te les chercher...

— 132.

Il se perdit dans les coursives, essuya d'un revers de main le rouge à lèvres qui lui tachait le menton et trouva enfin. La cabine sentait le bois ciré, il lissa le drap de lit de la couchette où elle avait dormi et prit les valises.

« La prochaine fois qu'elle prend un bateau ce sera avec moi. » Il venait de décider. Comme ça, d'un coup... Ce n'était pas impossible, il avait l'argent à présent, enfin il pouvait l'avoir... Il fallait un peu d'audace, se trouver un associé qui saurait faire des ronds de jambe et des politesses, responsable des cargaisons, un autre un peu costaud si par hasard les choses ne tournaient pas rond, et il se mettrait à son compte. Pestadou et Pipette. Ce serait parfait... Tout collait à merveille. Ils formeraient une belle équipe. Il s'y mettrait demain... Aujourd'hui il se savait la tête trop pleine de mistral pour réfléchir, la cougourde trop remplie de vide et d'amour...

Les bras tirés par le poids des bagages il redescendit dans le vacarme et le désordre et aperçut le petit groupe à l'écart, serré au comptoir de la buvette. Marthe lui fit signe. Panderi rayonnait : dans sa main le premier anis du jour jetait sa note trouble.

— Arrive, Pascal, et ouvre tes oreilles : elle a réussi. On garde la fabrique.

Pascal regarda Séraphine. Les choses étaient toujours plus compliquées que le prétendait Panderi. Il avait tout au long de sa vie cette faculté que possèdent les pauvres couillons et les vrais philosophes de ne garder de l'existence que ce qui lui permettait de continuer à nager dans la félicité... Panderi avait appris à chasser les nuages en fermant simplement les yeux, d'un revers du torchon de l'oubli il effaçait les emmerdements sans même s'en apercevoir. Pascal comprit à la moue de la jeune fille que les choses n'étaient pas aussi simples.

— C'est vrai, Séraphine ?

Elle regarda monter une bulle à la surface de sa limonade.

— Disons qu'on a un sursis...

Panderi s'indigna.

— Sursis ? Qué sursis ? Y a pas de sursis qui tienne... Ils continuent à livrer, ils ont baissé l'augmentation. Ça nous suffit pour tenir... c'est toi-même qui l'as dit...

Séraphine sentit que cela ne servirait à rien d'entrer dans les détails, qu'il avait décidé une fois de plus que la vie était belle et qu'il était exact qu'en ce matin de retour, avec Pascal et ces rires autour d'eux, elle l'était.

— Raconte un peu, dit Marthe, tu as vu des crocodiles ?

— Plein les rues. Ils ont des larmes dans les yeux.

— C'est à ça qu'on les reconnaît, dit Pascal.

Panderi reposa son verre vide sur le comptoir.

— Allez, je vous emmène quai des Belges, on va se manger les pieds-paquets chez Basso pour fêter le retour...

— Celui-là, dit Marthe, pour une assiette de pieds-paquets, tu lui fais monter tous les rompe-cul de la ville, nu-tête, par grand cagnard avec des pois chiches dans les souliers...

Pascal regarda sa montre-bracelet. C'était le chic américain, il avait abandonné la ronde à gousset de son père pour la nouvelle achetée rue de Rome, moderne avec les chiffres comme les Romains et les aiguilles brillantes la nuit.

— Je vais vous laisser. J'ai promis à des amis de passer... pour le travail...

Panderi se mit à rire.

154

— Tu es un lâcheur, petit, aide-nous au moins à charger les valises dans la voiture...

Ils sortirent de la gare maritime. Sous l'horloge géante, Séraphine s'approcha de lui.

— Il faut que je te parle... C'est possible ce soir ?

— Où tu veux, quand tu veux...

— A huit heures. A la Taraillette.

Il acquiesça.

— Je t'attendrai, chuchota-t-elle. Tu tires fort sur la sonnette parce que le fil devient flasque.

Comme Marthe s'approchait d'eux, Séraphine s'écarta. Ils s'installèrent dans une Vivastella gris Trianon de 1934 : Panderi avait ralenti le rythme d'achat de ses voitures, c'en était fini du temps des torpédos flambant neuves, des prototypes sortis d'usine... Pascal les regarda s'éloigner en direction de la ville... Là-bas, au-dessus des eaux et des toits amoncelés, la double croix du pont transbordeur reliait les deux rives de l'ancien port, enjambant le goulet de ses jambes de fer.

La poitrine de Pascal se gonfla : il aurait l'argent bientôt... Un jour il avait rêvé lui offrir des croisières... Il y était presque à présent : ils étaient dans leur bel âge, de grandes années restaient devant eux : vingt-trois ans... Il y avait, bien sûr, ces bruits de guerre, l'Allemagne, Hitler et toutes leurs histoires de caraques..., mais ça ne viendrait jamais, ça se passait trop loin. Ici, c'était le soleil et la lumière, le bleu de la mer et le rouge de la bouche de Séraphine qu'il reverrait ce soir. Ici, c'étaient les grands bateaux du bout du monde, les parfums de toute la terre avec, en plus, une pincée de fenouil et lui au milieu, avec elle, comme les mariés surmontant le tout, les petits mariés de sucre, noir et blanc, tout en haut du grand gâteau de fête.

LES yeux de Pascal s'arrondirent. Il posa le verre de chartreuse sur le plateau et se renversa contre le dossier du vieux canapé provençal qui ornait le salon bleu, violet dans le soir rouge.

— C'est pas possible, dit-il, tu ne me feras pas croire ça !

Séraphine croisa les mains sur sa jupe blanche et inclina la tête.

— Si, tu peux me croire.

Pascal chercha l'étui à cigarettes dans sa poche mais n'acheva pas son geste.

— Écoute, Chichourlette, si tu reviens d'Afrique exprès pour me raconter des histoires pareilles...

— Je ne reviens pas d'Afrique pour les raconter, je reviens pour les faire...

Pascal se tut. Il connaissait chaque centimètre de cette pièce, rien ne semblait y avoir bougé : la grande desserte de bois ciré, les assiettes anciennes, les vases vernissés de Saint-Jean-du-Désert avec la cigale sculptée sur le dessus... les souvenirs dans les vitrines que Panderi avait ramenés de ses voyages avec la mère de Séraphine : des poupées aux dentelles ternies, des bronzes d'Italie, des statuettes, des éventails d'Espagne, des châles, des poignards d'Orient, des photos dans des cadres...

Il sembla à Pascal que cela aussi allait disparaître.

— J'ai besoin de te l'entendre dire encore une fois... Répète-le-moi que je sois bien sûr.

Séraphine sourit et articula avec calme et netteté :

— Je vends l'huilerie Panderi. Un point à la ligne.

Pascal se leva.

— Mais au bateau, ce matin, tu as dit que tout était réglé, que tu avais obtenu des arrangements, que...

— Je les ai obtenus. Pour les six mois à venir. Ça me suffit pour conserver le chiffre d'affaires et vendre dans de bonnes conditions.

Pascal écarta les bras en signe d'impuissance navrée.

— Mais ton père y tient ! Toi-même tu t'en occupes depuis des années, tu es partie faire les études deux ans à Paris spécialement pour la sauver cette bon dieu d'usine, et puis, tout d'un coup, tu me fais venir, tu me fais boire la liqueur et tu m'annonces ça...

— Ce serait long à t'expliquer, dit Séraphine, et...

— C'est ça, coupa Pascal, je suis trop bestiari pour comprendre, à force d'avoir remué le poisson à la criée, j'ai attrapé une cervelle de merlan...

Elle quitta le grand fauteuil où elle était assise et vint s'agenouiller devant le garçon.

— Écoute-moi bien, Pascal, si tu étais bête comme tu le dis, il y a longtemps que je m'en serais trouvé un autre. Seulement, tu ne te tiens pas assez au courant de ce qui se passe, tu es comme ton père, en dehors de ton petit univers rien n'existe, pour toi le monde s'arrête à Château-Gombert...

— C'est vrai que je voyage pas tant que toi... C'est vrai aussi que j'ai pas une usine derrière pour m'offrir les paquebots de chez Paquet...

— Il s'agit pas de voyages, il s'agit de s'informer... Écoute, Pascal...

Tandis qu'elle parlait, il alluma la Balto et s'aperçut avec satisfaction que ses boutons de manchettes Burma brillaient sous la lueur de la lampe à capuchon comme une grappe de petits grenats... Il ne l'écoutait qu'à peine, il savait ce qu'elle disait, tout le monde en parlait, même chez l'Estrasse et dans les nouveaux cafés qu'il fréquentait près de l'Opéra, et rue Haxo : la guerre, les nazis, Mussolini, les chemises brunes, Chamberlain, Daladier, Albert Lebrun qui avait les grands pieds et qui pleurait tout le temps, les Russes, les Japonais, les jaunes, les rouges, les noirs, les verts, des histoires de l'autre monde... Il l'interrompit.

— Écoute Séraphine, on est d'accord, tu lis *Le Petit Provençal* jusqu'à la dernière ligne et même *L'Illustration* sans sauter une virgule, tu connais des gens qui savent des choses savantes et moi, les types que je fréquente, quand ils ouvrent *Bibi Fricotin* ils regardent que les images parce que lire, ça les fatigue, mais je peux te dire quand même que tout ce que tu me racontes là, je le sais et j'ajouterai une chose : même s'il y a la guerre, supposons, eh bien, même s'il y a la guerre, est-ce que tu crois que ça va empêcher les gens de manger de la salade ? Il y aura toujours besoin d'huile, guerre ou pas !

Elle se mit à rire.

— Offre-moi une cigarette...

— Tu fumes maintenant ? C'est en Afrique que tu as appris ça ? Ça fait mauvais genre.

— Ça se fait de plus en plus, et puis j'en ai envie.

Dans la lueur de l'allumette, leurs regards se croisèrent... Pascal prit conscience de la pénombre qui les entourait... Le halo rouge de la lampe répandait une lumière ténue tempérant à peine les ombres de la nuit qui entraient par la fenêtre ouverte sur le vieux jardin... Parfois l'odeur d'eau leur parvenait, celle de la mare d'Amphitrite, la statue qu'il avait vue avec Gaston le jour de la première visite...

— Réfléchis, Pascal, dans toutes les guerres, il y a un phénomène qui se produit et qui s'appelle le blocus... Je me suis renseignée...

Pascal l'écoutait plus attentivement : la France risquait d'être coupée de l'Afrique, quelques sous-marins en Méditerranée suffiraient, on parlait de mines marines, de tout un arsenal qui interdisait aux cargos la route de Marseille et des autres ports.

— Alors, tu me vois avec mon usine d'huile d'arachide sans arachides ?

Pascal se frotta le menton. Un matin, il avait eu envie de se laisser pousser la moustache, mais il avait reculé : Gaston était déjà trop présent en lui...

— Mais l'argent, si tu vends l'usine, tu vas avoir plein de sous, qu'est-ce que tu vas en faire ?

Au mouvement qu'elle fit, il comprit qu'elle attendait la question et qu'elle avait trouvé la réponse depuis bien longtemps.

— J'en achète une autre.

Le rire de la jeune fille tinta dans la pièce. Elle l'avait toujours étonné, il n'y avait pas de raison que ça s'arrête.

— Je sais déjà laquelle, c'est près d'Arenc, une fabrique de machines-outils, une belle entreprise, une affaire à faire et je ne veux pas manquer l'occasion.

Pascal écrasa le mégot. Elle n'avait pas tort, la guerre venait, tout allait être chamboulé, il fallait bouger avec le monde... C'était ainsi, on allait avoir davantage besoin de fraiseuses, de perceuses et d'étaux-limeurs que d'autres choses...

— Et ton père, qu'est-ce qu'il en dit ?

— Qu'est-ce que tu veux qu'il en dise ? Il n'a jamais rien dit, c'est pas aujourd'hui qu'il va commencer...

Évidemment ! C'était elle, la patronne, elle l'était depuis longtemps, elle dirigerait la nouvelle usine. Une femme, ce n'était pas courant... Le silence était total en cette minute, malgré l'heure, une auto passait quelquefois, ou des familles venaient prendre le frais sur les hauteurs, mais ce soir aucun son ne parvenait, ni de la ville ni des ruelles proches.

— Tu m'aideras, Pascal ?

Il vida son verre d'un trait et en lécha les bords comme autrefois lorsqu'il était petit... En ces temps-là, Zoé cachait la bouteille derrière les piles de draps dans la commode de l'une des chambres du haut, mais Séraphine l'avait trouvée... Ils en buvaient un fond de verre, presque tous les jours après le goûter ; il ne fallait pas que l'on devine qu'il en manquait, chaque goutte était une fête féroce, explosive, d'une violence cruelle et parfumée... Ils l'avaient appelée la bouteille d'or, c'était leur élixir, le breuvage des fées qu'ils savouraient accroupis derrière un battant de porte.

— Non, petite, je ne t'aide pas.

La lumière délayait les yeux de Séraphine, noyant le blanc d'un gris d'aquarelle...

— ... D'abord, parce que tu en as pas besoin et que moi, la métallurgie c'est du chinois.

— Tu peux apprendre...

Il secoua la tête.

— Non, et puis je t'en ai pas parlé, tu as fait ce voyage et les choses vont vite, mais moi aussi, je m'installe... Oh ! ce ne sera pas une grosse affaire dans les débuts, pas comme la tienne, mais ça peut grossir... Une aventure avec des amis... Ça me trottait dans la tête depuis quelque temps et... je me suis décidé, voilà...

Elle ne lui posa pas de questions... Ce devait être mieux ainsi, ils n'avaient pas à dépendre l'un de l'autre... Simplement ils étaient deux, et ce soir leur vie se rejoignait au seuil d'un double départ.

— Viens voir...

Il sentit la main de Séraphine dans la sienne et elle l'entraîna à travers la maison... C'était toujours la même odeur qui y régnait : la cire blonde et l'écorce sèche des eucalyptus qui pénétrait par les fenêtres.

— Regarde !

Ils étaient sur la terrasse d'autrefois. La terrasse d'Afrique, celle des rêves. Il vit le lit, en plein air,

160

contre les colonnettes de la balustrade. Il s'adossa au crépi, les jambes molles, et s'aperçut qu'il ne lui avait pas lâché la main. Du menton elle montra les lourds montants de chêne :

— J'ai eu du mal à le sortir, il pèse un âne mort, mais je voudrais que ça se passe là... Je crois que j'en ai toujours eu envie...

C'était idiot, cette panique soudaine qui lui montait, il avait eu des filles déjà, dans les bordels de soldats à Calvi et l'Ile-Rousse, et puis Mireille, un soir, qui lui avait fait une gentillesse, comme ça pour la nostalgie, elle avait pleuré d'ailleurs, en plein travail, parce que le fils lui avait rappelé le père dans le jour diffus qui tombait du fenestron dans cette chambre à trois francs la demi-heure, serviette et savon compris. Et puis d'autres, même la Bourrique avec qui il s'était réconcilié quelques mois et qui lui faisait de bonnes manières en poussant des cris de marchande de moules de la rue Fortia, les cloisons en vibraient, à côté le vieux dormait toujours mais Pascal avait peur que les voisins se plaignent... D'autres encore, des filles d'un soir qu'il ramassait après un tango ou un brin de conduite sur les bords de la Corniche, il en avait même refilé quelques-unes au Pestadou toujours prêt à ramener tout ce qui traînait.

— Oh ! Pascal, on va aux putes ce soir ?

Il n'arrêtait jamais, le Pestadou, on disait de lui qu'il n'avait jamais le temps de se remonter les brailles... Il se débrouillait bien pour le reste, les traficotages de cigarettes, il revendait de l'alcool de contrebande aux marins des long-courriers, il avait déjà sa clientèle constituée.

— Les meilleurs, c'est les machurés, les soutiers de Chine et de Macao. De charger les chaudières, ça leur brûle la gargamelle, il leur en faut un litre par jour et du 60°, hein, pas du muscat de Frontignan...

Mais ce soir c'était autre chose, c'était Séraphine et dans la tiédeur de la nuit, il se sentit les paumes moites.

— Mais... tu ne crains pas le petit?

Le rire de cristal à nouveau.

— Tu te crois dans un film de Pagnol?

— Non mais, c'est pas que dans les films que ça vous arrive, c'est même plus fréquent d'attraper un niston que de jouer le gagnant au parc Borély...

Elle était si proche qu'elle sentit contre sa joue le frôlement de ses lèvres levées vers lui.

— On a fait des progrès depuis: il faut calculer le cycle avec un thermomètre, ne t'inquiète pas, ce soir ça doit aller.

— Et si ça va pas?

Elle recula dans l'ombre. Il savait exactement quel visage elle devait avoir en cet instant...

— Si ça t'embête, je sors les cartes et on fait une manille, ou si tu préfères les dominos...

Il la prit contre lui et, cette fois, les mots sortirent, les mots qu'il n'aurait dits à personne, sauf à elle parce qu'il l'aimait et qu'elle était son amie.

— J'ai peur, Fine, je sais pas pourquoi mais ça me fait peur...

Deux fontaines douces sur ses tempes, deux mains de femme... Il avait soudain les culottes courtes, les cuisses meurtries par la moleskine de la banquette du grand café... Les filles venaient et souriaient de leurs bouches pourpres.

— Mon Dieu! qu'il est beau, ton petit, Gaston...

Elles avaient des seins à deux kilos la pièce, des veines bleues couraient sous la poudre de riz, il savait déjà que c'était avec elles que se passaient des choses aigrelettes et fortes... Il n'y avait jamais repensé et voici que, ce soir, resurgissait cette terreur d'enfant.

— Viens...

Les draps découpaient un rectangle blanc.

Elle avait une robe de coton qui lui sembla fraîche comme l'eau du robinet.

— Ça se boutonne par-derrière...

162

Il leva la main et écarta les doigts contre la cendre du ciel. Leur contour était si net qu'il semblait découpé dans une feuille de papier noir.

— Regarde, je tremble comme une ficelle...

Elle donna un coup de rein et ils roulèrent jusqu'au milieu du lit.

— Attention de pas tomber, dit Pascal, parce que si tu vends l'usine, si on fait un petit et si en plus on se fend le crâne sur les mallons, ça va faire beaucoup pour une seule soirée.

— C'est moi qui devrais avoir peur, dit-elle, c'est quand même une chose que j'ai jamais faite, tandis que toi tu as l'habitude.

— Tu penses, dit Pascal, à part la Mémé il n'y en a pas une qui y soit échappée dans tout le département.

— Ne me fais pas rire, protesta Séraphine, c'est quand même une chose sérieuse, non !

Elle avait glissé la main sous sa chemise et il sut que ce qui allait suivre serait mieux que tout, que rien n'arriverait jamais à dépasser ce moment.

Il la cloua sur le drap, pesant sur elle et parvint à la sortir à moitié de la robe.

Il s'arrêta net.

Il sentait monter en elle un rire inextinguible qu'elle cherchait à contenir...

— Écoute, Séraphine, rigole une bonne fois, prends-toi un bon quart d'heure s'il te le faut, et puis après c'est terminé parce que moi ça me perturbe.

Elle en pleurait, la tête enfouie dans l'oreiller, à travers les hoquets il comprit vaguement ce qu'elle disait :

— C'est parce que je me rappelle la tête que tu avais sur le vire-vire, le jour de l'exposition, avec ton béret.

Pascal se souleva sur un coude avec dignité.

— Ce n'était pas vraiment un béret. Et toi, si tu crois que tu étais belle avec ton abat-jour...

Le corps de Séraphine fut secoué de spasmes accélérés. Son ululement fusa en trille jusqu'à la cime des vieux arbres. L'hilarité commença à le gagner à son tour.

— On y arrivera pas, dit Pascal, on s'est connus trop petits. Arrête de te tordre, tu fais trembler le lit...

Le nez dans l'oreiller, elle produisit un bruit de sirène de remorqueur.

— Je vais chercher la chartreuse, dit-il, si on finit la bouteille, on arrivera peut-être à faire quelque chose...

— Oui, à dormir.

Elle replongea dans les suffocations. Il se leva et entra dans la maison. Il n'alluma pas, les volets n'avaient pas été mis et il pouvait se repérer à des détails : le reflet du rebord verni d'un bras de fauteuil, le velours assourdi d'une tenture... Le cadre doré du tableau du couloir le guida jusqu'au salon. Il avait rêvé pendant des années devant cette toile : sur un fleuve empourpré par un soleil moribond une barque glissait, voile tombée... des soldats romains debout à l'avant regardaient dans la boucle de la berge un temple aux hautes colonnes surgissant d'entre les palmiers... Le désert s'étendait jusqu'à l'horizon... A tâtons, il prit les deux verres, la bouteille et refit le chemin en sens inverse. Sur la gauche s'ouvrait le couloir. C'était là qu'était mort son père. Lui était resté sur le seuil de la salle à manger. Il n'avait vu que le dos de Panderi et les jambes de Gaston sur les dalles. Il n'avait pas pu bouger. Il avait pensé de toutes ses forces : « Ne meurs pas... Faites qu'il ne meure pas... », et quand Panderi s'était tourné vers lui, il avait su que rien n'existait, que les hommes, la mort et Séraphine. Lorsque la maison serait à lui, il changerait le papier du mur.

Le rectangle de la terrasse lui parut plus clair que tout à l'heure. Il constata qu'elle s'était glissée sous les draps. En avançant son pied gauche, il sentit qu'il marchait sur la robe de coton... Elle s'était assise, les draps tirés jusque sous les épaules.

Il remplit les verres au jugé, sentit le liquide couler sur ses phalanges.

— Tiens, ça va mieux…

Il tendit le bras. Elle lui prit le poignet, l'attira vers elle… Il déposa les verres sur la balustrade de pierre.

— Tu n'as plus peur, Pascal ?

— Non.

— Maintenant, c'est moi…

Il tendit la main vers son visage, suivit le contour de la joue… des lèvres happèrent sa paume, il sentit la langue lécher ses doigts.

— Tu es plein de chartreuse…

Son cœur s'accéléra… Voilà, ça y était maintenant, c'en était fini des rires et des larmes, de l'enfance et de l'avenir… Le destin avait fait qu'une nuit serait la leur et elle était venue…

Elle se cambra et tout tournoya : la terrasse sur laquelle ils avaient tant navigué, tant de voiles hissées, le départ vers tant de continents, les carènes blanches, le déploiement des palmes dans l'anse des ports, les ancres mouillées des grands navires, les saphirs et les turquoises liquides des rades cachées… Les grands chevaux des mers profondes vont se lever, les voici, leur galop commence. Viens, pitchounette, cramponne-toi, je sens le tambour de ton cœur battre la belle chamade, serre-moi fort, le grand manège de lumière est revenu, il tourne dans tes yeux, ferme-les, Séraphine, tu vas en disperser les paillettes. Le vire-vire est toujours là… Regardez-nous, comme autrefois, sur nos chars de triomphe, nous tournerons toutes nos vies dans la folie des couleurs…

Il sentit l'explosion proche et voulut se retirer d'elle… C'était bien beau, cette histoire de thermomètre, mais on ne pouvait pas vraiment s'y fier… Elle le retint les ongles dans les reins et ils entrèrent dans l'éclosion géante et soyeuse d'une rose unique et écarlate qui se referma, de plus en plus translucide, transparente à présent, jusqu'à ce que réapparaissent au-dessus d'eux les branches et le ciel de la nuit, l'angle du toit et tout là-bas, entre les cyprès, le triangle de la mer lointaine...

Il bascula et respira à fond de poumons l'odeur du parc et celle de la jeune femme. Juste au-dessus de lui, gris sur gris, une des branches se frottait aux tuiles du toit, une caresse de feuilles et de vent...

Il ne la quitterait jamais. C'était pratique l'amour, parce que ça rendait tout simple. A présent, il n'y avait pas d'autres buts dans la vie que de la garder. Ils s'installeraient sur ces vingt mètres carrés, ils se feraient des amours terribles et ils vivraient là, en pleine folie de bonheur.

Il la distinguait mal. Il se rapprocha d'elle.

— J'ai dû crier, dit-elle, on a dû m'entendre de la Vierge de la Garde.

— De Mempenti, les pompiers arrivent... trois voitures.

Elle se jeta sur lui...

— J'arrive pas à croire qu'on l'a fait, que ça nous soit arrivé...

— On peut même recommencer, autant de fois qu'on veut.

Elle bondit pieds joints sur le matelas. Le corps brûlé de soleil monta et redescendit comme sur un tremplin.

— Et sur la terrasse en plus ! Exactement comme je l'ai voulu...

Il fut le premier à entendre la sonnerie. L'appareil était à l'autre bout de la villa, près de l'entrée.

— Le téléphone.

Elle s'immobilisa, nue comme la main sur l'ardoise du toit du ciel.

— A cette heure-ci ?

Il se leva, s'enroula dans un drap ramassé sur les dalles et qui en avait gardé la fraîcheur.

— Dépêche-toi, c'est peut-être important... Ton père...

166

Elle se mit à courir à travers les pièces. Il la suivit, entravé par son péplum.

— Mon père à cette heure-ci, il est plein de champagne et il a autre chose à faire...

Elle buta contre la console et décrocha.

— Allô ?...

La voix qui l'appelait lui parut lointaine, méconnaissable.

— C'est mademoiselle Panderi ?

— Qui êtes-vous ?

— C'est Buigues.

— Qui ça, Buigues ?

— Buigues le Rascous...

L'ex-contremaître préposé aux cuves, devenu garde de nuit. Le jour de son arrivée, en 1919, à la fabrique de Gardanne, il n'avait pas voulu payer sa tournée, il y avait gagné un surnom et des foules de légendes : qu'il buvait l'eau des nouilles pour rien laisser perdre, marchait sur la pointe des pieds pour ne pas user les talons, ne possédait pour sa femme et lui qu'un caleçon qu'ils mettaient à tour de rôle et pissait sur les géraniums pour économiser l'arrosage.

— Qu'est-ce qui se passe ?

— C'est bien vous, mademoiselle Panderi ?

— Oui, c'est moi, parlez.

— C'est que c'est surtout votre père que je voudrais.

— Il n'est pas là. Qu'y a-t-il ?

— Vous savez pas comment je peux faire pour le prévenir ?

Pascal entoura les épaules de Séraphine. Elle se calma sous le contact.

— Écoutez, Buigues, dites-moi ce qu'il y a et j'essaierai de le joindre, mais parlez d'abord, pourquoi m'appelez-vous en pleine nuit ?

— C'est que je m'en serais bien passé, mademoiselle Panderi, croyez-moi, si j'avais pu...

— Qu'est-ce qui arrive ? hurla Séraphine, vous allez me le dire à la fin !

— Il faut me comprendre, mademoiselle Panderi, c'est une affaire qui regarde le patron et je sais bien que c'est bête à dire mais...

— Je vais le tuer, murmura Séraphine, à coups de barre...

— Passe-le-moi, souffla Pascal.

Il prit l'appareil sans qu'elle ait eu le temps de lui répondre.

— Qu'est-ce qui arrive, Buigues ?

— C'est vous, monsieur Panderi ?

— C'est moi.

— Ah bon ! Alors, je suis bien content de vous avoir, parce que votre fille disait...

— Je viens d'arriver, coupa Pascal, qu'est-ce qui se passe ?

— Eh bé, à vous je peux le dire, monsieur Panderi, et sans prendre de gants : il y a le feu.

Pascal se tourna vers Séraphine. Ses yeux dilatés, immenses, le fixaient.

— Le feu ? Où ça, le feu ?

— A l'usine Panderi, monsieur Panderi. Et pour un feu, c'est un beau feu, avec toutes ces huiles, vous pensez, et une fumée que j'en ai les yeux qui me démangent.

— Mais les pompiers, vous avez appelé les pompiers ?

Buigues le Rascous poussa un soupir de commisération...

— Les pompiers ? Mais ils sont là depuis une heure et demie, monsieur Panderi, vous pensez bien que j'ai pas perdu une seconde : ils ont dit qu'on avait de la chance qu'il n'y ait pas eu de mistral... C'est votre téléphone que j'arrivais pas à trouver et...

— Les dégâts, souffla Séraphine, demande-lui pour les dégâts.

— Les dégâts ?

— Les dégâts ? Ah ben ça, forcément, il y en a des

dégâts, vous savez quand il y a le feu, monsieur Panderi, en général ça abîme plus que ça n'arrange et...

Pascal raccrocha.

— J'y vais, dit-elle.

Pascal la maintenait contre lui.

— Ne t'estransine pas : vous êtes assurés ? Ça s'assure, une usine, ça ne peut même pas exister sans assurance.

Elle baissa la tête.

— Je ne m'occupe pas de tout... Bien sûr, il y a une assurance, mais avec Papa, tu sais comment ça marche, s'il était à court d'argent, il n'a pas renouvelé, il n'y a peut-être même pas pensé... Pascal, c'est une nuit fadade... On a fait l'amour et je perds l'usine...

— Alors, je te veux plus, dit Pascal, sans vertu et sans le sou, il te reste plus qu'à tourner cagole.

Elle fouilla dans les tiroirs, s'habilla à toute allure.

— Et comment on fait pour y aller ?

Pascal s'approcha du téléphone.

— T'inquiète pas, j'ai des amis qui ont des voitures...

ILS filaient à présent à travers les quartiers des fabriques. Pascal et Séraphine à l'arrière de la Reinasport sept litres, huit cylindres, berline géante vert olive aux intenses cliquettements, Pestadou à côté du chauffeur, Nonce Bincciolo, un trapu à rouflaquettes qui vendait des panisses rue des Trois-Mages. Il avait acheté cette voiture pour cinq francs six sous. Son voisin de palier à qui elle appartenait lui avait dit :

— Je te fais un prix d'ami parce que d'abord tu es un ami et ensuite parce que le moteur, comme tu le constateras en ouvrant la portière, se trouve sur le siège arrière.

Bincciolo avait continué à saler ses panisses et avait constaté en réunissant toutes ses connaissances mécaniques :

— Ce n'est pas sa place.

— C'est parce qu'il est tombé, avait dit le voisin, mais un homme habile peut le remettre sous le capot : il suffit de visser.

Bincciolo vissa, ajusta, remonta, commanda des pièces, s'entêta et, six mois après, la voiture roulait.

— Elle marche bien, dit Pestadou.

— Les lignes droites, ça va, reconnut Bincciolo, c'est les tournants qu'elle aime pas trop.

Séraphine, le front contre la vitre, cherchait la route.

— A droite, dit-elle, oui, là, tout de suite...

170

Tout était sombre, on distinguait les cheminées des usines et le reflet irrégulier de la lune sur les grilles et les rails qui amenaient les wagons-marchandises presque sur les lieux de chargement... Il n'y avait pas de rues, les bâtiments aux toitures en dents de scie formant des alignements surmontés par les hauts cylindres des cheminées de briques.

— J'aime pas ce coin, dit Pestadou, on se dirait dans le Nord.

— Tu y as été, dans le Nord?

— J'imagine.

Pascal serra Séraphine contre lui. Avant de partir ils avaient téléphoné à l'appartement de la rue Saint-Ferréol. Marthe était seule. Elle pensait que Panderi se trouvait au cercle, elle allait essayer de le joindre.

— C'est par ici, dit-elle...

— Mets les phares, commanda Pascal, sinon on trouvera jamais.

— Je les aurai que la semaine prochaine, annonça Bincciolo, grâce à Pestadou.

— J'ai trouvé la même automobile que celle-là, expliqua Pestadou, sauf qu'elle est rouge, que c'est un cabriolet trois places avec spider, mais ça ira, elle est dans une traverse des camions, faut y aller la nuit, mais la colique, c'est qu'il faut un chalumeau parce que c'est soudé.

— Et la deuxième colique, c'est qu'il faut pas faire de bruit parce qu'on est près des maisons et que ton chalumeau je le connais : il ronfle.

Pestadou haussa les épaules.

— C'est parce que tu l'entends la nuit que ça te donne cette impression, mais il ronfle pas plus qu'un autre... Je suis sûr qu'il ronfle pas plus que la demoiselle.

— Très flattée, dit Séraphine. C'est à gauche...

Nonce braqua en se soulevant du siège.

— Pourquoi tu te lèves quand tu tournes ? Tu confonds pas avec la bicyclette ?

Nonce, debout sur les pédales, parvint à virer en mordant à peine sur le trottoir.

— C'est la technique américaine : le double débrayage.

— Si, en plus, on a les Américains au milieu, on est jolis, murmura Pestadou.

Ils roulaient doucement devant les hautes portes métalliques des savonneries. Un an auparavant les pavés avaient tremblé sous les sabots des chevaux des gendarmes : les grèves avaient été dures dans les tuileries et briqueteries, on disait que les hommes en casquette allaient descendre sur la Canebière et, peut-être même s'emparer de la mairie. Les dockers avaient bloqué le port, il y avait eu des charges de police et des blessés.

— C'est là...

Ils virent les voitures écarlates dans la lueur des projecteurs. Des échelles étaient dressées devant la façade.

— Ça a pas l'air tellement brûlé, dit Bincciolo.

Pestadou le rassura tout de suite :

— Attends de voir, peut-être y a plus que les murs...

L'ombre noire des deux policiers s'interposa. Séraphine et Pascal descendirent.

— Je suis Séraphine Panderi.

Les casques des pompiers brillaient.

— Votre père est là.

Séraphine et Pascal suivirent les deux silhouettes en enjambant les flaques. Les tuyaux serpentaient entre les pieds des hommes. Il régnait une odeur lourde et grasse, il semblait que l'on eût fait fondre un énorme bloc de graisse dans une bassine géante. Ils pénétraient dans une succession de cours. Pascal fut frappé par l'entrelacement des poutrelles au-dessus de leurs têtes, une architecture de tisserand du fer... Sous leurs semelles le

172

verre craquait, toutes les verrières avaient éclaté sous la chaleur et ils marchaient sur un immense tapis de miroirs brisés.

— Les entrepôts ? demanda Séraphine.

L'un des agents éclaira l'un des murs de sa torche, le toit semblait avoir été soufflé. Pascal vit pendre une poutre. Elle était tombée en diagonale, éclatant des tonneaux.

— Ils ont brûlé les premiers.

Ils montèrent deux marches d'un bâtiment annexe. Sur une table, dans le fond de la pièce, une lanterne sourde projetait un halo. Panderi était pris dedans comme un poisson dans la nasse. Seules ses mains tremblaient. Une poussière rousse flottait encore dans la pièce.

— Papa !

Il regarda Séraphine surgir de la nuit et ne réagit pas.

Pascal pensa à l'éther ou à une drogue quelconque. Il ne semblait pas avoir bu.

Séraphine crut qu'elle n'obtiendrait pas de réponse. Elle souleva la lanterne et se dirigea vers le fond de la pièce encombrée de rayons et de bureaux de fer... Elle prit un dossier. Il était noir de suie et les liasses de papiers produisirent un bruit sec, mais elles étaient intactes.

— Ne cherche pas, dit lentement Panderi. Ça fait trois ans que plus personne ne m'a assuré.

— Pourquoi ?

Panderi se baissa et sortit d'un tiroir une bouteille de mandarin aux trois quarts vide.

— Parce que la baraque était vétuste et qu'il y avait des risques d'incendie. Ils ne se sont pas trompés. Tu vois cette bouteille ?

Elle ne répondit pas.

— Eh bien, c'est la dernière que je peux m'offrir.

Il se pencha soudain, cherchant à discerner dans la pénombre, ses paupières rouges battirent plusieurs fois.

173

Sa respiration produisait un bruit étrange, une lime ripant contre un mur de prison... Il était devenu un vieil échassier, lamentable et déplumé.

— C'est toi, Pascal ?

Pascal fit deux pas en avant, se plaçant dans la lumière.

— C'est moi.

Panderi eut une crispation qui découvrit ses gencives pâles.

— Alors, tu vas me donner des sous, petit Marocci. Tu vas m'en donner parce que tu m'en dois...

Pascal pensa qu'il avait peut-être bu après tout, et puis il y avait le choc de l'incendie. En le voyant de plus près, il constata des taches sur la cravate, la chemise était fripée... De quel endroit Marthe avait-elle pu le tirer ?

— Tu m'en dois parce que de l'argent, j'en donne à ta grand-mère, je sais pas combien j'ai pu en donner à ton maquereau de père et en échange il me refilait toutes les raclures du Panier, les radasses plombées qui m'ont tué la santé...

— Papa, tu arrêtes maintenant...

Panderi empoigna le goulot et en quatre gorgées vida la bouteille.

— Alors ne crois pas que tu vas t'en sortir, c'est à ton tour... Tu vas rembourser tout, jusqu'au dernier centime.

Pascal vit les larmes jaillir d'un coup. Il eut le temps d'attraper le vieil homme avant qu'il ne s'effondre. Il fut surpris de son poids incroyablement léger et eut l'impression que tous ses os étaient creux comme si une maladie étrange et implacable les eût rongés de l'intérieur et qu'il ne restât plus qu'une pellicule fragile qui se romprait bientôt. Aidé de Séraphine, ils étendirent le corps par terre. Sur le visage, des larmes coulaient... Sa voix se cassa, devint enfantine.

— Ce n'est pas vrai, Pascal, tu ne me dois rien... J'ai

tant aimé Gaston, je n'ai plus eu d'ami depuis qu'il est mort... Cela fait dix ans et je pense à lui toujours...

La jeune fille passa ses bras autour du cou de son père.

— Calme-toi, Papa, je vais travailler, et puis il reste la villa. Et l'incendie n'a pas tout détruit...

Pascal se recula doucement, les laissant seuls enlacés dans l'ombre et sortit.

Séraphine tiendrait. Elle était de la race de ceux qui mordaient dans la vie et ne se laissaient pas déchirer par elle. Demain, lorsque le jour se lèverait sur la ville, elle serait là, ferait les comptes, prendrait les décisions, trouverait les solutions... Panderi ne comptait plus à présent, à supposer qu'il ait jamais compté...

Devant lui, dans l'enfilade des anciens ateliers, des silhouettes d'hommes se croisaient enroulant les tuyaux sur des roues géantes. Leurs bottes arrachaient à la boue des bruits de succion... Il sentit un bruit léger derrière lui et se retourna. Elle était là.

— Il va s'endormir. Je voudrais le ramener à la maison. Tu peux me conduire ?

— Bien sûr.

Panderi s'endormit pendant le trajet de retour sur la banquette arrière, la tête sur les genoux de sa fille. Ils le couchèrent tout habillé dans son lit et retournèrent sur la terrasse. Séraphine montra entre les branches un coin de colline encore presque invisible dans la nuit...

— C'est un signal, dit-elle, lorsque l'aube arrive, elle commence toujours par ce coin-là.

Pascal bâilla et s'étendit sur le lit. C'était vrai que le ciel s'éclaircissait, dans quelques instants ce serait la naissance des couleurs... Certains matins d'hiver, lorsqu'il attendait l'arrivée des marins-pêcheurs sur le quai de Saint-Jean, il lui semblait que derrière lui la ville poussait comme une femme en travail et entre les jambes écartées des deux ports, dans la déchirure qui naissait du ventre tendu et huilé de la mer prisonnière apparaissaient les premiers bébés du jour : l'opale timide sur le flanc balancé d'une barcasse à l'ancre, un vert flageolant de tilleul sur une chaise pliante oubliée sur une terrasse et le bleu layette d'une frange de ciel en bordure des crêtes qui cernaient la ville et qui pointaient elles aussi leurs arêtes indécises de fragiles cristaux... Pascal aimait ce surgissement... La trompe des premiers trams allait retentir et ce serait le signal de l'accélération, tout se renforcerait et la mer passerait d'un coup d'une absence goudronnée au triomphe vivant de l'indigo... Avec les couleurs, les parfums montaient pour un jour propre comme un sou neuf et, à nouveau, la ville se lançait, heureuse, dans une paix bruyante...

Au tournant du cap, les bateaux étaient là dans la gloire d'un soleil fada, si jeune qu'il exagérait et grimpait d'un bond l'horizon en costume de safran, rond comme un clown.

Pascal se secoua... Déjà les épaules de la statue d'Amphitrite se dévoilaient, sortant du bronze nocturne des palmes comme des îles dans la mer.

— Il reste un peu de nuit, dit-il, on pourrait en profiter.

Elle se serra contre lui. Lorsqu'il lui souleva le menton, il vit qu'elle pleurait.

Il y avait de quoi, c'était vrai, l'amour qu'elle étrennait, son usine en fumée et son père qui tournait cadavre... Il chercha les mots qu'il fallait, ne les trouva pas mais en moins de temps qu'il n'en faut pour crier sèbe, ils étaient sous le drap, nus comme la main.

— On fait des progrès, constata-t-elle.

Il respira l'odeur de toujours, celle qui se dégageait du cou de la fillette en dentelles blanches.

— T'inquiète pas, murmura-t-il, on est tous les deux...

— Bien sûr, dit-elle, mais j'ai même plus de quoi m'acheter une soupe de fèves...

176

L'aurore était là à présent. S'ils se penchaient par-dessus la balustrade et s'ils retrouvaient leurs yeux d'autrefois, ils verraient l'Afrique...

— Séraphine, je vais te poser une question et tu vas m'y répondre franchement, sans réfléchir.

Elle le regarda. Dans le jour jaune, il lui sembla magnifique, une statue comme au musée Cantini, huilée d'un soleil nourrisson, avec ce rire dans les yeux qui lui était revenu depuis quelques heures.

— D'accord, je réponds sans réfléchir...

Il eut un geste circulaire du bras.

— Dis-moi quel âge tu as et où tu habites ?

Elle eut son rire de cour de récréation et répondit en élève studieuse sur l'air de la table de multiplication :

— Vingt-trois ans, et je vis à Marseille.

Il joignit les paumes de ses mains et les écarta en geste d'évidence.

— Et alors, dit-il, de quoi tu te plains ?

Tout autour d'eux, l'orchestre infini des feuilles, des tuiles, des pierres et de l'eau s'accordait pour l'ouverture de l'opéra du jour...

1939

Le vent de Pologne

Il donnait depuis quatre mois dans le sur-mesure-laine peignée. Le tailleur né à Barbentane prenait l'accent londonien quand il glissait les épingles aux manches et au bas des pantalons mais il n'y avait rien à faire : Pipette avait toujours l'air d'un marque-mal. Ça tenait à la dégaine, à la carrure du docker et aux poignets trop gros. Il s'était acheté une Roller-Viceroy or dix-huit carats à deux mille quatre cents francs, grosse comme la pendule de la gare Saint-Charles, et on avait encore l'impression qu'il avait fauché la montre de sa petite sœur.

Pascal descendit de l'Hotchkiss, fit claquer la lourde portière et soupira en constatant une fois de plus la démarche de chimpanzé de son copain. On ne demandait pas à un garde du corps d'être arbitre aux élégances, mais tout de même, il y avait des limites.

— Tu restes près de l'auto, tu fumes la cigarette et je reviens.

— Voueï. Pascal ?

Marocci se retourna. Ses talons crissèrent sur le gravier de l'allée.

— Qu'est-ce qu'il y a ?

Le géant dépliait *Le Petit Provençal*.

— Où c'est, la Pologne ?

Pascal montra du doigt les collines nappées du soleil de l'automne qui fermaient l'horizon de l'est.

Pipette cligna les yeux, incrédule.

— Par là ? C'est Saint-Giniez !

— Plus loin, dit Pascal, tu dépasses Aubagne, tu marches deux mois et tu es pas arrivé.

Il laissa Pipette perplexe et se dirigea vers la propriété tout en déboutonnant son manteau de demi-saison.

1er septembre 1939.

Pascal chercha machinalement son paquet de High Life dans le fond de sa poche et se reprit : l'avant-veille, Séraphine lui avait offert le porte-cigarettes moderne, ultra-chic, plat comme une limande avec, sur le dessus, une dame triangulaire qui faisait des bouffées carrées en fumant. C'était le style nouveau. Cubiste. Horrible.

La villa n'était pas achevée. Entre les pins, Pascal devina la bétonnière abandonnée, des plaques de marbre gris entassées, et des sacs de ciment.

Les voisins ne dérangeraient pas M. Belloro. Tout le terrain appartenait à ses sociétés, le flanc entier de la colline. Il possédait aussi des hectares au-dessus des calanques. On s'était moqué de lui : un fada qui achetait des cailloux, des terrains où la terre était trop sèche pour faire pousser une figue. Mais dans les bars d'affaires, ceux qui savaient plus de choses que les autres se taisaient. Cela signifiait qu'ils ne prenaient pas Belloro pour un jobastre.

Pascal pénétra dans le chantier. Dans le soleil, les murs couverts de plâtre blanc brillaient comme du sucre en poudre. Le salon en rotonde cerné de colonnes était nu comme la main. Les baies encore sans vitres faisaient entrer la brise de septembre et les crissements des dernières cigales.

— Par ici, monsieur Marocci, sur la terrasse...

Pascal grimpa un escalier de fer forgé parsemé de planches et de pelles oubliées et déboucha en plein ciel. Un rectangle de trois cents mètres carrés. Dans l'angle nord, derrière des tréteaux, se tenait Belloro assis sur une chaise pliable de jardin.

Belloro était célèbre pour beaucoup de raisons, l'une d'elles était qu'il s'habillait toujours avec des vêtements opposés à ceux qu'exigeait la situation. Dans les réunions officielles de la Chambre de commerce, de la municipalité et des différents conseils d'administration, on le voyait arriver en pantalon de jardinier et veste de laboureur ; lorsqu'il se rendait dans ses garages ou sur les docks, il apparaissait en milord, chemise de soie et diamant fixe-cravate ; le résultat était qu'on ne voyait que lui sur les photos et qu'il était la coqueluche des journalistes. Ce matin-là, silhouette affable sur fond d'azur, il était tiré à quatre épingles, en vernis au milieu des gravats.

Ils se serrèrent la main et Pascal répondit à la douceur de son sourire.

— Bonjour, monsieur Belloro.

— Monsieur Marocci, si vous me disiez Max, je vous appellerais Pascal. C'est la méthode américaine, implantons-la à Marseille.

Pascal acquiesça et comprit que l'autre avait marqué un point : Belloro l'appellerait Pascal et lui, Pascal, n'oserait pas l'appeler Max, cela allait l'obliger à calculer ses tournures de phrases, ce serait un handicap dans la discussion. Un coup de vieux renard.

— Je n'ai pas de sièges très confortables : prenez ma chaise.

Belloro s'assit sur une caisse renversée et eut un soupir de satisfaction comme s'il s'installait au fond d'un divan.

— Vos affaires marchent très bien, Pascal.

— Elles marchent.

— Elles marchent bien.

Vus d'en haut ils devaient ressembler à deux punaises écrasées au coin d'un drap de lit. Un univers bleu et blanc : les couleurs de la ville. Pascal respira lentement l'air sec. La chaleur montait.

— Elles marchent, dit-il.

Belloro accentua son sourire.

— Évitons les nuances. Mon cher Pascal, je crois que nous pouvons être amis pour une raison simple : nous avons besoin l'un de l'autre.

Pascal regarda monter la fumée bleue de sa cigarette. Belloro avait raison, mais le problème était de savoir qui avait besoin le plus de l'autre.

Belloro fixa le ciel, les crêtes blanches du Cabot, surplombant la propriété, une dent laiteuse plantée dans la mâchoire de la terre. Très haut, des oiseaux passèrent et leur vol sembla quelques secondes accentuer la transparence du silence.

— Nous n'écoutons pas assez la leçon que nous donne l'univers. Regardez cet azur, Pascal, cette paix... Les hommes inventent le vacarme, il va éclater demain...

« Ça y est, pensa Pascal, la philosophie. C'est parti pour le discours... »

— La guerre, poursuivit Belloro, va bouleverser cette sérénité... Nous ne savons pas respecter le bonheur des pierres et des arbres...

Pascal étendit ses jambes devant lui. Ce matin, le journal parlait de cavaliers polonais chargeant à la lance contre les tanks allemands. Et à quelques centaines de mètres, la nacre des falaises plongeait dans le saphir de la mer. Les couleurs étaient ici : la guerre venait d'un pays noir et blanc, celui des actualités du cinéma et des clichés des journaux. Des terres grasses et grises, des rues sombres, des troupes casquées passaient dans des camions, écrasant les barrières rayées des frontières. La tourmente ne pouvait atteindre les terres du soleil, pourtant...

— Avez-vous réfléchi à ma proposition ?

— Oui, dit Pascal, ça m'intéresse, mais il faut préciser des détails.

— Nous sommes là pour ça.

Le verre de la montre de Pascal réfracta un rayon éclair sur les colonnades qui cernaient la terrasse.

— Je voudrais d'abord avoir deux amis avec moi.

— Ils sont mobilisables ?

— Oui.

— Il faut m'envoyer leurs livrets militaires très vite avec le vôtre. Ils ont un casier ?

— Non.

— Cela ne doit pas faire de difficultés.

La vie était étrange. Huit jours auparavant, Séraphine était rentrée en larmes à la Taraillette : la mobilisation générale ne faisait aucun doute, Pascal faisait partie des classes concernées, le monde craquait de toute part. Il la consolait lorsque le téléphone avait sonné : c'était l'une des secrétaires de Belloro. Ils avaient fait trois affaires ensemble : saines et régulières. Pascal avait servi de caution auprès des douanes pour un chargement de manganèse et de coton. Pipette s'était rendu compte que trois balles sur quinze étaient farcies d'opium. Pascal n'avait pas discuté le pourcentage et Belloro lui devait un retour d'ascenseur. Il était arrivé très vite, le tout étant de ne pas le recevoir sur la tête.

La proposition était simple : Belloro ferait jouer ses relations au ministère et Pascal ne serait pas incorporé. En revanche il devenait un salarié de l'homme d'affaires : gérant d'une boîte, Chez Praline, dont il ne savait rien encore, sinon que ça n'aurait rien à voir avec l'Armée du Salut.

Belloro vérifia ses manchettes et emprisonna son genou entre ses deux mains.

— Je ne peux travailler qu'avec des hommes en qui j'ai une confiance absolue. Vous faites partie du nombre, Pascal, et si je peux vous éviter de vous trouver dans la mêlée générale qui se prépare, je le fais avec plaisir.

— Parlez-moi de Chez Praline.

Belloro regarda son interlocuteur : un beau gosse aux

vêtements un peu tapageurs, mais rien du petit apache de Saint-Mauron. Renseignements pris, l'homme menait bien sa barque, nageant avec sûreté dans les méandres de l'import-export. On lui connaissait une liaison et une seule, avec une fille de bonne famille, propriétaire d'une fabrique de machines-outils. Marocci ne buvait pas, ne jouait pas. Il pouvait être un atout maître.

— Mon cher Pascal, la guerre est là. Et lorsqu'il y a guerre, il y a soldats. C'est une vérité première mais toutes les grandes fortunes reposent sur une vérité première. Je ne suis pas devin, je ne pourrai donc vous dire qui seront ces soldats : français, italiens, allemands, américains, russes. Mais ils seront là, et lorsqu'il y a soldats il y a besoins et plaisirs. De tous ordres. Musique, chaleur, alcools, jeux, femmes.

— Ce n'est pas ce qui manque à Marseille.

Belloro se leva, il était petit mais curieusement bien bâti, une harmonie de muscles et d'énergie. Pestadou disait de lui qu'il avait une tête de zoo. Un peu de lion dans la crinière, du renard dans le museau, de la poule dans l'œil rond.

— Les soldats ne m'intéressent pas, Pascal, et vous avez raison, nous avons tout ce qu'il faut pour eux dans les bouges du quartier réservé.

Pascal sourit et lissa sa tempe gominée.

— Ne méprisez pas le coin de Reboul, dit-il, quatre de ses bars vous appartiennent.

— Cinq, dit Belloro, le cinquième depuis la semaine dernière. Mais le problème n'est pas là. Ce qui m'intéresse, ce sont les officiers. Or les officiers n'entreront pas dans le quartier pour une raison simple : leurs hommes y seront. Je veux créer pour eux un endroit spécial. Chic, élégant, de bon goût.

Pascal hocha la tête.

— Et cet endroit s'appelle Chez Praline.

— Exactement. Et vous en serez le patron.

186

Il fallait réfléchir vite. La fortune pouvait être là, une sécurité, la considération, le risque aussi.

— Pourquoi pas Varouse ?

Pascal savait qu'il était le numéro un pour les affaires occultes de Belloro ; accepter la proposition, c'était s'en faire un ennemi et Hyacinthe Varouse n'était pas un modèle d'angélisme.

— Il est affecté à des activités commerciales qui n'interféreront pas avec les vôtres.

C'était le moment de la décision. Demain, dans deux jours, trois, huit ou plus, la guerre serait déclarée : ou bien il partait, sac à dos, fusil, molletières, retrouver les gadoues et les fortifications de Maginot, ou bien il continuerait à vivre avec Séraphine, à Marseille, patron d'un bar huppé, à gagner de l'argent avec la bénédiction de Belloro, le sultan. Avec Pipette et Pestadou avec lui, il serait un prince de la Marsiale.

— Voici le contrat, dit Belloro, dix pour cent sur les entrées, cinq sur les consommations, les jeux et les filles.

Pascal saisit les deux feuilles dactylographiées.

— Les macs sont d'accord sur les chiffres ?

— Aujourd'hui ils le sont à quatre-vingts pour cent. Demain ils le seront à cent.

Pascal se leva. Il faisait plus chaud soudain ; la brise du matin était tombée et les rochers proches réverbéraient le soleil comme aux plus beaux jours de l'été.

— Je vous appelle demain matin, monsieur Belloro.

Belloro prit la main de son interlocuteur entre les deux siennes.

— Sans présager de votre réponse, me laissez-vous espérer qu'elle sera favorable ?

— Demain matin, monsieur Belloro. Je vous souhaite la belle journée.

Pascal descendit et l'odeur du plâtre se fit plus forte. Des niches s'ouvraient, vides encore de statues. Ce serait un palais. Un vrai. Le palais Belloro.

L'air vibrait sur l'horizon de la mer. En contrebas, les pins cachaient la ville pourtant proche. Pipette s'avança. Il avait tombé la veste trop chaude et desserré le carcan de son col de chemise.

— Alors, les nouvelles ?

Pascal s'installa dans l'Hotchkiss et fourra le contrat dans sa poche.

— Une crapule, dit-il, il nous étrangle, je lui dirai demain si c'est oui ou non.

Pipette s'installa au volant, mit le contact, tendit l'oreille et écouta avec dévotion le bruit des cylindres. Pascal pensa qu'aucun mélomane devant un orchestre symphonique n'aurait autant l'air ravi que Pipette devant un moteur lancé.

— Où on va ?

— Rue des Bons-Enfants, chez la Mémé.

Les roues épaisses écrasèrent le gravier dans un crissement de douce averse. La villa inachevée, rayée par les troncs des arbres, glissa derrière eux et disparut derrière une ondulation.

— Pipette, demanda Pascal, si on te dit d'aller à la guerre demain, qu'est-ce que tu fais ?

Le colosse passa la seconde avec une application d'écolier.

— Je fais comme tout le monde, je vais à la gare sans rouscailler, mais te dire que ça me fait plaisir, ce serait un mensonge.

— Défendre la patrie, ça te démange pas un peu ?

Chaque fois que Pipette réfléchissait, il tirait la langue. Il la rentra pour affirmer avec force :

— Je peux te l'avouer à toi parce qu'on se connaît et que je sais que tu vas pas le crier du haut du transbordeur, mais, après vérification, je constate avec regret que ça ne me démange pas du tout.

Place Castellane, Pipette clignota et ils émergèrent de l'ombre des platanes dans le soleil du matin.

— Et plus j'y pense, continua-t-il, plus j'y pense,

moins ça me démange, et je me rends compte que quand je serai dans le train, ça me démangera encore moins.

Au kiosque à journaux de la rue de Rome, les titres s'étalaient en gros caractères, toujours les mots trop familiers : Pologne, gouvernement, traité, blindés, Chamberlain, guerre. Aux terrasses des cafés derrière la préfecture, des groupes d'hommes lisaient les affiches.

— Et puis, poursuivit Pipette, il faut quand même se dire une chose, c'est que quand on va à la guerre, parfois on en meurt.

— Ça, dit Pascal, c'est une grande nouvelle.

La voiture s'arrêta au feu rouge, face à la plaine Saint-Michel.

— Je descends, dit Pascal, je vais marcher un peu. On se retrouve au hangar cet après-midi.

Pipette acquiesça, tira la langue et se pencha par la portière.

— Tout ça pour te dire, en conclusion, que si je vais pas à la riflette, eh bien, tout pesé, ça me fait plaisir.

Pascal lui adressa un clin d'œil d'adieu et enjamba le caniveau. Avec la pente, l'eau claire jouait au torrent, charriant des feuilles de salade et des écorces d'orange. Autrefois, avec Pestadou et les garnements de la rue Copello, il y faisait voguer des bateaux avec des coques en bouchon de liège et des mâts d'allumette, il rentrait à la maison les souliers trempés et Mémé suspendait ses chaussettes mouillées sur le fil de la fenêtre en le traitant de tourmente-chrétien.

— Bonjour, monsieur Marocci, on va voir la Mémé ?

Pascal salua.

— Une petite visite, monsieur Santo-Bonacci...

Le vieux vendait des espadrilles depuis quinze ans à l'angle de la rue de Bruys. Ancien marchand de coquillages du quai de Rive-Neuve, il avait eu des problèmes autrefois : dans les années 25, il avait vendu des clovisses qui avaient flanqué la typhoïde à la moitié de la ville ; depuis, il affirmait qu'avec les espadrilles il ne risquait pas d'empoisonner quelqu'un et qu'il avait retrouvé la paix de l'âme. « Celui-là, disait Mémé, il a tué plus de monde à lui tout seul que toute la guerre de 14. »

Pascal traversa, répondit au bonjour de derrière la vitre que lui adressait la boulangère, Mme Milandro, dite Cague-Mou pour des raisons obscures, et poussa la porte du 38. Il faisait frais dans l'ombre de l'escalier étroit, l'odeur était toujours la même : lessive et coulis de tomate. Rien ne bougeait : la guerre était une illusion, rien ne pouvait changer ce monde, ces ruelles encaissées qu'un couteau géant avait creusées dans le cœur épais de la ville qui en saignait encore par ses toits de vieille tuile un sang rose et roux...

Pascal monta les deux étages. C'étaient les escaliers de l'enfance, il les avait gravis à quatre pattes, puis marche à marche... Il y avait joué à faire pendre des ficelles entre les barreaux de la rampe pour tenter de toucher la tête des gens qui montaient.

— De si bon matin !

Mémé Marocci s'étonna tandis que Pascal l'embrassait :

— Il faut au moins la guerre pour te sortir du lit ! Alors ça y est ? Ils l'ont signée ?

— Pas encore, dit Pascal, mais ça va venir...

— Je me fais pas de souci : les couillonnades, ça vient toujours.

Il s'assit et elle le regarda poser ses coudes sur la toile cirée de la table de la cuisine.

— Tu veux le café au lait ?

— Un café simplement à cause...

— Tu auras le café au lait parce que le café pur ça t'énerve. Et puis lève ton manteau.

Pascal obéit. Elle portait toujours le chignon haut et flou de Provence, le tablier aux fleurs étroites sur fond noir. Les sourcils avaient blanchi plus que les cheveux.

190

— Alors, dis-moi un peu. Le plus important d'abord : cet enfant il vient ou il vient pas ?

— Il vient pas.

La main de Maria claqua sur la table.

— Mais vous avez décidé de pas me le faire, c'est pas possible !

Cela faisait deux ans qu'elle lui bassinait le système avec cette histoire, elle voulait être arrière-grand-mère. Séraphine lui avait dit : « Ça va vous vieillir, Mémé ! » Elle avait répondu : « Qué vieillir ! Les enfants ça rajeunit, et puis comme ça au moins, ça vous fera une occasion pour vous marier. » A chaque visite, il y avait droit et ce n'était pas près de finir, il ne se souvenait pas d'avoir vu sa grand-mère baisser les bras devant un obstacle.

— Écoute, Mémé, avoue qu'un enfant en ce moment, ça tomberait mal !

— Un enfant, ça ne tombe jamais mal parce que ça ne se lâche pas... J'ai jamais lâché ton père, ni toi non plus.

Pascal trempa ses lèvres dans la tasse de faïence. C'était la sienne, la grosse jaune avec les carreaux blancs, celle des jours d'école, quand il s'étranglait avec les tartines les matins de grand retard.

— Mémé, je suis venu pour un conseil.

Elle frotta ses mains contre son tablier, ferma plus énergiquement le robinet du filtre à eau qui fuyait toujours et s'assit en face de lui, sur la chaise paillée. C'était ainsi. Il avait vingt-cinq ans à présent. Une affaire, des associés, il commençait à peser son poids sur la ville mais il venait prendre ses décisions ici, avec elle, installé au centre de la vieille maison d'autrefois, comme s'il ne pouvait être pleinement un homme que dans les lieux où il avait été un enfant... Il fixa le diamant qui ornait son auriculaire droit.

— Au lieu de partir à la guerre avec les autres, si je veux, je peux rester à Marseille.

La vieille dame battit des paupières et son regard fila par la fenêtre ouverte sur l'imbroglio des toits et des cheminées, et l'écrasement du ciel bleu.

— Je vois pas ce qui te tracasse là-dedans, dit Maria. Écoute-moi bien, Pascal, parce que, malgré tes souliers cirés, tes belles cravates et patin-couffin, je me demande si tu as toute ta jugeote. Tu es en train de me dire que tu peux aller te faire casser la cougourde, et ne pas te la faire casser, et tu hésites entre les deux ?

Pascal sentit la colère de la vieille dame et haussa les épaules.

— C'est pour la morale. Que tu me dises pas demain que je suis un moins-que-rien si tu me vois descendre un pastaga au bar du coin pendant que les autres se font trouer la paillasse. Ça, je le craindrais.

Mémé Marocci se leva. Dans la lumière trop vive, les rides s'effacèrent, gommées par la clarté de la fenêtre.

— Écoute bien ce que je vais te dire, Pascal, et ne l'oublie pas, parce que je l'ai appris en déchargeant les cales des bateaux et en me tuant les poumons à respirer les cuves des savonniers douze heures par jour pour que ton père ait des culottes propres. Pendant la paix, l'ouvrier vit la misère, il travaille pour les autres ; l'ouvrier de la guerre, c'est le soldat, et lui, en plus de la misère, il y gagne la mort. Et la mort, on n'a jamais rien fait de pire. Alors, ne fais pas le santon comme à ton habitude : si tu peux rester, tu restes, et si tu viens dimanche avec Séraphine, je vous fais la daube.

Réglé. Pascal termina son café crème. Il n'avait jamais vraiment hésité, cela avait été plutôt une gêne, un tourment de conscience comme un pli de chemise sous le fer à repasser... C'était fini. Simplement, il faudrait jouer serré avec Belloro, ne pas rester comme une stassi à attendre de se faire manger, mais tout était clair à présent : il avait reçu l'approbation de la Mémé.

Séraphine serait folle de joie, comme Pipette et Pestadou. Et puis, s'il y avait beaucoup de morts, eh bien,
ça en ferait déjà trois de moins. C'était toujours ça de
pris.

Il termina son crème et vérifia l'heure. Il avait
rendez-vous sur les docks avec des négociants libanais
pour un chargement de peaux de chèvre et de tapis.
Les types marchaient à l'anisette. Ce serait dur de les
suivre après le café au lait.

Il se leva et prit sa grand-mère par les épaules.

— Je vais rester, Mémé, parce que tu serais trop
malheureuse sans moi.

Elle leva la main comme autrefois, quand elle le
menaçait de pastissons qui n'arrivaient jamais et il fit
mine de se protéger du coude, le réflexe des gosses
battus.

— Ça te ferait peut-être pas de mal de vivre un peu
à la dure, ça te mettrait du plomb dans le cacalouche,
que tu en as pas de trop.

Il l'embrassa en riant et traversa le vieil appartement. A gauche dans l'entrée, la photo de son père
interrompait les rayures de la tapisserie. Pascal la
connaissait bien : pendant des années, monté sur le
tabouret, il l'avait regardée chaque soir. Parfois il
avait pensé que tant de regards pouvaient user le
papier, en creuser la trame, effacer le sourire sous la
moustache, faire pâlir les yeux aux cils de femme — il
s'arrêtait alors de scruter le visage pendant quelques
jours, il y revenait... Cela avait duré longtemps.

Il ouvrit la porte et lança :

— Si je suis déshonoré, c'est de ta faute !

— Va-t'en, accident !...

Il dévala la volée de marches, évita la giclée de seau
d'eau de la locataire du rez-de-chaussée, Mme Pano-
letti, celle qui avait des sous et se levait pourtant à
cinq heures pour farfouiller dans les bordilles du quartier.

— Adieu, Pascal, tu vas pas à la guerre toi ? Ils en ont parlé tout à l'heure au poste...

Il salua sans répondre, se retrouva sur le seuil de la maison.

— Oh, Frise-Poulet !

Il leva la tête.

Au deuxième étage, Mémé Marocci se penchait au-dessus de la barre d'appui, il la distingua entre les draps de lit étendus.

— Si vous venez dimanche, tu dis à la Fine de penser à me rapporter sa robe bleue que je lui ferai un point de raccommodage !

— Vouéï, lança Pascal, je lui dis.

Il garda son manteau sous le bras, desserra l'emprise du chapeau autour de son front et enjamba le caniveau où le ruisseau descendait toujours en cataractes courtes et violentes comme le rire d'une fille du mauvais quartier. Devant le bar Gaby, des hommes qu'il ne connaissait pas le saluèrent et il leur rendit leur bonjour avec le geste américain : les deux doigts au rebord du bada.

La Mémé avait raison : des hommes allaient mourir, beaucoup peut-être... et c'était un péché de ne pas choisir la vie quand on le pouvait ; le patriotisme, le devoir, le drapeau, c'étaient des mots pour couillonner les gens : Mémé l'avait bien compris.

Il sortit de sa poche le porte-cigarettes à la femme géométrique et souffla la première bouffée à la face ronde du soleil. Sur la place Saint-Michel, des pigeons tournaient au-dessus des eaux mortes du bassin et une douceur neuve de l'enfance entra en lui comme un lent mistral du souvenir. Elle venait des quatre coins de l'horizon : du marchand de chichi fregi quand il y traînait sa grand-mère, du théâtre guignol où son père l'emmenait les dimanches d'été, du kiosque à journaux où il fauchait les illustrés avec la bande de l'école, du cinéma Chave où il avait emmené Séraphine voir *Marie-*

Antoinette, et où elle avait pleuré avec, dans l'ombre bleue, le mouchoir roulé en boule comme une petite lune de chagrin...

Pascal se redressa, respira à fond de poumons et, gaillardement, prit la direction du port. C'était décidé à présent : cette guerre, il ne la ferait pas.

Sur les glaces du comptoir, la lumière rouge née de lampes invisibles éveillait des reflets de velours et de bronze d'incendie. Dans le fond, les étagères s'alignaient, découpant les rectangles sombres de leurs casiers encore vides.

Séraphine pivota sur le haut tabouret de bar : les tables cernaient la piste aux lueurs rasantes : une clarté diffuse qui enveloppait les danseurs, grimperait le long de leurs corps, laissant les visages dans l'ombre. Contre le mur de la salle, palmiers, pyramides, sphinx et égyptiennes, une fresque lumineuse aux allures d'aquarelle.

Pestadou et Pascal attendaient la réaction de la jeune femme.

— Alors ?

Elle hocha la tête, ses pupilles captèrent l'étincelle écarlate que renvoyait le cristal des verres à cocktail.

— Cossu, dit-elle. On comprend assez vite qu'on est pas chez les carmélites, mais cossu.

Pestadou sourit, soulagé.

— Heureusement qu'on est pas chez les carmélites, on garderait pas la clientèle longtemps !

— Ça tire pas trop l'œil ? demanda Pascal.

Séraphine hocha négativement la tête. Son corsage et ses dents parurent un instant peints du mauve fragile des lilas : une goutte d'encre d'écolier dans une mer de lait.

196

Pestadou se pencha par-dessus le comptoir. La bouche et les orbites se creusèrent d'ombre tandis que le front et le menton se laquaient de pourpre.

— Tu veux pas voir les chambres ?

Séraphine prit le bras de Pascal.

— Je me doute que ça doit faire encore moins carmélite que le reste !

— C'est parce que tu n'as pas vu la 6. C'est la cellule de moine, tout blanc et nu, avec le crucifix et le Jésus. On peut même passer des bruits de cloches sur le phono pour faire encore plus vrai.

Pestadou jeta une serviette blanche sur son bras et remua les glaçons dans le seau d'argent.

— Tu devrais quand même lui montrer la 4, c'est celle que je préfère personnellement.

Pascal prit Séraphine par la main et l'entraîna dans l'escalier.

— Je suis une honnête femme, dit Séraphine, je ne fricote pas avec les patrons de boîtes louches.

— Gérant, rectifia Pascal, simplement gérant. Et puis c'est pas une boîte louche, c'est Chez Praline, bar américain, ambiance chic, tenue correcte de rigueur. Té, regarde !

Il ouvrit une des portes du palier. Le décorateur avait forcé sur la dorure et le cramoisi des tentures. Le lit à baldaquin était surmonté de plumets à panaches écarlates — rideaux à ruchés et coussins à fanfreluches.

— Les fauteuils sont de l'époque, dit Pascal, on les a fait faire par un menuisier du boulevard Baille.

Séraphine examina les portraits de marquises dans des cadres Pompadour-quai des Belges.

— C'est lui aussi qui a fait les peintures ?

— Te moque pas, dit Pascal, les types qui vont venir ici, c'est pas pour étudier l'art sous Louis XIV.

Séraphine effleura la dentelle d'un oreiller.

— Et la chambre d'en face, qu'est-ce que c'est ?

Pascal s'assit sur une méridienne brodée de pastou-
relles et de pastoureaux.

— La salle des tortures, annonça-t-il négligemment,
mais elle servira pas, c'est juste pour la faire visiter,
pour la curiosité.

— Mon œil, qu'elle servira pas, tu crois que je
connais pas la vie ? Les rues sont pleines de fadas qui ne
rêvent que de se faire escagasser, comme s'il y avait pas
la guerre pour ça !

— Écoute, dit Pascal, si tu n'es pas brave avec moi, je
t'enchaîne au mur, je te mets sur la roue qui tourne et je
fais monter les Sénégalais.

— Pour ça, il faudrait d'abord que tu m'attrapes.

Elle démarra comme une traction avant après le
braquage de la banque de Suez, mais en plongeant par-
dessus un bonheur-du-jour, il lui bloqua la cheville
comme elle passait la porte. Il la tira vers lui et ils
étaient en train de se battre sur la carpette pseudo-
Gobelins lorsque Pestadou surgit avec le champagne.

— Pascal, dit-il avec dignité, si tu m'avais dit que tu
voulais étrenner le salon de la marquise avec mademoiselle, j'aurais attendu pour apporter la bouteille.

— On n'étrenne rien du tout, dit Séraphine, c'est
Monsieur qui a un coup de chaleur.

— C'est une chose qui arrive avec les jolies dames,
dit Pestadou. Alors cette Veuve Clicquot, on se la boit
ou je la remporte ?

— On se la boit, dit Pascal, pour l'inauguration.
Vingt-quatre heures à l'avance...

Séraphine tendit la coupe et regarda l'or liquide
pétiller sous la mousse.

— Tout de même, soupira-t-elle, on fait la fête et
c'est la guerre !...

Pestadou s'étrangla dans ses bulles.

— Qué guerre ? J'ai mon cousin sur le front, il m'a
écrit : il a jamais tant joué aux cartes de sa vie. Avec les
colis de sa femme et les gens du village qui lui apportent

des provisions, il a pris quatre kilos dans le mois, et c'est pour tous pareil. Ils sont plus tranquilles là-bas que nous ici. Si j'avais su, j'y allais aussi, ça m'aurait épargné d'avoir à ranger les deux mille cinq cents bouteilles qui sont à la cave et que je dois monter avant demain.

— Le malheur, dit Séraphine, c'est que ça durera pas.

Pestadou leva une main pacificatrice :

— Ça, c'est bien vrai, ça durera pas et vous savez pourquoi ça durera pas ? Tous les renseignements concordent : dans moins d'un mois les Allemands signent la paix. A genoux.

— C'est ton cousin qui te l'a dit ? demanda Pascal.

— Lui et d'autres. Et vous savez pourquoi ils la signent ? Parce qu'ils peuvent pas attaquer, et vous savez pourquoi ils peuvent pas attaquer ?

— Parce qu'ils ont peur de ton cousin, il grossit tellement vite que ça les impressionne...

Pestadou négligea la remarque de Pascal.

— Ils attaquent pas parce qu'ils ont pas d'essence. Ils ont les tanks, les voitures, les camions, tout parfait, mais ils bougent pas parce qu'il y a rien à mettre dans les moteurs.

— Ils en ont pour le front de l'Est, dit Séraphine ; aux actualités de dimanche, au cinéma, je peux te dire que leurs panzers avaient pas l'air immobiles.

Pestadou eut un geste d'apaisement. Il aimait bien Séraphine mais avait toujours un peu de méfiance envers elle : elle se débrouillait pour avoir toujours raison.

— Je dis pas qu'ils en ont pas du tout, dit-il, je dis qu'ils en ont, mais pas assez. Et c'est pour ça qu'ils ne bougent pas. Pour économiser.

— Et nous, dit Pascal, on en a, de l'essence ?

Pestadou prit l'air mystérieux et, bien qu'ils ne fussent que tous les trois, il baissa la voix.

— On en a, dit-il, mais il y a une chose que peu de

gens savent. On a plein d'essence, des cuves partout, on sait plus où les mettre, seulement notre point faible, c'est les munitions.

Pascal hocha la tête.

— Eh bé ! nous voilà propres ! C'est toujours ton cousin qui t'a raconté ça ?

— Pas que lui. Heureusement que les Allemands le savent pas, parce que tu imagines le carnage ? Ils nous bondissent dessus, et nous avec quoi on se défend ? Avec des pierres ?

— On pourrait faire un échange, dit Séraphine, on leur donne l'essence et ils nous passent des obus.

— Vous moquez pas, dit Pestadou, c'est une guerre qui peut mal finir.

— Tu en connais qui finissent bien ? demanda Pascal. Alors ressers-nous un peu, qu'on a la gorge sèche à écouter tes histoires de catastrophes.

Pestadou s'exécuta, visiblement offensé de n'avoir pas été cru. Mais tant de bruits circulaient depuis que les armées se trouvaient face à face, les journaux en étaient réduits à inventer des escarmouches dérisoires aux abords de la ligne de feu. Le matin, lorsque Séraphine se rendait à l'usine, elle écoutait les comptables, dans le bureau à côté du sien, et les ouvrières dans les travées.

Mme Foulebiane qui avait cinquante ans, quatre-vingts kilos, de l'expérience, des moustaches et tapait les lettres avec un seul doigt depuis l'école pratique, était amoureuse du général Gamelin. Elle trouvait qu'il se tenait droit, avait des bottes bien cirées et ça, c'était bon signe. Elle expliquait qu'il tendait un piège : lorsque les Boches seraient bien installés, qu'ils auraient défait les cartouchières, rêvassé, se seraient gonflés de saucisses et de demi-pressions, hop ! Gamelin leur sautait dessus avec ses belles chaussures luisantes et avanti les soldats ! A coups de pied dans les chichourles jusqu'à Berlin.

En bas, dans l'atelier, c'était autre chose. Tous les

midis, le père Calires tenait le crachoir en piochant dans sa gamelle. Entre deux bouchées de sardines à la capucine ou de pan-bagnat, Augustin Calires prophétisait des apocalypses. Hitler, Mussolini, Staline étaient préparés en secret depuis longtemps et possédaient des armes terribles, inconnues, ils faisaient en ce moment les dernières mises au point et dès que ce serait prêt, ils nous balanceraient tout sur la fiole avec leurs aéroplanes ou même des canons spéciaux pour tirer de loin.

— On dit : « Ils avancent pas ; ils sont arrêtés »... Vous savez pourquoi ? C'est parce qu'ils ont pas besoin : avec leur système, ils nous bombarderont de Berlin, tranquilles, les pieds dans les pantoufles. S'ils le veulent, ils rasent Marseille.

Près de lui, les fesses sur l'étau limeur, Florentin Bédoule, apprenti fraiseur de quatorze ans trois mois, achevait, impassible, son troisième poivron à l'huile. Calires s'énervait constamment de l'humeur inaltérable du jeune homme.

— Toi, que Marseille soit rasée, ça te fait ni chaud ni froid ! La Vierge de la Garde, les Accoules, le Vieux-Port, les Réformés, le Prado, tout ça en l'air avec les ruines fumantes et les morts partout, pour toi c'est comme si on pissait en l'air, ça te fait pas digérer tes poivrons moins vite. Marseille rayée de la carte, tu t'en fous ?

Bédoule déglutissait et lâchait flegmatiquement :

— Ça m'est complètement égal : je suis de Montolivet.

Le vieux Calires en laissait tomber sa fourchette.

— Voilà ! Ça, c'est le patriotisme des jeunes d'à présent, c'est la solidarité française, mais pauvre couillon, tu ne comprends pas que...

Séraphine s'éloignait et racontait tout à Pascal le soir, dans la chambre de la Taraillette, et ils en riaient ensemble. Pascal lui aussi rapportait les discussions qu'il avait surprises sur les docks ou dans les bars de la vieille ville... Par les fenêtres de la villa, ils voyaient briller la mer sous la lune, lumière unique sur la ville noire astreinte au couvre-feu... Zoé avait collé en X du papier collant sur les vitres pour qu'elles n'éclatent pas en cas de bombardement, la nuit se trouait parfois d'un coup de sifflet de chef d'îlot détectant une lueur, un éclairage trop intense...

— Je dois filer, dit Séraphine, je dois prendre l'oncle à la gare.

Elle reposa sa coupe vide sur une console en bois doré et descendit les escaliers, suivie des deux hommes. Elle enfila son manteau, prit son sac à main et accrocha à son épaule la bretelle de son étui de masque à gaz. Ça, c'était la nouvelle plaie, il fallait se trimbaler avec, en tous lieux, sous peine d'amende.

Pascal lui remonta son col et l'embrassa. Elle promena un dernier regard autour d'elle.

— Tu ouvres quand ?
— Dans trois jours.

Il sentit l'inquiétude en elle.

— Ne t'inquiète pas, j'ai des appuis.
— Belloro ?

Il hocha la tête affirmativement.

— Ça ne me rassure pas, dit-elle, tu sais ce qu'on dit de lui ?

Pascal sourit.

— Laisse dire. Tu veux que je demande à Pestadou de te conduire ?
— Non, je prendrai le tram. A ce soir, mon beau.
— A ce soir, Fine...

Elle le regarda : accoudé au comptoir, dans l'éclairage tamisé, il ressemblait à ces acteurs de cinéma d'Amérique qui, dans les films nocturnes et urbains, jouent les tendres gangsters et font des bises infinies à des femmes aux robes collantes longues et moirées.

SÉRAPHINE posa la valise sur le trottoir et grimaça, secouant sa main endolorie malgré le gant de chevreau.

— Tu as encore emporté ta bibliothèque avec toi ?

L'oncle, près d'elle, regarda à ses pieds la volée des grands escaliers qui, au sortir de la gare Saint-Charles, dévalent sur la ville.

— Il n'y a plus de taxis à Marseille ?

— Il y a moins de chauffeurs depuis la mobilisation...

Il hocha la tête... Ils étaient cernés de demi-militaires. Des hommes en képi ou calot aux vareuses kaki portaient des pantalons de golf jugés plus martiaux. Sur les premières marches, Séraphine vit un râblé rougeaud à bandes molletières, brodequins, ceinturon et cartouchière sur la veste prince de Galles ; bardé de musettes, le regard traqué, il essayait de rentrer le ventre dans son pantalon dans un réflexe guerrier. Séraphine pensa que si les Allemands le voyaient, ils ne se donneraient même pas la peine de souffler dessus pour le faire disparaître.

— Il y a un café en bas, dit-elle, je vais téléphoner à mon premier commis de venir nous chercher...

Ils traversèrent la cohue, les bras sciés par les bagages et descendirent les degrés lentement, le boulevard d'Athènes montait vers eux avec l'odeur des platanes et le parfum des boutiques à pizzas.

— La plupart des villes n'ont pas le sens du théâtre,

dit l'oncle, elles ne soignent pas leurs entrées. On entre en elles par les coulisses, c'est-à-dire par les banlieues. A Marseille, le décor se lève tout de suite.

La trompe des tramways résonnait sous les ombrages encore denses. Séraphine, les épaules rompues, poussa la porte du bar de l'Antique Phocée et laissa tomber les valises. Déjà le vieux monsieur soufflait sur la banquette de moleskine. Elle commanda un café et lui un mandarin-picon. Elle téléphona tandis qu'il étendait son verre d'eau de Seltz, puis s'installa en face de lui et regarda le vieil homme.

Elle l'avait toujours appelé « l'oncle » par simplification car l'infinie complexité des relations familiales faisait qu'elle n'avait jamais su exactement quel degré de parenté ils occupaient l'un par rapport à l'autre. Il était, autant qu'elle pouvait se le rappeler, le cousin par alliance d'un neveu du demi-frère de sa mère. Lorsque celle-ci s'était mariée avec Panderi, il avait sympathisé avec le nouvel époux, avec un enthousiasme tel qu'on les avait retrouvés tous deux ivres morts à quatre heures du matin, dans la pinède de Sormiou, enlacés à dix centimètres d'un à-pic dominant la mer de cent trente mètres.

Assurés d'avoir failli mourir ensemble, les deux hommes étaient restés liés et l'oncle, Constant Benedict, avait continué de dire à Séraphine : « Je suis la nuit de noces de ton père. »

Lorsque la petite était née, il en était devenu le parrain et lui avait offert régulièrement pour ses quinze premiers anniversaires le même ours en peluche. Conscient à ce moment qu'elle commençait à grandir, il remplaça les ours par des dînettes en porcelaine dont elle ne s'était jamais servie et dont il interrompit la série le jour de ses vingt ans, jour où il avoua que, non seulement il ne savait pas faire de cadeaux, mais qu'il ne possédait pas non plus le sens de l'âge des enfants.

Séraphine aimait bien le vieux Benedict qui avait

mené sa vie de telle façon que, passionné de littérature assyrienne, grand traducteur d'araméen, il avait écrit deux volumes sur les mœurs grégaires des lémuriens de la côte septentrionale de Madagascar et finissait sa carrière conseiller à la présidence du Conseil. Toujours l'oncle avait personnifié pour elle la folie joyeuse dont elle avait su assez vite, grâce à lui, qu'elle n'était que la face cachée de la réelle sagesse.

Elle se brûla les lèvres sur la faïence et reposa la tasse. Constant Benedict sourit à sa filleule.

— Cela doit faire trois ans que je ne t'ai vue et, autant que je puisse m'en rendre compte, tu ne me sembles pas avoir vieilli, ou alors souterrainement.

Elle eut un geste de la main.

— Tu n'as pas changé du tout non plus.

— Le monde, si.

Elle hocha la tête. Ce voyage l'étonnait.

Ou bien Constant Benedict se promenait sur les plages de l'océan Indien pour en étudier la faune, ou bien il vivait accroché comme un oursin à la roche dans son deux-pièces fourre-tout de la rue Grégoire-de-Tours où il asphyxiait sous les montagnes de livres en se nourrissant uniquement de tranches de jambon arrosées de mandarin considéré par lui comme aliment liquide hautement vitaminé.

— D'ailleurs, dit Séraphine, il faut vraiment qu'il ait beaucoup changé pour que tu viennes jusqu'à Marseille.

Constant lissa sa cravate de serge noire et remua sous la table ses bottines à l'ancienne.

— Je suis venu pour toi.

— C'est gentil.

— Pour toi et pour affaires. Les deux sont liés.

Il but, reposa le verre, l'allongea d'une nouvelle giclée d'eau de Seltz et poursuivit :

— Je t'en parlerai plus longuement ce soir, mais je te dis l'essentiel en deux mots : tu sais peut-être que je fais partie, en tant que conseiller, du cabinet Paul Reynaud…

Elle l'ignorait mais cela ne l'étonna pas.

Au cours de ces dernières années, elle avait quelquefois distingué la silhouette de l'oncle sur des photos dans *L'Illustration, Regards* ou *Je suis partout,* on apercevait son allure falote et gênée derrière celle d'Albert Lebrun, de Daladier, il avait été l'ami de Salengro, elle l'avait vu une fois au cinéma, aux actualités, posant intimidé pour une photo sur les marches de l'Hôtel Matignon.

— Je peux donc t'annoncer une simple nouvelle : malgré ce que peuvent prétendre les journaux, nous avons déjà perdu la guerre. Même Gamelin le sait et pourtant c'est un imbécile absolu, Reynaud étant un crétin relatif.

Séraphine posa ses mains sur ses genoux.

— Tu en es sûr ?

Le vieux monsieur soupira. A part une forte dame vissée au comptoir devant un pastis double troublé de trois gouttes d'eau, le bar était vide. Il baissa cependant la voix :

— Je ne vais pas te faire un cours comme à l'École de Guerre, ni un rapport d'économie politique, mais si les Allemands ne bougent pas depuis huit mois, c'est qu'ils ne veulent pas bouger ; dès qu'ils le voudront, ils bougeront et en huit jours ils seront à Paris.

Séraphine fixait le gentil et doux M. Benedict. Elle savait qu'il ne parlait jamais pour ne rien dire, que son intelligence était aiguë et ses informations excellentes.

— Un de mes ouvriers m'a encore assuré ce matin qu'Hitler était mourant, gémit-elle.

— Il a eu successivement la tuberculose, la phtisie galopante, la syphilis, la petite vérole, l'épilepsie et une bonne douzaine d'autres catastrophes cardiaques, vasculaires ou respiratoires. On a même parlé jusque dans les couloirs du Sénat du taux d'alcoolisme foudroyant atteint par l'ensemble de l'armée nazie — sans parler de l'immense famine du peuple allemand tout entier... J'espère que tu ne crois pas à tous ces bouteillons...

Séraphine l'interrompit :

— Vous pensez qu'ils peuvent franchir la ligne Maginot ?

Il y eut une rafale soudaine de vent, elle prit le boulevard en enfilade et secoua les feuilles cassantes comme des biscuits secs. Séraphine but une gorgée. L'hiver serait là, dans quelques semaines, il cernait déjà les hauts de la ville, il poussait des pointes d'avant-garde rageuse le long des façades... Elle n'avait jamais prêté attention aux saisons jusque-là, l'été dominait sa vie ; de l'hiver elle n'avait que des souvenirs de froid lumineux, de vent fort et rapide, de joues rouges, de gel coupant et gai comme la claire épée d'un joyeux duelliste, elle avait dû chasser de sa mémoire la grisaille trop appuyée des automnes plombés, mais soudain, avec la voix du vieil homme, toute la ville s'enroulait de tulles sales, les reliefs se gommaient, les grands loups gris pointaient leurs museaux de nuages des hauts de Malpassé jusqu'aux faubourgs de La Panouse, demain ils seraient là.

— On ne peut pas franchir la ligne Maginot mais on peut la contourner, c'est ce qu'ils feront... Il faut être fou pour croire que Hitler respectera la Belgique, c'est s'imaginer que le lion n'avalera pas l'antilope parce qu'il trouve déloyal de s'attaquer à plus petit que lui.

Elle se secoua. En croisant les jambes, un de ses genoux heurta l'une des valises.

— Et qu'est-ce que je viens faire dans tout cela ?

Constant eut un sourire d'excuse.

— C'est vrai, je parle, je parle, et j'oublie l'essentiel : je suis ici en mission. C'est ainsi que parlent les spécialistes et les prétentieux. En fait, l'affaire est toute simple : si la France perd la guerre, comme dans tous les autres pays vaincus, nous connaîtrons l'occupation. Notre sort ne sera pas différent sur ce plan de celui de la

Tchécoslovaquie et de la Pologne. Or, comme dans tous les pays occupés, les Allemands partiront en chasse contre ceux dont ils connaissent l'hostilité, soit parce qu'ils sont juifs, communistes ou parce qu'ils ont, d'une manière ou d'une autre, exprimé leur opposition à l'idéologie nationale-socialiste : les savants, les artistes seront les premiers visés. Or, si les événements se précipitent, la plupart n'auront pas le temps de fuir. Certains sont déjà prévenus : ils ne croient pas tous au sort qui demain les attend.

Séraphine fronça un sourcil.

— Et alors ?

Constant Benedict toussota, éclusa son mandarin, lécha la dernière goutte sur le bord du verre, regarda sa nièce de son œil bleu d'enfant espiègle et dit :

— Je suis chargé par une organisation non encore officielle de préparer la fuite des intellectuels recherchés par les Allemands. Nous avons choisi Marseille pour une raison double : la première est qu'ici nous sommes au bord de la mer et que c'est tout de même plus simple lorsqu'il s'agit de prendre un bateau.

— Puissamment raisonné, murmura Séraphine. Et la deuxième ?

— La deuxième raison, c'est toi.

Séraphine s'adossa doucement contre la banquette et croisa les doigts.

— C'est toi pour beaucoup de motifs : la première est que tu n'es pas juive, que tu n'as jamais eu aucune activité politique quelconque, que tu es honorablement connue, bref tu fais partie de la bourgeoisie de la ville.

— Mais...

Il leva un doigt de professeur et ne se laissa pas interrompre.

— De plus, tu possèdes ce dont nous avons besoin ; un lieu pour loger, et cacher, si le besoin s'en faisait sentir, des voyageurs en partance au moins pendant quelques jours...

208

Séraphine hocha lentement la tête.

— La Taraillette...

Le vieux opina du chef.

— La Taraillette.

Les choses allaient vite soudain. Là-bas, à l'autre bout du pays, les troupes s'enfonçaient dans les boues de l'hiver, les concours de boules et les tournois de ping-pong, et voici qu'un vieux monsieur très doux et très fragile venait la prendre par la main et, avec la grâce désuète d'un autre siècle, la faisait pénétrer dans la guerre.

— Évidemment, ajouta Benedict, rien ne se fera sans ton accord, tu es libre de refuser et personne ne t'en voudra.

Elle pensa à Pascal. Fallait-il lui en parler ? Il avait tant de soucis et de travail avec l'ouverture de cette boîte... Plus tard, elle le lui dirait, et puis elle n'avait jamais eu besoin de lui pour prendre des décisions. Elle déciderait seule.

L'oncle pianota sur la table.

— Il peut y avoir du danger, dit-il, je pense que tu le sais, mais nous le minimiserons tant que nous pourrons. Si tu le veux, nous organiserons même une fausse vente de la villa pour que tu ne sois pas inquiétée...

Elle posa sa main sur le bras de l'oncle et sentit l'ossature fragile sous l'étoffe rêche.

— La Taraillette, j'y suis née, j'y ai passé les plus belles heures de ma vie, elle est à moi et le restera... Ceci étant dit, je ne connais pas grand-chose dans tout cela, mais je n'aime pas Hitler, donc je suis d'accord et je marche avec toi.

Le petit monsieur sourit, les rides autour de ses yeux parurent soudain à Séraphine si nombreuses que, mises bout à bout, elles lui semblèrent pouvoir faire le tour du Vieux-Port.

— On va faire la guerre tous les deux, petite..., murmura-t-il.

Dehors, une deuxième rafale courba les branches les plus hautes. Séraphine sentit que l'air froid se glissait sous la porte et parvenait jusqu'à elle... Cette fois, ce n'était plus contestable : l'hiver était là et comme il entrait dans la ville, il venait de pénétrer dans son cœur. Elle ignorait encore qu'il ne la quitterait plus de longtemps et que les années qui allaient suivre auraient la couleur sale que prend la neige le long des caniveaux lorsqu'elle fond en rigoles tristes.

— Quand ce sera fini, dit-elle, tu m'offriras une dînette de plus.

Déjà le soir enrobait les tuiles des toits d'une pourpre maladive. Sur les collines les plus hautes, les vitres s'ornaient d'incendies pâlissants, dans un sursaut rougeoyant Marseille frémit avant de s'enfoncer dans la nuit et le vent.

1940

L'anniversaire

— Sɪ c'est pour manger à l'intérieur, c'est pas la peine de venir à Montredon.

D'un revers de coude, Ma Quique essuya la sueur qui perlait sur son front et cligna des yeux dans la folie de soleil blanc que réverbéraient les rochers et les falaises de sucre.

D'un coup de pilon dans le mortier, Rosine Valabrègue écrasa trois têtes d'ail et étendit ses jambes devant elle.

— Quand même, dit-elle, à soixante-dix ans tu vas pas la laisser au soleil avec un pareil cagnard ; si elle prend seulement un coup de rosé frais, on fête l'anniversaire et l'enterrement le même jour.

Séraphine apparut au seuil du cabanon dans la lumière survoltée et mit ses mains en porte-voix.

— Ma Quique, tu veux pas venir voir le poisson ? Je crois que c'est cuit !

Ma Quique saupoudra d'un geste de semeuse une ultime poignée de farine sur les gnocchis et s'essuya les mains à son tablier.

— J'arrive.

Ses talons tournèrent sur les pierres. A quarante ans passés, les anciens de l'Estrasse où elle venait faire quelques apparitions prétendaient avec raison qu'il valait mieux être son chapeau que sa culotte ; elle avoisinait depuis peu les soixante-quinze kilos pour un

213

mètre soixante, et ne semblait pas près de s'arrêter en si bonne voie.

Le changement de métier lui profitait ; des trottoirs de la rue Bouterie à la cuisine de Chez Praline, l'ascension était manifeste. Elle avait lâché les marins saouls pour les marmites pleines et y trouvait son compte, et puis c'était toujours un travail de famille, après avoir été la maîtresse du père, elle était devenue la cuisinière du fils. Elle faisait encore quelques extras avec des clients de fin de soirée qui, lorsque Rosine et ses copines étaient en conversation, se rabattaient sur le personnel des cuisines, mais Pascal n'y tenait guère, trouvant que ça faisait désordre dans un établissement.

Plus haut sur la route, Pipette essuya le cambouis de ses mains avec le chiffon, effleura le capot de la traction d'une caresse d'amant et résista à l'envie de mettre le contact pour écouter le moteur chanter.

— Pipette, tu as installé le phono ?

— Voueï !

— Alors, mets-nous de la musique...

Pipette obéit. Cette Rosine lui aurait fait faire les pieds au mur, c'était sa joie et son martyre. Il la voyait en fourreau lamé le soir, en peignoir le matin, en combinaison tout le restant de la journée, nue comme la main quand il avait dû sortir par la peau du cou un client qui la confondait avec un sac de sable, et le résultat était là : Pipette en était amoureux.

Il descendit par le sentier de chèvres en évitant de faire tomber des pierres. En contrebas, à l'ombre des pins de vertige surplombant la falaise, la roche formait une terrasse naturelle dominant la mer. C'est là que, sous les rayures de canisses brûlées par les étés successifs avaient été installés les tréteaux recouverts par les nappes blanches et les couverts marqués des initiales des Panderi, vestiges de la splendeur du temps du grand-père, le temps des huileries.

Pipette bougea la rangée de chaises paillées et pénétra

dans le cabanon. Il y faisait sombre et frais. Dans la cuisine minuscule, Séraphine et Ma Quique se penchaient sur les marmites et les faitouts. L'odeur montait safranée et frottée de basilic.

— Coquin, dit Pipette, ça sent la mer !

Ma Quique se retourna, la cuillère de bois à la main.

— Tiens, viens un peu ici, mon beau, tu goûtes et tu nous dis, moi je ne sais plus.

Il ferma les yeux et ouvrit la bouche. Derrière ses paupières, les couleurs dansaient. Il sentit la gorgée d'or l'envahir et des parfums explosèrent simultanément entre sa langue et son palais.

Les deux femmes le regardaient. Il déglutit, hocha la tête et affirma avec force :

— C'est chaud.

— Merci, dit Séraphine. C'est un renseignement précieux. Tu vois rien d'autre à nous annoncer ?

— Si, dit Pipette. C'est bon.

Ma Quique posa la cuillère sur la table.

— Je ne sais jamais s'il le fait exprès ou s'il est encore plus couillon qu'il en a l'air.

Pipette agita les mains dans le vide, désespéré.

— Mais qu'est-ce que vous voulez que je vous dise ?

Le cri de Rosine monta en mouette, réverbéré le long des parois de la calanque.

— Les voilà !

Tout en haut, contre la lavande du ciel, l'Hotchkiss descendait noire contre la muraille de marbre. Pipette et les deux femmes sortirent sur le seuil. Rosine posa le mortier, retira son tablier, retapa sa coiffure en deux coups de peigne et monta vers les nouveaux arrivants.

Pascal, ébloui par l'éclat du soleil contre le pare-brise serra le frein, sortit, fit le tour de la voiture, ouvrit la portière et tendit la main à sa grand-mère.

— Tout le monde descend !

Elle se mit debout et cligna les yeux. Devant elle, au milieu du drap d'indigo, les taches blanches des îles éclataient — cernées des diamants instantanés des vagues courtes.

Rosine, Séraphine et Ma Quique l'embrassèrent.

— Bon anniversaire, Mémé !

— Merci, les petites. Je n'y pensais même plus. C'est l'autre fada qui est venu me chercher de bon matin.

— Ne mens pas, dit Pascal, tu t'y attendais, tu avais déjà mis la belle robe et le sent-bon.

— Qué belle robe ? Tu appelles ça une belle robe ? Ça fait dix ans que...

Les explications de la vieille dame se perdirent tandis qu'elle descendait au bras de Séraphine le flanc de la colline.

Pascal chercha l'étui à cigarettes dans la poche de son prince-de-Galles.

— Tout est prêt ?

— Vouéï, dit Pipette, elles ont fait un aïoli pour toute l'armée française... j'ai même goûté le poisson.

— Pestadou n'est pas arrivé ?

— Pas encore.

Il avait été prendre Panderi et Marthe. Marthe n'était jamais prête à l'heure, cela devait l'avoir retardé.

Les deux hommes abandonnèrent la voiture et Pascal, tout en marchant, savoura la morsure douce du soleil sur son visage.

— Un printemps de Bon Dieu, dit-il.

Entre Pomègue et Ratonneau, une barque glissait, minuscule, un pêcheur unique et perdu entre le ciel et les eaux, le soleil et les rives de neige. C'était un décor de dessert, sur une mer de cassis le blanc d'œuf de deux îles flottantes. Pascal, tout en marchant, pensa qu'il suffisait d'un bateau au loin pour que le silence s'épaississe encore. Lorsque son père l'amenait ici au cours des étés d'autrefois, il avait souvent remarqué le phénomène... On n'entendait que le vrombissement soudain d'une mouche lancée, mais il ne prenait vraiment conscience de la terrible paix du paysage que lorsqu'un bateau glissait au loin sans bruit, il lui semblait alors être devenu sourd soudain, et une inquiétude le gagnait.

— Ça va être une belle fête, dit Pestadou, j'ai mis les bouteilles dans une lessiveuse pleine d'eau. J'ai pas pu apporter de pain de glace, ça aurait fondu dans la voiture, mais ça sera frais quand même.

En contrebas, les trois femmes n'étaient plus que trois silhouettes tremblantes dans l'air chaud, minuscules sous les équilibres périlleux des roches en aplomb.

Pascal regarda sa montre : Pestadou était vraiment en retard et cela ne lui ressemblait pas... Peut-être y avait-il eu un nouveau drame entre Marthe et le Panderi qui ne s'assagissait pas avec les années. Il faisait encore des conquêtes et, à Marthe qui lui reprochait de les choisir de plus en plus jeunes, il répondait que c'étaient elles qui le prenaient de plus en plus vieux... Cela finissait d'ordinaire, et dans l'ordre, par quelques vire-mains, suivis de pleurs, puis de reniflements, réconciliations et pardon. Le tout pouvait durer entre dix et vingt-cinq minutes.

— Ils ne se disputent jamais une demi-heure entière, reconnaissait Pestadou qui leur servait le plus souvent de chauffeur.

Sur la terrasse, Pipette ouvrait les bouteilles et Maria Marocci trônait sur la plus belle chaise de paille dans l'ombre de la treille, face à la mer.

— C'est bien d'être née en mai, dit Rosine, ça vous fait des anniversaires de soleil. C'est une jolie saison.

Ma Quique leva son verre et, dans la lumière, il s'emplit d'un cuivre liquide et transparent.

— A la vôtre, madame Marocci !

— A la tienne, ma belle.

Pascal embrassa les joues douces, les joues d'autrefois. Celles des matins d'école et des nuits de mauvais rêves...

— Bon anniversaire, Mémé. J'ai ton cadeau dans la voiture mais ce couillon de Pestadou est en retard, alors tu ne l'auras que tout à l'heure.

— Moi j'en ai un pour tout de suite, dit Séraphine.

Pascal regarda la jeune femme tendre à la vieille dame l'écrin à bijou. Ils l'avaient acheté tous deux rue Paradis ; c'était une broche, un petit couffin serti de brillants et de rubis, tout pareil à ceux qu'elle portait autrefois sur le port, remplis d'oranges ou de poissons.

Maria Marocci embrassa Séraphine.

— Heureusement que le mien était un peu plus grand... Mais tu es fadade de faire des folies pareilles... Après, vous aurez plus d'argent si le petit vous vient...

« Ça y est, pensa Pascal, voilà le couplet qui arrive... »

Il n'eut pas le temps d'arriver, Rosine déployant sur les genoux de l'aïeule le dessus-de-lit au point de croix.

— C'est les filles de Chez Praline qui l'ont fait, toutes un peu, pendant les pauses, mais c'est Ma Quique qui a fait le plus dur, il faut le reconnaître : toute la bordure au point de Hollande. On peut dire qu'elle s'est entraînée avec ça.

— Moi, dit Pipette, je vous ai acheté tous les disques de *Carmen,* l'opéra entier avec Georges Thill et Germaine Visconti, il y en a vingt-quatre, c'est Pascal qui m'a dit que vous aimiez, ça vous fait un peu plus de huit kilos de musique, j'ai calculé. Pourquoi vous riez tous ?

— Ne les écoute pas, dit la grand-mère, viens là un peu que je t'embrasse et après tu m'en mets un sur le phono.

Séraphine sentit le bras de Pascal autour de sa taille et se tourna vers lui. Il avait du soleil jusque dans le fond des yeux.

— Tu sens le poisson, murmura-t-il.

— Frais ?

— Frais.

— Alors, c'est un compliment.

Il l'embrassa au coin de la bouche. Déjà les trompettes de l'orchestre de l'Opéra sonnaient dans l'air clair. Ma Quique remplit à nouveau les verres et c'est à cet instant que Pascal vit la Citroën arrêtée derrière sa voiture. Ils ne l'avaient pas entendue venir. Pestadou courait, échevelé, le long du sentier. Rosine remit du pouce une mèche dans le rang et l'aperçut à son tour.

— Regarde-le qu'il va tomber !

Quelque chose s'était passé. Au frémissement du bras de Séraphine, Pascal comprit qu'elle craignait pour son père. Il fit signe à Pipette d'arrêter le phono et, dès que celui-ci eut soulevé l'aiguille, ils entendirent le cri de Pestadou :

— La guerre ! Ça y est !...

Ma Quique mit les mains sur ses hanches.

— Il est fou ! Ça fait six mois qu'elle est déclarée.

Hors d'haleine, Pestadou dévalait les derniers mètres...

— Les Allemands... Ils ont attaqué... Par la Belgique...

Il faillit s'étaler en arrivant au milieu d'eux.

— Donnez-lui à boire, dit la Mémé, qu'il va nous faire une pâmoison.

Séraphine inclina la bouteille et le vin glouglouta.

— Raconte, dit Pascal.

Pestadou avala d'un trait, aperçut la grand-mère et sourit.

— Bon anniversaire, madame Marocci, dit-il.

— On s'en fout de l'anniversaire, dit Ma Quique, raconte dans le détail.

— C'est au poste, dit Pestadou, ils en ont parlé tout à l'heure aux informations, les Allemands ont attaqué avec les avions, les tanks, les canons, tout le bataclan ; ils sont déjà en Hollande aussi. Ils vont à toute vitesse, comme un cyclone.

Rosine eut un coup d'œil inquiet sur la sente, comme si elle s'attendait à voir surgir les avant-gardes de la Wehrmacht, elle ne vit que Panderi et Marthe qui descendaient paisiblement la côte.

Pascal fut le premier à réagir.

— Pour moi, ils ont attendu l'anniversaire de Mémé ; ils ont dû se dire : pas avant le 10 mai.

Panderi serrait les mains autour de lui, embrassait sa fille et l'héroïne de la journée.

— On n'allait pas rester des années en chiens de faïence, fallait s'y attendre, mais laissez opérer Weygand et Gamelin, ils vont mettre de l'ordre dans tout ça.

— C'est vrai, dit Rosine, ils sont quand même pas encore à Paris !

— Parle pas de malheur, intervint Marthe, c'est nous qui devons aller à Berlin...

— En attendant, conclut Séraphine, on passe à table...

— L'aïoli, dit Ma Quique, ça n'attend pas.

Ils s'installèrent autour de la table, Marthe passa un tablier et rejoignit les autres femmes qui apportaient les poissons, la pommade, les topinambours et les légumes. Dans le soleil, la fumée devint bleue et transparente. L'aïeule sourit et posa sa main sur celle de Pascal qui était son voisin.

— Tu as bien fait de rester, petit, en ce moment ils s'étripent...

— En tout cas, dit-il, cette fois c'est vraiment la guerre.

Pipette avala une pomme de terre entière, trempée dans la mousse jaune et parfumée. Il sourit de contentement et laissa le parfum l'envahir.

— Vouéï, dit-il, c'est la guerre et pourtant, en même temps, c'est le printemps...

Rosine referma les pans de son peignoir pistache à fanfreluches et les pompons rose buvard de ses mules voltigèrent sur les marches de l'escalier. Elle se rangea pour laisser passer Mauricette Palo, alias Jennifer, qui en soutien-gorge à clochettes montait dans la chambre tibétaine avec un représentant de la chambre de commerce, une bouteille de Moët et Chandon dans chaque main. « On peut dire que la défaite, ça leur coupe pas le sifflet », pensa-t-elle.

Elle entra dans les cuisines et par l'entrebâillement des portes constata que le salon était plein à craquer. Étiennette et les deux Martiniquaises dansaient le foxtrot mais la musique était couverte par le brouhaha des voix... Elle aperçut le revers brillant du smoking de Pascal accoudé au bar avec deux hommes dont l'un était chauve. Devant les fourneaux, Ma Quique, aidée de Pestadou qui se brûlait les doigts, sortait les langoustes cuites des marmites :

— J'ai mon Léon qui veut une omelette.

Ma Quique, les joues en feu, s'activait au-dessus du faitout.

— Tu diras à ton Léon de descendre se la cuire, tu lui diras aussi qu'ici c'est un claque, pas un restaurant.

Rosine prit trois œufs dans le saladier et s'empara d'une poêle.

— Et tout ça, dit-elle, c'est pour qui ?

— Les amis de M. Belloro, dit Pestadou, des gens que s'ils perdent leur portefeuille, ils se baissent même pas pour le ramasser.

— Et pourtant il est plein, précisa Ma Quique.

Rosine battait les œufs à la fourchette.

— Et les nouvelles, vous en avez?

— Au poste, ils disent plus rien et, sur le journal, eh bé, regarde...

Pestadou désigna *Le Petit Provençal* à demi caché par un bataillon de bouteilles vides. La plupart des colonnes étaient entrecoupées de rectangles blancs, depuis quinze jours, la censure s'en donnait à cœur joie. Marseille accueillait les premiers convois de réfugiés... A Bordeaux, le gouvernement s'était installé malgré des difficultés pour trouver des locaux.

— Et Pétain? demanda Rosine, qu'est-ce qu'il fait, Pétain? Il devrait les renvoyer chez eux en quatrième vitesse !

Ma Quique versait la sauce sur les carapaces rouges.

— Qu'est-ce que tu veux qu'il fasse, il est gâteux, le pauvre, il...

Pascal entra en coup de vent.

— Paris est ville ouverte. Ils viennent de l'annoncer.

Rosine resta bouche ouverte.

— Qu'est-ce que ça veut dire, « ville ouverte »? fit Pestadou.

— Ça veut dire qu'on peut rentrer dedans, c'est pas défendu.

— Eh bé ! tant mieux, dit Ma Quique, au moins comme ça ils n'abîmeront rien.

— Quand même, protesta Rosine, on les laisse un peu trop faire... Tout juste si on leur dit pas merci d'être venus, donnez-vous la peine d'entrer.

Pascal sortit. Le long des fresques égyptiennes, sur les sofas, les couples buvaient. Adossé aux fausses colonnes émergeant des lumières tamisées et des fumées de cigare, Pipette, les bras croisés sur la poitrine, surveillait, divinité musclée et protectrice, le déroulement de la soirée.

Les affaires marchaient. Il n'y avait pas eu un jour de flottement, la débâcle, l'enfoncement du front, le recul puis la débandade de l'armée, le déferlement des panzers, tout cela n'avait pas fait vendre une seule bouteille de champagne en moins, ni baisser la cadence des montées des filles. Au contraire, il semblait qu'il y eût une envie de fête, une nécessité de profiter à tout prix, le plus possible... Demain, dans dix jours, un mois, les Allemands seraient là. Que se passerait-il alors ? Personne ne pouvait le savoir. En attendant, il fallait profiter... Rumba et Veuve Clicquot... Chaque soir la caisse était pleine. Pascal avait dû embaucher deux nouvelles.

Il rejoignit les deux hommes de Belloro. Varonèse buvait comme d'ordinaire son eau minérale avec des mines de matou devant un lait trop chaud. L'autre n'étant encore jamais venu, on l'appelait le Calabrais et il rappelait à Pascal son ancien instituteur du cours élémentaire, en plus maigre. Il arborait en permanence un sourire desséché et diagonal de vieille guillotine et, dans le jeu rasant des lumières, ses mains paraissaient métalliques et précises. Des mains de chirurgien et de voleur de poules.

Varonèse baissa la tête et les reflets du bar s'incurvèrent sur son crâne poli.

— On est d'accord, dit-il, c'est à monsieur que vous remettrez dorénavant la comptabilité. Je suis persuadé que vous vous entendrez bien... Aussi bien qu'avec Nonce.

— Qu'est-ce qui lui est arrivé ?

Varonèse regarda Pascal.

— Je pourrais vous dire que ça ne vous regarde pas, mais il vaut mieux que vous le sachiez. Nonce a manifesté publiquement la répugnance qu'il aurait à travailler avec des Allemands, étant donné qu'il est à peu près certain que nous allons devoir créer avec eux des réseaux commerciaux. M. Belloro a préféré se passer de ses services.

Le Calabrais souriait toujours, ses pommettes étaient emplies de l'ombre rouge diffusée par l'abat-jour tout proche. Pascal se dit que, plus qu'au père Poupinel, il ressemblait au bohémien de la crèche, un bohémien qui n'aurait jamais entendu le chant de l'étable de Noël.

— Je ne vous l'ai pas demandé, dit Varonèse, mais je suppose que vous n'avez rien de spécial contre le fait de travailler avec nos futurs alliés ?

Pascal ne répondit pas... Des couples dansaient, multipliés par les glaces. Il lui faudrait dire à la Martiniquaise de se tenir mieux, elle avait tendance à confondre Chez Praline avec un bar à cadasses du coin de Reboul. Demain, les danseurs auraient des uniformes allemands.

— Mon comptable vous préparera tout pour chaque samedi après-midi, dit-il, nous ne changerons pas nos habitudes. Quant aux gens avec qui je travaille, s'ils payent bien, ça peut être des Chinois verts, ça me regarde pas.

Varonèse sourit.

— Belloro sera ravi d'entendre cela.

— Servez-vous, dit Pascal. Vous ne voulez vraiment rien d'autre que votre eau gazeuse ?

— Non, dit Varonèse, en promenant une main précautionneuse sur son gilet, j'ai un problème de vésicule.

Le Calabrais souriait toujours de ses dents ébréchées.

— Les langoustes arrivent. On vous les sert dans le petit salon. Vous voulez que je vous fasse venir de la compagnie ?

Varonèse eut de ses deux mains grassouillettes un geste de refus.

— Je suis marié. Vous me direz que, de nos jours, ça ne veut plus dire grand-chose, mais pour moi ça compte.

Pascal ne fit pas de commentaire. L'homme de

224

Belloro jouait à la ville les bourgeois rondouillards et sans histoire, il lui était cependant difficile de faire oublier ses quatre non-lieux pour proxénétisme, escroquerie fiscale, meurtre et tentative de meurtre. On disait de source sûre qu'il avait organisé l'assassinat de Pietranelli et qu'il l'avait lui-même balancé du haut du cap Canaille, avec deux sacs de trente kilos attachés aux chevilles avec du fil de fer.

— Vous allez m'excuser, dit Pascal, je vous laisse... le travail...

Varonèse lui serra la main et Pascal s'éloigna. Il était plus d'une heure du matin. Il restait quelquefois jusqu'à l'aube, mais il sentait la fatigue soudain, il avait surtout envie d'une douche éclair et de retrouver Séraphine qui devait dormir dans les draps frais du grand lit, sur la terrasse de la Taraillette...

Dans le hall, il croisa Pestadou qui enfilait sa veste de smoking après avoir effectué son travail de marmiton.

— Je te laisse, Nine, dit Pascal, j'ai le sommeil qui me vient, tu feras la fermeture avec Pipette.

Pestadou bâilla.

— D'accord. Il n'y a rien de spécial ?

— Tu surveilles la nouvelle, la merveille des îles, empêche-la de manger les clients avant qu'ils soient montés. Elle est belle fille, mais préviens-la qu'on n'a pas besoin de cannibale.

— Je lui dirai. C'est tout ?

— Le type qui est avec Varonèse, l'esquilinche avec la mâchoire de travers et l'œil de bandit, c'est le nouveau comptable : c'est à lui que tu remettras les comptes dorénavant. Te trompe pas dans les additions, il a au moins deux calibres sous chaque bras.

Pestadou bâilla une deuxième fois.

— Si je t'ennuie, dit Pascal, n'hésite pas à me le dire. A demain, ma belle.

Pestadou rectifia son nœud papillon et retint un troisième bâillement.

— Rentre bien, Frise-Poulet.

Pascal sourit. C'était une douceur qui venait avec ce surnom. Un grand monsieur aux cheveux brillants de gomina et qui fumait toujours des bouts dorés lui tenait la main et rien de mal alors n'arrivait jamais ; ils se promenaient lentement sous les platanes de la place et devant les grilles du jardin zoologique... Ils s'arrêtaient toujours devant un éléphant très vieux qui s'appelait Poupoule et saluait de la trompe comme un grand jouet usé. Pourquoi tout cela surgissait-il ce soir précisément ?

Il sortit dans la nuit tiède, grimpa à bord de l'Hotchkiss et mit le contact. Les phares dérapèrent sur le mur, le caniveau surgit, disparut et Pascal, baissant la vitre pour laisser entrer l'air, grimpa doucement la rue Thiers. Un jour, il achèterait une décapotable, une Delahaye ; il la prendrait blanche, sièges et peinture. Ce serait un cadeau pour Séraphine. Si les affaires continuaient à marcher, ce serait possible dans un an ou deux, peut-être moins, on ne pouvait rien savoir avec cette guerre.

En tout cas, pour un moment encore, il suivrait Belloro. L'homme avait des appuis politiques et financiers suffisamment étendus pour résister à la défaite. Peut-être même était-il assez malin pour en tirer parti. Lorsque lui, Pascal, aurait les reins plus solides, il prendrait ses distances, mais pour l'instant, il valait mieux rester à l'ombre du géant. L'argent entrait à flots et cette guerre pouvait être une affaire pour les plus malins.

Boulevard de la Corderie, Pascal ralentit encore et se demanda s'il n'allait pas passer par la mer. Cela lui arrivait de faire le détour par la Corniche... Il fumait la dernière du jour au volant, roulant à dix à l'heure dans les ténèbres épaisses. Sur la droite, la nuit se faisait plus douce, il sentait la présence des eaux profondes et calmes, une lueur s'en dégageait venue des vagues molles se brisant contre l'abrupt des rochers...

Non, pas ce soir. Il rentrerait directement. Elle devait dormir noyée dans ses cheveux... Il connaissait la courbe des cils baissés, l'ombre qu'ils faisaient contre la joue et ce sourire de sommeil qu'elle esquissait lorsqu'il l'éveillait en l'embrassant.

Il ne s'était jamais habitué à tant d'amour. Souvent le sentiment qu'il était trop bestiasse pour en contenir tant l'avait effleuré... Jamais un soir n'était venu sans qu'il ait eu peur de la perdre, de la trouver morte ou enfuie et, en même temps, elle serait là toujours, avec son regard de certitude, droit et ferme comme un mât de barque, et lumineux comme un midi de plein été. Elle était le navire et la haute mer... le rire des galets dans les belles aurores.

La mer apparut et les phares découpèrent l'ombre étirée des palmiers. Elle se cassa contre un angle, s'allongea encore et disparut. Il freina et vit, par les hautes grilles, la lumière de la fenêtre de la salle d'angle.

Il arrêta la voiture une vingtaine de mètres avant la porte et approcha son poignet du tableau de bord. Les aiguilles apparurent au cadran de sa montre, elles marquaient très exactement trois heures. Trois heures du matin et elle ne dormait pas.

Il descendit et arrêta son geste réflexe pour claquer la portière derrière lui. Un cambrioleur ? Ce n'était pas possible, ce genre de travailleur nocturne n'avait certainement pas l'habitude d'éclairer les lumières en pleine nuit. Au risque d'ailleurs de se faire siffler par les chefs d'îlot...

Pascal entra rapidement et les odeurs du parc l'entourèrent comme chaque nuit. Il devina la naïade de pierre contre le décor sombre des feuillages et la surface moirée de la vasque au rebord de mousse caoutchouteuse... Tous les parfums lui parurent plus épais, leur sarabande plus rapide. Sur la façade ouest, le rectangle de lumière bleue s'allongeait sur le gazon. Il le contourna et gagna l'entrée.

Dans le hall, il n'alluma pas, il le traversa et grimpa les escaliers sans déplacer un souffle d'air. Il s'arrêta pile.

Quelque chose se tenait devant l'armoire du palier qui ne s'y trouvait pas d'ordinaire.

Il retint sa respiration et allongea la main avec précaution. De la toile, rigide. Il y avait du bois autour... Un tableau...

Il n'y avait jamais eu de tableau à cet endroit-là. Surtout à même le sol. L'hypothèse du cambrioleur se révélait exacte. Le type devait être en train de déménager les pièces de l'étage, il avait commencé par décrocher les toiles, celle-ci devant être celle qui représentait les cavaliers en plein galop tirant avec de longs fusils damasquinés tandis que le soleil ourlait au loin les pointes des Pyramides... Il s'agenouilla pour vérifier et appuya du pouce sur la molette de son briquet. Il écarta la flamme pour ne pas être ébloui, l'approcha du tableau et la stupéfaction l'envahit.

La femme devant lui avait des yeux tout autour du visage. Dressée sur un tabouret, elle montrait de l'index une fenêtre sans maison, une fenêtre suspendue dans le vide. On voyait à travers elle un paysage de montagnes rayées horizontalement d'un jaune et noir de bagnard, et une créature à tête de crocodile et uniforme de facteur des postes surmontait le tout comme l'ange de la crèche.

Pascal éteignit son briquet et laissa échapper un sifflement. Le type qui avait peint ça avait dû prendre un sacré coup de barre sur la cacalouche. Ou alors c'était une insolation monumentale, un coup de soleil de 15 août en plein midi, au beau milieu de l'Afrique. Une vraie peinture de fada.

Si les cambrioleurs se mettent à apporter chez les gens des peintures pareilles, pensa-t-il, ce n'est pas étonnant que Hitler monte demain sur la tour Eiffel. Pendant qu'ils fabriquaient des avions, on était en train de peindre des montagnes à rayures et des alligators employés aux P.T.T.

Le rire de Séraphine tinta dans les étages, étouffé par les portes. Pascal se redressa et d'un pas de chasseur, avala gaillardement les escaliers et couloirs qui donnaient sur l'aile ouest de la villa. Il frappa. Le murmure des voix s'éteignit et il entendit son cœur battre dans ses oreilles.

— Entrez !

Il poussa la porte. La pièce avait servi autrefois de bureau au grand-père Panderi. Il recevait les visiteurs sur un immense canapé de cuir noir, lourd comme un bloc de fonte. Lorsqu'ils étaient enfants, Pascal et Séraphine l'appelaient la locomotive. Sur la locomotive se tenaient deux hommes. Pascal n'en connaissait aucun. Séraphine, debout devant le secrétaire, lui sourit et se tourna vers les inconnus.

— Messieurs, dit-elle, je vous présente Pascal Marocci. Nous vivons ensemble.

Les deux hommes se levèrent en même temps et tendirent la main — machinalement.

Pascal la leur serra et dit à la jeune femme :

— Je suppose que tu sais qu'il y a dans l'escalier un couillon qui a apporté une peinture avec une bonne femme sans yeux, un crocodile qui porte des lettres et une fenêtre qui tient en l'air toute seule ?

Le sourire de Séraphine s'élargit.

— Je te présente Max Kolka, artiste peintre.

L'homme avait la cinquantaine pétillante, les cheveux barbelés, la cravate tire-bouchon, la lunette glissante, le sourire dévastateur et lorsqu'il parla, un accent à faire trembler les hautes herbes des plaines balkaniques.

— J'espère aurons temps parler peinture, dit-il, votre description était précision exemplaire comme scalpel dans tête coupée.

— Et voici René Marsant. Rappelle-toi, *Ultime*

virage, l'année dernière, avec Harry Baur, au Cinéac. Tu avais bien aimé. C'est l'un de ses films.

Pascal s'assit.

— Laissez-moi respirer un peu, dit-il, j'ai plus l'habitude de parler avec les voyous qu'avec les artistes.

Marsant, c'était d'abord deux oreilles, un regard chalumeau dans une face réduite de momie espiègle et un chuchotement chuinté.

— Nous vous envahissons, dit-il, mais à mon avis nous ne formons que l'avant-garde d'une longue cohorte.

Ce ne fut qu'à cet instant que Pascal se rappela une conversation qu'il avait eue quelques mois auparavant avec Séraphine ! Une histoire avec son oncle. Il lui avait demandé d'accueillir des gens chez elle... Pascal l'avait écoutée et ce n'est qu'à la fin qu'il avait laissé tomber avec simplicité :

— C'est une histoire à avoir des emmerdements.

Elle avait protesté, l'avait accusé de ne pas avoir le sens de la solidarité ni la fibre humanitaire et ils s'étaient disputés... Tout cela semblait flou et lointain, et voici que, cette nuit, il avait deux ostrogoths sur la locomotive, un qui faisait du cinéma et l'autre qui peignait des choses qui n'existaient même pas et il allait devoir les accueillir chez lui, vivre avec eux, les supporter... les nourrir, les cacher...

Max Kolka se pencha, mains aux genoux. Ses incisives jaunes se chevauchaient.

— Quand vous avez vu peinture, à quoi avez pensé immédiatement ?

— A une insolation, dit Pascal.

Kolka se renversa si brutalement que Séraphine crut qu'il allait basculer par-dessus le dossier.

— Exact ! Surréalisme est insolation ! hurla-t-il, vous avez en seul mot défini ce que crétin de Breton pas arrivé exprimer deux cents pages. Je fais peinture insolation, je peins avec soleil dans tête vide pour public à tête vide, soleil dans l'œil et...

— Tout de même, chuchota Marsant comme s'il se fût trouvé dans une église, la technique et les structures personnelles de vos œuvres suffisent à prouver que le rationnel n'est pas totalement absent de...

— Silence, vous, fabricateur film, arrière-garde — Jouvet, Stroheim, Michel Simon, vous faites le cinéma des antiques ! Quart de seconde Louis Buñuel, Dali, *Chien andalou* préférable à kilomètres pellicule Marsant et...

Séraphine traversa la pièce et s'empara du bras de Pascal.

— Nous allons vous laisser, dit-elle, il est tard... Vous connaissez vos chambres. Si quelque chose ne va pas, vous pouvez appeler Zoé.

Tous deux sortirent et la porte n'était pas refermée derrière eux que Pascal attaquait :

— Mais qu'est-ce qu'ils font là ?

— Ils s'en vont, je les abrite avant leur départ pour l'Amérique du Sud.

Pascal, tout en marchant, retira sa veste de smoking.

— Pourquoi ?

Séraphine retira ses chaussures en dansant sur un pied et ils pénétrèrent dans leur chambre.

— Kolka est recherché par la Gestapo, en Pologne et en Allemagne. Ses œuvres sont brûlées.

— Ça je peux le comprendre, murmura Pascal.

— Ne dis pas de bêtises, on a retiré toutes ses toiles de son atelier de Lodz et du musée de Cracovie pour y mettre le feu.

Pascal défit son nœud de cravate et s'assit sur le lit avec une lenteur stupéfaite.

— On met ses crocodiles dans les musées ?

Elle eut un haut-le-corps d'indignation.

— Max Kolka est un artiste connu. Même en France il a une notoriété très large.

— D'accord, dit Pascal, il n'y a que les couillons comme moi qui ne le comprennent pas, qu'est-ce que tu veux, j'ai charrié trop de caisses de poisson pendant que les autres allaient se faire expliquer la peinture dans les beaux endroits.

— Ne commence pas avec ta manie de la persécution, dit Séraphine, tu as le droit d'aimer ce que tu veux, je ne te reproche rien.

Pascal se glissa sous les draps et posa sa montre-bracelet sur la table de nuit.

— Le peintre, je comprends qu'il s'en aille, mais l'autre, avec sa manie de chuchoter comme s'il avait un maître d'école derrière le dos, je vois pas pourquoi.

— Il est juif. Il prend ses précautions.

— Marsant, c'est pas juif !

— C'est un pseudonyme, il s'appelle Cohn.

— Et d'abord, dit Pascal, pourquoi tu as dit que j'avais aimé son film ? Je m'en rappelle de son histoire de camion, c'était couillon comme tout, l'accident à la fin, on voyait bien que c'était un jouet de minot qui tombait du haut d'une table ! Et la fille elle faisait tout le temps des yeux comme les dorades de la poissonnerie.

— C'est la politesse, dit Séraphine. Quand on aime pas, on le dit pas.

— Vouéï, mais on dit pas le contraire.

— Si, parfois.

Pascal s'adossa à l'oreiller.

— Oh ! Fine ! tu as les nerfs ce soir que tu me contraries pour le plaisir ?

— J'ai pas les nerfs, mais je sens que je vais avoir du tintouin : l'usine à faire tourner et tous ces gens qui vont arriver de partout droit sur la Taraillette...

Pascal s'étira.

— Et moi qui bientôt vais travailler avec les Allemands !...

Elle fit un bond de lièvre dans le lit et se retrouva assise.

— Comment ça : tu vas travailler pour les Allemands ?

Il se pencha, cherchant une cigarette dans la boîte.

— Je tiens pas un musée moi. S'ils viennent à Marseille avec leurs gros sous de vainqueurs plein les poches, tu crois pas que je vais les laisser à la porte pour qu'ils aillent les dépenser chez le voisin ?

Elle se dégagea du drap avec une violence qui le surprit.

— Tu ne fermeras pas ? Tu vas leur servir à boire ? Leur donner des filles ?

Pascal referma les doigts sur le cylindre de la dernière Camel mais elle lui échappa, roulant dans le fond de la boîte.

— D'abord Praline n'est pas à moi et, ensuite, qu'est-ce que tu veux que je leur donne, à part des filles et du champagne ? Si je vendais des chaussettes, je leur en proposerais mais c'est pas le genre d'articles que j'ai en boutique.

Elle le fixait, les prunelles dilatées. Comme autrefois il y vit briller les paillettes, les poissons d'or dansant, lointains sous les eaux sombres. Il devina la colère, l'éclatement tout proche. Il parvint à pêcher la cigarette entre deux doigts et la mit au coin de ses lèvres. Séraphine se leva, se dirigea vers la salle de bains et revint sanglée dans son peignoir. Il se doutait déjà que ce qui suivrait allait être saignant mais là, il en fut certain : elle lui avait expliqué un jour qu'elle ne pouvait engueuler personne si elle se trouvait nue.

— Aïe, aïe, aïe, murmura-t-il.

Elle se campa au pied du lit, ses orteils s'enfonçaient dans la carpette. Elle commença doucement :

— Et le patriotisme, susurra-t-elle, ça, tu t'en fous !

Il tira une bouffée calme et profonde.

— Je sais même pas ce que ça veut dire, dit-il.

Sa voix se peupla de fleurs douces, de parfums suaves et printaniers.

— Ces gens qui nous envahissent, qui mitraillent les civils sur les routes, qui chassent les juifs, qui rentrent chez nous, toi tu leur sers le pastis ?

— S'ils me le payent, vouéï.

Elle sourit largement.

— Et c'est au moment où je vais accueillir tous les persécutés de l'Europe que tu m'annonces ton intention d'offrir à leurs bourreaux le maximum de bon temps ?

— Écoute, Fine, on va pas se disputer pour ça, on...

Le cri qu'elle poussa lui vrilla le tympan.

— Comment « pour ça » ? Tu crois que ça compte pas ? que c'est une broutille ?

Il était le mieux placé pour connaître ses colères. La dernière remontait à la Noël dernière. Zoé souffrait le martyre depuis six mois et le médecin qui la soignait pour des rhumatismes s'était aperçu qu'elle avait en fait une luxation de la hanche. Pascal avait dû empêcher Séraphine de sauter dans l'auto pour aller lui arracher les yeux. Il faut dire que c'était le même qui lui avait annoncé qu'elle était enceinte alors qu'elle souffrait d'une crise d'appendicite.

Sur son lit d'hôpital, après l'opération, lorsque Pascal était allé la voir, elle vitupérait encore :

— Je te dis qu'un jour il confondra migraine et cor au pied, ce type a volé son diplôme, c'est un plombier, un escroc, pas un médecin...

Pascal avait interrompu le flot.

— Pourquoi tu n'en changes pas ?

Elle avait gémi :

— C'est un copain à mon père. Et puis il est gâteux, je suis sa dernière cliente. Si je m'en vais, il met la clef sur la porte...

Pascal tira une longue bouffée, contempla la jeune femme et passa à la contre-attaque :

— Je sais que plus je suis calme plus ça t'énerve, mais je n'arrive pas à m'énerver parce que, d'abord, ça ne te calmera peut-être pas et même ça t'énervera sans doute encore plus ; donc, comme d'habitude, je sais pas quoi faire. Point final.

Il écrasa le mégot dans le cendrier et croisa les bras. Elle le contempla. Il dégageait une telle impression de tranquillité qu'elle se sentit ridicule dressée face à lui sur ses ergots :

— Et puis, continua-t-il, je vais te dire une chose : si tu caches des gens, si tu les fais passer en douce sur des bateaux ou des choses comme ça... c'est plutôt mieux que je sois bien avec les frisés, parce que comme ça, j'ai des tuyaux et ils n'auront pas de soupçons.

Séraphine s'assit sur le bord du lit.

— Tu sais que tu n'es pas bête toi ?

— Si, mais je sais faire des affaires. C'est pas pareil.

Elle se rapprocha de lui.

— Tu sais que non seulement tu n'es pas bête mais qu'en plus tu es beau comme un jésus ?

— Bien plus. Moins maigre. Plus gai.

Elle glissa imperceptiblement.

— Tu sais que tu n'es pas bête, que tu es beau et que tu attires les dames comme moi ?

— Les autres aussi. Toutes.

— On va faire l'amour, dit-elle, frénétiquement.

— Je ne sais pas si tu le mérites.

— Et le pastisson, dit-elle, tu le veux, le pastisson ?

Il lui bloqua le bras et l'embrassa en plein sourire. De l'autre main, il détacha la ceinture du peignoir. La soie était une eau fluide, figée comme le gel d'une cascade. Sous elle, la peau était tiède, plus encore.

— J'en étais sûre, dit-elle, tu n'as jamais su résister : la tentation de la chair. Au fond tu es un faible.

Il la fit basculer par-dessus lui. Les poissons d'or dansaient. Ils étaient parvenus à la surface. Elle passa ses bras autour de sa nuque.

— Quand même, murmura-t-il, ce tableau en bas,

avec le crocodile, franchement, comment tu le trouves ?

Les paupières de la jeune femme se fermèrent lentement et l'ombre des cils effleura la pommette.

— Horrible, dit-elle.

Séraphine saisit la main de son père et du pouce chercha le poignet. C'était un geste parfaitement inutile, elle n'avait jamais su prendre le pouls de quelqu'un mais elle éprouvait le besoin devant un malade d'avoir des gestes compétents. Cela la rassurait toujours, lui donnant une illusion de savoir-faire, une façon imaginaire d'avoir prise sur l'adversité.

— Ferme la fenêtre, dit Panderi, on ne s'entend plus.

Marthe eut un coup d'œil rapide vers la croisée.

— C'est fermé.

Derrière les vitres, tout en bas, la foule s'agglutinait. A la radio tout à l'heure, ils avaient annoncé que la Canebière et les rues avoisinantes étaient interdites à la circulation. On entendait la rumeur grimper. C'était comme une couleur sombre et épaisse striée parfois de l'éclair d'un cri ou d'un klaxon. On devinait au loin les crachotements d'un haut-parleur.

— Qu'est-ce que ç'aurait été si on avait gagné ! murmura Séraphine.

Marthe, d'un coin de mouchoir, effaça la sueur sur la lèvre supérieure du malade.

— Les gens aiment la paix, dit-elle, et pour eux, c'est lui qui a arrêté la guerre, alors ils l'applaudissent : c'est le sauveur.

Séraphine lâcha la main de Panderi. Elle avait sa ride

d'inquiétude entre les sourcils, Pascal l'appelait « le pli du mauvais sang ».

D'un coup d'épaule, elle fit glisser son renard sur la courtepointe : ce début de décembre était froid. Maria Marocci l'avait prédit : durant toutes les guerres, les hivers étaient rigoureux, Dieu punissait les hommes de leurs bêtises sanglantes en leur envoyant la colère du vent et le reproche de la neige et des glaces. La vieille dame installait des équilibres entre la Nature et l'Histoire : lorsque les hommes avaient été sages, lorsqu'ils avaient su faire taire leurs folies, les hivers tièdes passaient joyeusement, un soleil lointain baignait les matins vifs et les mois passaient, soyeux et pétillants, comme les rougets frais pêchés dans les barques de l'ancien port et un jour s'ouvraient les calices d'un printemps précoce... Mais cette année, il y avait eu trop de couillonnades de faites, les frimas, sévères comme des instituteurs, cingleraient donc les joues et les doigts des villes et des campagnes.

Séraphine vérifia l'étiquette des bouteilles posées sur la table de nuit.

— A mon avis, dit-elle, il te prescrit trop de sirops.

— C'est son point faible, souffla Panderi, il croit que tout se guérit avec, il pense que ceux qui meurent n'en ont pas pris assez.

Elle fixa le visage enfoncé dans les oreillers. C'était étrange, plus il maigrissait et plus il semblait peser lourd. Décharnés, les traits prenaient une densité de plomb. Il ne sortait pas de cette bronchite, la fièvre disparaissait, revenait, apparemment sans raison... Cela effrayait Séraphine, il devait se produire toute une alchimie secrète à l'intérieur du corps usé... Des marmites bouillaient, s'arrêtaient, repartaient... La carcasse anarchique produisait une cuisine sporadique et inquiétante... Il y avait eu tant de fêtes... tant de nuits d'alcools et de plaisirs que tout craquait, usé jusqu'à la corde.

— Tu n'as pas trop de problèmes avec l'usine ?

C'était rare qu'il pose ce genre de questions. Cela aussi ce n'était pas bon signe : jamais il ne s'était soucié de ses affaires.

Elle hocha négativement la tête.

— Ne t'inquiète pas, tout va bien... On a eu un mois difficile mais les chemins de fer ont repris, les délais sont plus longs, mais je me suis organisée... Et puis, j'ai une bonne équipe...

C'était vrai, elle avait malgré des avis contraires rembauché des anciens de l'huilerie, certains étaient venus demander leur congé : ils ne s'habituaient pas à leur nouveau travail. D'autres étaient restés, s'étaient faits aux machines, en particulier aux perceuses et aux étaux limeurs... Elle avait aussi bénéficié d'un concours de circonstances : la plupart des ouvriers avaient été mobilisés et elle avait fait appel aux retraités de la maison qui s'étaient installés à nouveau aux manivelles, pleins d'une nouvelle jeunesse... Elle tenait également à former des apprentis, il fallait penser à l'avenir...

— Tu t'es toujours mieux débrouillée que moi, murmura-t-il, les yeux dans le vague.

— Allons, allons, dit-elle avec bonne humeur, après tout tu n'as jamais vendu que deux usines sur trois.

Il eut un rire maigre, un frémissement du bout des lèvres.

— Je me suis amusé... C'est bien de se le dire quand l'hiver vient... Mais moi je n'ai fait que ça, j'ai passé ma vie à ça et ce qui est bête c'est que, maintenant, il m'en vient une tristesse... Comme si j'avais toujours su que ce n'était pas bien. Je ne me suis même pas occupé de toi.

— Ne dis pas de bêtises, dit Séraphine, je suis une réussite parfaite.

Il ferma les yeux et elle vit les cernes de fatigue, l'ombre violette, la couleur des meurtrissures anciennes.

Elle se leva, s'écarta du lit et vint rejoindre Marthe. Le poêle ronflait dans la pièce mais elle s'emmitouflait dans son châle à longues franges que Séraphine soupçonna d'être le même que celui qu'elle devait porter dans les claques d'abattage de la rue de Lancine lorsqu'elle montait les goumiers marocains et les tirailleurs tonkinois.

Séraphine fut surprise de sa pâleur. Toutes ces années, Marthe avait été une compagne fidèle... Peut-être le seul élément stable dans la vie du fêtard... Il l'avait trompée, bafouée, ridiculisée, mais en ce moment, au milieu des potions, des flacons et des comprimés c'était elle qui était là et le resterait... Il le savait et Séraphine aussi, qui lui en était reconnaissante...

Depuis douze ans que son père avait racheté la fille et l'avait installée dans cet appartement, elle avait su profiter de tout ce qu'offrait l'argent, elle avait connu les voyages sur les paquebots, les courses au parc Borély le dimanche, les modistes et les couturières de la rue Paradis se déplaçaient jusqu'à chez elle pour les essayages, toutes ces années elle avait bu plus de champagne que de gros rouge et s'était vu offrir quelques bijoux retentissants chaque fois que son amant avait à se faire pardonner une de ces frasques monumentales dont il avait le secret... Cela lui avait rapidement constitué une belle collection.

Mais jamais Marthe n'avait abusé de son pouvoir, jamais elle n'avait cherché à obtenir de lui plus qu'il ne lui offrait et lorsque, après l'incendie de la dernière usine, après que Séraphine eut vendu les derniers murs, elle l'avait soigné sachant que les jours de luxe s'étaient enfuis et ne reviendraient pas, que le temps des croisières, des nuits sur les ponts-promenade sous la lune géante qui surplombe les mers de Chine était achevé, qu'elle ne boirait plus de Roederer en dansant charleston et fox-trot avec des quartiers-maîtres vêtus de blanc... Les étoiles s'étaient à jamais enfoncées dans les profondeurs de l'océan Indien et elles n'en remonteraient plus, une autre époque naissait, celle où les

240

médicaments s'entasseraient de plus en plus nombreux sur le marbre de la table de nuit et où elle aurait à essuyer sur le front d'un homme les sueurs de la souffrance, alors, comme autrefois au temps des tangos, elle serait présente.

Les deux femmes se regardèrent et Séraphine posa sa main sur la joue de Marthe.

— Tu as l'air fatiguée, toi aussi...

Marthe avait gardé ses yeux pâles, ses yeux de lilas qui lui avaient toujours fait un regard d'enfant perdu, un regard de fillette courant dans un parc d'été...

— C'est la dernière nuit qui a été difficile... Quand il ne dort pas, il parle tout le temps...

— Il faut prendre une infirmière, dit Séraphine, je vais...

Marthe serra son fichu sur ses épaules étroites.

— Je m'en sortirai, dit-elle, je préfère le soigner moi.

Leurs regards se croisèrent à nouveau. Dehors une clameur retentit, lointaine encore, elle enflait, c'était un peu effrayant, elle allait grossir encore, submerger la ville, pénétrer dans chaque interstice, envahir chaque pièce.

— Il a dû sortir de la cathédrale, dit Marthe... Maintenant il va monter à la Vierge.

Séraphine eut un coup d'œil vers sa montre et revint à son père. Panderi s'était assoupi. Elle remonta la couverture, recouvrant la main oubliée sur le drap. Elle enroula la fourrure autour de son buste.

— Je dois partir, chuchota-t-elle, je reviendrai demain, tu m'appelles s'il y a quelque chose.

Marthe l'accompagna dans le couloir.

— Ne t'inquiète pas, dit-elle, je ne le quitte pas des yeux.

Séraphine sourit.

— Cette fois, ça m'étonnerait qu'il te fausse compagnie.

Marthe soupira.

— J'en mettrai pas ma tête à couper, il m'en a tellement fait voir que je me demande toujours s'il n'est pas en train de me monter un nouveau panier d'embrouilles…

Elles s'embrassèrent. Les joues de Marthe lui parurent glacées et un élan la porta à serrer plus fort contre elle l'ancienne prostituée.

— Je suis contente que tu sois là.

Marthe se dégagea doucement.

— Et où tu voudrais que je sois ?

Séraphine sentit les larmes venir, elle enfila ses gants et descendit les escaliers en faisant claquer ses talons.

Dehors la lumière était grise et la foule attendait le passage du cortège. Sur les troncs des platanes, des portraits de Pétain avaient été cloués. Des chants montaient : « Maréchal, nous voilà… » Des gosses la dépassèrent en courant, l'un d'eux la bouscula et faillit s'étaler dans le caniveau ; ils portaient le costume scout, la francisque brodée sur le béret… Elle vit un cordon de police qui bloquait l'entrée de la rue Saint-Ferréol.

— Vive Pétain !

Elle se retourna : une femme brandissait une photo en pied du chef de l'État : « Je fais à la France le don de ma personne… »

Séraphine traversa : là-bas, vers les allées de Meillans, la foule était moins épaisse… Elle pourrait passer facilement en longeant les baraques de la foire aux santons. Elle se glissa entre les barrières et leva les yeux : malgré le froid, tout Marseille était aux fenêtres.

Il y eut un reflux, une vague venait, montant des quais du Vieux-Port, des coups de sifflet et des cavalcades… Séraphine vit les gardes mobiles avancer au pas de charge sur toute la largeur de l'avenue. Malgré le vacarme qui grandissait, elle perçut le claquement régulier des musettes contre les baudriers et la culasse des fusils. Elle recula encore et se trouva plaquée contre une baraque. C'est à cet instant qu'elle se souvint que

Marthe lui avait demandé, il y avait quelques jours, d'acheter des santons pour la fille de Rosine.

On pouvait être pute chez Praline et élever sa progéniture religieusement.

Pascal voulait jouer les pères Noël et offrir ce cadeau à la petite que sa mère amenait quelquefois en dehors des heures d'ouverture et que Ma Quique gavait de bonbons, de pains d'épice et surtout d'olives farcies aux anchois, régal suprême de la nistonne.

Séraphine plaquée contre l'étalage des figurines hurla pour se faire entendre de la marchande :

— Mettez-m'en une dizaine, dit-elle.

L'autre se frotta les mains. Elle portait des pull-overs entassés les uns sur les autres, des mitaines et son haleine se diluait blanche dans l'air froid. Elle pointa un index rouge bordé d'un ongle noir vers un petit personnage accroché au flanc d'une collinette de carton, au milieu du meunier, de la poissonnière, du rémouleur, du berger, d'un saint Joseph et de la Vierge Marie.

— Prenez celui-là, c'est le dernier, on en vend des pleins paniers depuis le début de la foire.

Séraphine se pencha pour mieux voir : c'était un minuscule maréchal d'argile, en uniforme et képi, on avait même représenté la canne et la célèbre moustache blanche. Derrière elle, la foule s'était immobilisée et, dans une soudaine retombée de silence, la voix sourde et tremblée nappa la ville, réverbérée par les haut-parleurs... Une voix de vieillard, lente et lasse... De l'endroit où elle se trouvait, elle ne pouvait comprendre les paroles, mais ces échos traînants recouvrant les toits d'immenses toiles sonores grises et étouffées lui parurent annoncer des temps d'inquiétude comme si tout allait pour toujours s'enfoncer dans le naufrage d'un interminable hiver.

1941

La route de Rians

— Du verre cassé à la chambre chinoise.

Pascal vérifia, elle était occupée par la Malgache et le Gaulois. C'était son surnom à cause de la moustache, il travaillait à la préfecture, fumait des cigares italiens, citait Doriot et Carbuccia toutes les vingt minutes. Il en était à sa troisième bouteille de Veuve Clicquot et, même pour lui, c'était beaucoup. La fille ne buvait pas ou faisait semblant.

Il était quatre heures du matin. Pascal héla Pestadou.

— Tu veux pas monter voir ? Ils ont dû renverser les coupes. Vire-le en douceur. Dis-lui que la dernière bouteille est pour la maison, ça adoucira les adieux.

Pestadou remonta son pantalon.

— Il est à ménager celui-là : c'est un gros.

Pascal remonta un sourcil.

— Qu'est-ce que tu entends par là ?

Pestadou s'empara d'un cure-dent. Depuis qu'il ne fumait plus, il en suçait une demi-douzaine par jour.

— Ce que j'entends, c'est que si tu lui plais pas, il prend le téléphone et le soir même tu as tout l'évêché qui te tombe sur le paletot avec la gendarmerie en prime et les trois quarts de la Légion contre le bolchevisme.

Pascal fit jouer le tiroir-caisse et négligea de compter les billets.

— Tout ça, c'est pas la Gestapo...

Pestadou eut un rictus.

— Elle doit pas être bien loin derrière, crois-moi...

Pascal l'entendit monter les escaliers... Il prit les liasses, les fourra en vrac dans le coffre mural dont il brouilla la combinaison. Déjà Pestadou redescendait avec un plateau plein de fragments de cristal qui s'irisèrent au passage devant les appliques murales.

— Il est plein, dit-il, Francette l'aide à rentrer dans ses pantalons et il part.

Pascal hocha la tête.

— Ferme après lui, dit-il, je m'en vais. J'ai cinq heures à dormir. Le comptable vient en début de matinée.

— Celui-là, avec sa bouche de travers, il me rend malade.

— Rentre bien.

— Ciao, mon beau.

Pascal laissa les clefs en évidence sur le comptoir et sortit dans la rue déserte. Il allait faire jour. Quelque chose l'annonçait : une sorte de désépaississement des ténèbres, un contour plus net des arêtes des toits sur le ciel... Ce n'était pas encore l'aurore mais déjà plus la nuit. A l'horizon se dépliait une aile immense et nocturne dévoilant l'œuf opaque qui, tout à l'heure, inonderait la mer et les collines. Le cygne noir fuirait à tire-d'aile, mère farouche laissant en cadeau au monde son enfant d'or...

Pascal remonta le col de sa veste et marcha vers l'Hotchkiss garée à vingt-cinq mètres. Grâce à Belloro et aux autres, il avait pu obtenir des bons d'essence. Cela ne durerait sans doute pas et il se demanda comment il ferait dans les prochaines semaines pour rentrer chaque soir à la Taraillette.

Il chercha son trousseau et sentit une présence derrière lui. Une pensée le frappa : Pipette n'était pas là. Le garde du corps était à Plan-de-Cuques chez sa tante malade. Il pivota.

Il ne vit pas le coup arriver et la nuit s'illumina d'une

forêt de flambeaux. La douleur ronfla en lui, train lancé à toute vapeur. Il plia sur les genoux et frappa de tout son poids au hasard. Quelque chose craqua contre sa phalange. Un bras passa en éclair derrière lui le bloquant à la gorge. Ils étaient deux, trois peut-être…

Il prit le deuxième coup sur la pommette, il rua, desserrant l'étau. L'air siffla dans ses poumons et ses poings se desserrèrent invinciblement, l'impression le stupéfia : ses doigts soudain doués d'indépendance se séparaient, s'écartant les uns des autres, le livrant sans défense. Il eut l'impression qu'un mur surgissait sur sa gauche, le heurtant avec violence et grimpait le long de son corps, éraflant sa joue. La rue s'illumina à nouveau et un choc le projeta contre la jante de l'une de ses roues. Il sentit contre ses narines l'arête du caniveau et un souvenir de fraîcheur d'eau naquit des pierres.

Il eut l'impression vague qu'on devait le frapper encore mais il constata qu'il s'en moquait totalement et, dans une lenteur de fondu enchaîné, tout disparut.

— Pascal !

C'était une voix de lointaines collines… Quelqu'un l'appelait du haut du col de la Gineste ou des sommets d'une calanque de vertige et lui se tenait tout en bas, au ras des vagues et rien ne pourrait jamais le faire bouger.

— Pascal !

L'homme descendait, il s'était rapproché déjà, il progressait le long de l'à-pic des parois pour arriver jusqu'à lui… Ce devait être un acrobate, il connaissait cette voix… Qu'est-ce qui s'était passé ?

— Pascal !

Il ouvrit l'œil droit. Sur l'autre, on avait posé, Dieu savait quoi, un sac de ciment, ou alors un couillon s'était amusé à le lui fermer avec du plâtre, il n'arrivait pas à séparer les paupières. Et puis il y avait cette douleur qui irradiait du côté gauche, cela faisait des cercles concentriques de souffrance rouge comme les cibles de carton à la foire des allées de Meillans, quand il tirait, enfant, à la carabine.

Une deuxième voix s'était mêlée à la première. Un deuxième alpiniste. Ils étaient près de lui à présent. Chaque fois qu'ils bougeaient leurs pieds, sa nuque sonnait comme une cloche d'enterrement.

— Pascal ! Réveille-toi !

Pestadou. Il le devina. Il se tenait accroupi devant lui et lui essuyait le visage avec un mouchoir. Il distingua le triangle blanc du plastron de chemise.

— Aidez-moi à l'asseoir.

Un homme le souleva par les aisselles. Il sentait l'alcool aigrelet des petits matins, et le parfum trop sucré qui stagne dans les peignoirs à froufrou des filles qui ne quittent pas leur chambre. A la voix, il reconnut le Gaulois.

Pascal vit l'ensemble de la rue opérer un mouvement à quatre-vingt-dix degrés et se retrouva debout. Sous ses semelles, le trottoir ondula sympathiquement, une plaisanterie joyeuse et sans danger du globe terrestre.

— Ça va ? Où tu as mal ?

Quand il sépara ses lèvres, Pascal sentit l'émail de ses dents crisser contre sa langue, il eut l'impression que pendant son sommeil on lui avait changé sa mâchoire contre celle d'un cheval.

— Tu peux marcher ?...

Il fit signe que oui et les deux hommes l'encadrèrent.

— Ils t'ont mis une belle rouste, murmura Pestadou.

En levant la tête vers le ciel pour faire bouger les muscles de sa nuque, Pascal vit qu'un crayon bleu clair cernait les tuiles, écolier appliqué soulignant chaque toiture...

— Il faut rentrer chez vous, dit le Gaulois, et appeler un docteur. On va vous ramener.

Pascal songea à Séraphine : avec la tête qu'il avait, elle grimperait au plafond.

— Je vais attendre un peu...

Ses paupières battirent sous la violence de la lumière.

— Eteins...

Il s'écroula sur la banquette. Sa tête se détacha de son corps et se mit à voler, papillon fou, aux quatre coins du bar. Il comprit que l'on s'agitait autour de lui, qu'il y avait des filles à présent et que des compresses tièdes, à l'odeur de pharmacie, recouvraient son visage et une partie de son torse... Une goutte coulant le long d'une côte le fit tressaillir et lui redonna une conscience plus vive.

Qui étaient ces agresseurs ? Pourquoi cette attaque ?

— Pestadou ?

— Vouéï !

Il devina le visage de son ami penché sur lui. La lumière rouge vibra, luisante sur les cheveux laqués par la gomina.

— Tu les as vus ?

— Non... Mais ils n'étaient pas venus pour toi.

Pascal bougea avec précaution. Les douleurs s'assourdissaient, fuyant les hautes notes pour devenir plus graves, plus sombres... Les hautbois après les trompettes.

Le Gaulois.

C'était lui qui était visé.

Depuis quelque temps, des groupes s'étaient formés, ils s'organisaient en réseaux d'information pour aider les alliés, Séraphine lui en avait parlé : des professeurs surtout, ils avaient même un nom, « Combat ». Depuis la décision de faire recenser les juifs dans la ville, les restrictions de plus en plus grandes, le mécontentement grandissait. Ils avaient dû vouloir donner une leçon à un collaborateur notoire, à l'un des membres les plus importants du P.P.F. marseillais après Doriot et Sabiani. Seulement, ils s'étaient trompés de guignol. Patriotes mais pas perspicaces.

Pascal s'installa plus commodément sur le divan du

grand salon. Côte à côte, Rose, Sauterelle et Francette la Malgache le regardaient avec une identique expression de commisération.

— Mon Dieu, monsieur Pascal ! dit Sauterelle, vous avez la joue comme le derrière d'un évêque.

— Avec la soutane, précisa Rose.

— Ça va devenir jaune et puis vert et puis bleu et puis après ça pèle, et puis ça s'en va et puis après c'est fini, dit la Malgache.

— Tu me rassures, dit Pascal. Ecoutez, les petites, si vous pouviez me faire le café, ça me rendrait service.

— Le médecin arrive, annonça Pestadou, il a dit que tu ne bougeais pas avant qu'il soit là.

— Je n'ai rien de cassé.

— C'est ce que tu crois. Après des accidents, il y en a qui se relèvent, ils sont tout frais, tout gaillards, ils dansent la matchiche et, une heure après, quand ils sont morts on s'aperçoit qu'ils ont le foie éclaté et tout pété de partout dans les reins et ailleurs.

— On voit que tu t'intéresses à la médecine.

— C'est un phénomène bien connu.

Pascal connaissait Pestadou jusqu'au fond de l'âme : quelque chose le tracassait en ce moment, les blessures de son ami évidemment, mais il y avait quelque chose d'autre dont il n'avait pas encore parlé.

— Qu'est-ce que tu as ? Allez, déballe !

La longue tête de Pestadou oscilla et Pascal, pendant quelques secondes, malgré le smoking et les années, retrouva l'exacte expression qu'avait l'écolier d'autrefois lorsque sur l'estrade du cours élémentaire de la rue Coppelo, la mère Mangiarello lui demandait l'imparfait du subjonctif, la source de la Loire, Azincourt ou la règle de trois. Il le vit oscillant sur ses jambes ficelles aux chaussettes tire-bouchonnées, l'air navré, contrit, des grands innocents incapables.

— Ils nous ont repeint la porte, dit-il, et une partie du mur.

Pascal chassa de la langue un fragment de canine coincée contre sa gencive.

— Avec quoi ?

Pestadou eut le soupir de ceux qui, quoi qu'ils fassent, ne sauront jamais leur leçon.

— Des croix gammées. Au Ripolin.

Rose tendit une tasse de café, Francette s'accroupit avec le sucrier. Pascal sentit la fatigue venir. Elle était en lui, une turbulence qui allait grandir et l'envahir en entier.

— Rappelle Pipette immédiatement, fais venir deux hommes du chantier avec du goudron pour les bateaux et qu'ils en mettent par-dessus. On fignolera plus tard.

— J'y vais, dit Pestadou. On prévient Belloro ?

— C'est pas la peine, on s'en sortira tout seuls. Dépêche-toi, il va faire jour.

Pestadou fila vers la porte, revint.

— Tu veux que je demande des revolvers ? Peut-être qu'on en aura besoin à l'avenir.

Pascal sentit la gorgée lui brûler le palais. Rose avait forcé la dose dans l'intention louable de le remettre sur pied d'un coup.

— Qui tu veux tuer, couillon ? Il vaut mieux leur acheter des lunettes que la prochaine fois ils me confondent pas avec l'armée allemande...

Pestadou disparut.

Sauterelle toussota. Pipette et les autres avaient cru longtemps qu'elle était atteinte de phtisie galopante mais ce n'était que la timidité. Toujours avant de parler, elle s'éclaircissait la voix... C'était une des meilleures gagneuses de la maison. Pascal s'était vite aperçu que pour les timides il fallait une timide et que Chez Praline les timides étaient plus nombreux qu'il y paraissait.

— J'ai prévenu votre dame, monsieur Pascal. Rose, Francette et moi, on a pensé qu'il valait mieux. Elle arrive.

Il reposa la tasse de café et gémit. Ce serait le

tourbillon, des baisers, l'engueulade, la tendresse, les reproches, la douceur... Ce serait Séraphine... allez, vaï, ce serait bien.

— Je vais dormir, dit-il, juste un moment...

Il sentit une couverture sur lui, des chuchotements. Lorsqu'il sombra, le ciel était clair et les dernières miettes de nuit filaient là-bas, derrière la Vierge d'or, de l'autre côté de l'horizon.

— A droite, Pascal, je t'assure que c'est à droite !
— Tu n'y es jamais venue...
— Si, en 21, avec mon père.
— En 21, tu n'avais pas dix ans, tu vas pas me faire croire que tu te rappelles le chemin !
— J'ai des souvenirs d'enfance précis. Je me souviens de tout. Même de toi.

Il soupira et braqua à droite dans la sente. Sur la gauche les restanques grimpaient à l'assaut des crêtes rousses. Le matin nageait dans les oliviers. Par la portière pénétraient des ondes de chaleur sèche et Séraphine ferma les paupières : les feuillages s'imbriquaient dans un froissement métallique et le parfum des herbes et des racines crochées dans la pierraille semblait exhaler tous les sucs d'une terre sans eau.

La route grimpait dans les collines.

— A Marseille, dit Séraphine, dès qu'on sort de la ville, c'est le désert.

A l'horizon, les massifs de la Sainte-Baume montaient dans le violet du ciel en une lente et imperceptible poussée... Rien ne les arrêterait jamais... tout s'étirait dans la chaleur trop forte. Cela faisait plus d'un mois qu'il n'avait pas plu et les arbres contorsionnés laissaient pendre des feuilles sans force, froissées et argentées comme l'emballage des tablettes de chocolat. Le long des murets broussailleux, des vignes crochues, clouées aux roches par les marteaux du soleil, mouraient debout, incendiées sans flammes par le feu du jour.

Pascal essuya une goutte de sueur sur sa joue. Sous le pouce il sentit la légère enflure qui persistait. Cela faisait pourtant plus de quinze jours à présent. Francette avait eu raison. Toutes les couleurs de l'arc-en-ciel s'étaient succédé... Le docteur avait dit que l'hématome se résorberait entièrement.

Séraphine se pencha, humant l'odeur du thym, épaisse purée d'effluves secs, un parfum rugueux comme une étoffe brute qui lui brûla les narines.

— Avec un temps pareil, la tantine va avoir ses aubergines grosses comme des pois chiches...

— Et les pois chiches, dit Pascal, je te demande un peu comment ils vont être...

— Ce qui m'inquiète le plus, dit Séraphine, ce sont les lapins... Qu'est-ce qu'elle leur donne à manger ?...

— Si elle peut nous vendre de la farine, murmura Pascal, ce serait encore le mieux... Tu la refiles à tes artistes et ils feront des crêpes. S'ils savent se servir d'une poêle à frire.

— T'inquiète pas pour eux. Auric se débrouille à la cuisine, il sait mieux faire les cannellonis que toi.

— Il a pas de peine, peuchère ! Ce que j'espère c'est qu'il sait faire de la musique aussi bien que les cannellonis !

— Si tu te donnais un peu la peine d'écouter quand il joue du piano, tu t'en apercevrais...

Depuis que le musicien était arrivé, le vieux Pleyel avait été installé sur la terrasse qui dominait le parc de la Taraillette et, chaque soir, la bande se retrouvait là, dans la douceur issue du crépuscule... Parfois, lorsque Pascal rentrait, il les trouvait éparpillés sous les colonnades ou contre la margelle de la fontaine, ils écoutaient les gouttes des notes détachées, les cascades des arpèges... Barraut récitait des vers, Perret aussi...

Pascal s'installait auprès de Séraphine sur la balancelle et se laissait aller à la dérive des louvoyants et délicats voyages sonores. Il sentait qu'il les intriguait car il n'était pas et ne serait jamais des leurs : il ne se mêlait pas aux conversations et ne comprenait pas toujours les raisons de leurs rires, mais ils le respectaient car il portait sur ses lèvres, sur ses doigts et dans le regard cette impalpable et dangereuse poussière qu'ils avaient tous fuie avec leurs pinceaux, leurs musiques, leurs livres, leurs poèmes...

Et puis il était l'amant de Séraphine, et tous avaient compris que si cette femme qu'ils estimaient avait choisi ce beau gosse aux cils trop veloutés, qui ignorait jusqu'aux noms de Claudel, Gide, Klee et Buñuel, c'est qu'il avait en lui une force qu'eux ne possédaient plus et n'avaient jamais peut-être possédée...

La voiture chassa légèrement sur les cailloux. Pascal redressa sans effort et, dans la courbe, le panorama se dévoila. Une muraille déchiquetée croulant dans la vallée aux lavandes brûlées... Un mas s'enfonçait dans la roche derrière deux chevrettes immobiles, foudroyées par l'orage jaune de la fournaise du matin.

— Dans le Nord, dit Pascal, ils ont plus de chance que nous : qu'est-ce que tu veux qui pousse dans un pays pareil ?

Séraphine regardait dans les failles des rochers les pétales grillés des fleurs sauvages achevant de mourir dans l'air vibrant...

— Pourtant, il va falloir trouver, c'est pas avec deux kilos de pommes de terre par personne et par semaine, qu'on va y arriver...

Les restrictions avaient atteint la zone libre : la farine, la viande, les œufs, le pain... Sur le marché de la Plaine, Mémé Marocci faisait des queues de cinquante mètres pour obtenir un kilo de courgettes ou une livre d'aubergines et le topinambour se faisait rare.

Pascal avait chargé Pestadou des problèmes d'alimentation. Le marché noir commençait. Dans l'arrière-cuisine, Ma Quique entassait jambons et lard fumé. Un trafic s'instituait et des fortunes allaient naître.

Séraphine répugnait à ces méthodes. C'est elle qui avait eu l'idée d'aller rendre visite à la tante Emma... Elle habitait là-haut, sur les contreforts des montagnettes entre Barjols et Saint-Maximin, une ferme cernée de hampes de haricots verts et de plants de pommes d'amour... Dans la terre sèche où ne coulait que le ruisselet d'une source maigrelette poussaient des melons de miel et des fèves douces... Et puis Séraphine avait eu envie de cette journée, seule avec Pascal... Il travaillait beaucoup, elle aussi, l'usine l'accaparait plus qu'elle l'aurait voulu, la Taraillette était toujours pleine de voyageurs en partance... Certaines nuits, il avait fallu mettre des matelas jusque sur le perron et ils n'étaient jamais seuls. Elle glissa vers lui sur le siège et lui mordit l'oreille.

Pascal débraya, passa en seconde pour laisser un peu le moteur souffler dans la montée.

— Ça alors, c'est la belle surprise : entre tes machines-outils, tes poètes communistes, tes musiciens juifs et tes peintres fadas, je me demandais si tu savais que j'existais encore !

Dans le soleil, les yeux de la jeune femme viraient à l'or rouge. Elle sourit.

— Tu existes encore ?

— A peine, dit Pascal, mais je me cramponne.

Elle le mordit à nouveau.

— Ça devient une manie !

Il freina, passa au point mort et coupa le contact. Il passa un bras derrière sa nuque et la fit basculer contre lui. Le chant des cigales sciait l'air. La chape de midi tomba sur eux.

— Si on commet l'acte de chair, dit-il, on sera en retard chez ta tante et, en plus, on risque le coup de soleil.

— Ma tante, elle a eu tous les hommes qui lui plaisaient, et, en plus, ils lui plaisaient tous. A vingt ans, elle aurait fait l'amour jusque sur les marches d'une église.

— Allez! zou! dit Pascal, si tu crois que je vais me dégonfler, tu te trompes.

Il la coucha sur le siège. Ses reins restèrent bloqués par le volant. Il poussa un gémissement et tenta d'enjamber le siège avant. En dessous de lui, Séraphine entama une reptation.

— C'est ton changement de vitesse, souffla-t-elle, il est mal placé.

Les paumes de Pascal glissèrent sur la moleskine, il acheva son escalade et se retrouva la jambe coincée entre les deux sièges.

— Il faudrait que tu pivotes, dit-il, parce que là tu me paralyses complètement avec ta hanche.

Ils commencèrent à ruisseler et Séraphine gémit.

— A l'arrière, ça serait pas mieux?

Pascal essaya de se libérer et chercha à tâtons, derrière lui, la poignée de la portière.

— De toute façon, ça peut pas être pire.

Il parvint à s'extirper et se retrouva dehors. L'air autour de lui formait une invisible prison brûlante. Il ouvrit à l'arrière tandis que Séraphine entrait de l'autre côté.

— On est moites, dit-elle, on laisse des traces comme les limaçons.

Il l'attira et sentit les cils battre contre sa joue. Il chercha la boucle de la jupe soyeuse et entendit le choc d'une sandale tomber sur le sol. En l'embrassant, elle dégrafa les trois premiers boutons de sa chemise.

Le mugissement de la trompe les souleva du siège. Ils retombèrent les oreilles mortes et le cœur à cent vingt. Par la plage arrière, Pascal vit le museau noir du gazogène cahoter vers lui comme un buffle saoul. C'était un camion de cauchemar, sa trompe extérieure emplit l'air comme la corne de brume d'un long-courrier.

Pascal reboutonna son pantalon et escalada le siège avant en sens inverse.

— Vouéï. On y va, c'est pas la peine de klaxonner comme un sauvage !

Séraphine le pinça au passage... Ses cheveux s'étaient défaits et bouclaient sur ses épaules.

— Si tu t'étais garé sur le côté au moins...

— Il passe une voiture tous les dix ans par ici, il faut juste que ce soit au moment où...

Il manœuvra, dégageant la route caillouteuse et le vieux tacot poussif, tremblant de toute sa ferraille, les doubla, dégageant une fumée de haut fourneau.

Pascal toussa et se retourna vers l'arrière. Elle sourit et lui fit un clin d'œil canaille... une fille de Chez Praline...

— Qu'est-ce que tu en penses ?

— Costume d'Adam, dit-il.

— Non, d'Ève.

— C'est guère plus habillé. Bouge pas.

Pour la troisième fois, il passa par-dessus le siège et se heurta le sommet du crâne au plafonnier.

— Cette bagnole est trop basse, gémit-il, je vais la vendre.

Elle l'attrapa par le cou et l'entraîna, accélérant sa chute.

— Garde-la encore un peu, murmura-t-elle, on va y avoir plein de souvenirs.

Ses yeux se trouvaient à hauteur de sa tempe, à l'endroit où s'enroulait une spirale de cheveux-mousse, minuscule tire-bouchon d'or, cachée sous l'oreille... Il était le seul à la connaître, c'était la boucle d'enfance blonde qui lui gonflait chaque fois le cœur à mourir, qui le rendait fada jusqu'à en chalouper de bonheur comme dans un port une barcasse chargée de trop de fruits gonflés de trop de sucres et de trop de liqueurs.

Lorsque les battements de leurs cœurs s'apaisèrent, il suivit des lèvres une goutte de sueur qui coulait sur sa joue. Le creux de ses reins était mouillé d'une eau tiède.

— Un soir où je serai très vieux, dit-il, quand j'aurai

le dentier, la tremblote et les grosses pantoufles, je boirai beaucoup de pastis, je prendrai mon élan et alors je te dirai peut-être que je t'aime.

Les bras de Séraphine le serrèrent, réveillant la douleur d'une côte fêlée, mais il ne bougea pas.

— J'attendrai, dit-elle. Le temps qu'il faudra. En tout cas, j'avais envie qu'on soit seuls, et de ce point de vue, c'est réussi.

— Tu t'es aperçue qu'on ne se voyait presque plus ?

— Plus que tu ne crois. En tout cas, la visite à la tantine, c'était une bonne idée. Même si on revient sans provisions, on ne sera pas venus pour rien.

Elle rit et ils se rhabillèrent avec difficulté.

— Tu pousses de bien gros soupirs, dit-elle.

— Il faut que je repasse à l'avant, expliqua-t-il, c'est mon quatrième voyage.

— Ça te fait l'exercice. Sinon tu attrapes la bouée.

Il se pinça avec indignation la peau du ventre.

— Qué bouée ? Avec les cartes d'alimentation, ça risque pas de pousser trop vite...

Ils roulèrent une vingtaine de minutes dans un univers de caillasse et de soleil exorbité, elle lui fit prendre un chemin plus étroit et entre quatre chandelles noires de cyprès, ils virent monter le crépi rose buvard d'un clocher d'église à toit de tuiles plates.

— Chavagnette ! s'exclama Séraphine ! Tu vois que je me suis pas trompée !

A un kilomètre du mail, après la dernière fontaine sous les platanes, ils suivirent un troupeau de moutons. La poussière qu'ils soulevaient montait jusqu'aux frondaisons et recouvrait les branches basses d'une poudre crayeuse. C'était un village enfariné, vide et brûlant comme un fournil de boulanger.

— Voilà la ferme.

La tante Emma les attendait à la porte. Ses baisers claquaient comme des bombes. Elle apprécia en connaisseuse, et d'un seul coup d'œil, la silhouette de Pascal et les fit entrer dans la cuisine-chambre-salle-à-man-ger-poulailler. Le trou d'ombre noire aveugla les visi-teurs. Il régnait sous la voûte épaisse du plafond une fraîcheur de chapelle, les murs-murailles coupaient de leur ciseau de pierre les flots de chaleur déferlant sur la plaine blanche.

Le vin qu'elle servit, froid comme la tombe, sentait le cassis et la barrique.

— Et alors, à Marseille, il paraît que les gens meurent dans les rues avec cette famine...

— Ça ne va pas jusque-là, tantine...

— Mon Dieu! qué misère... Eh bé, j'ai bien fait de vous faire la daube, ça vous fera toujours ça de pris... Té, j'ai plus de bois pour ma cuisinière...

Pascal était déjà debout.

— Je vais vous en chercher.

Elle lui indiqua la remise et se tourna vers sa nièce, les coudes sur la toile cirée.

— C'était le prétexte, dit-elle. Du bois, j'en ai plein le coffre derrière la porte, mais je voulais te parler de lui parce dans la lettre tu m'en dis rien... Il a l'air bien gentil et propre et beau comme un astre, mais il ne te frappe pas au moins?

— Non, dit Séraphine, jamais.

— Alors garde-le, parce que moi j'en ai connu, tu leur disais que deux plus deux faisaient quatre et déjà tu t'étais prise un pastisson... Ou alors ils étaient sucrés comme des chichis fregis et un beau matin ils partaient avec les sous... Alors, il te frappe pas, il te vole pas, eh bé, crois-moi, tu as intérêt à te le garder.

— Je me le garde, sourit Séraphine.

— Par la fenêtre étroite comme une meurtrière, à travers les vitres constellées de mouches cuites et de papillons moribonds suceurs de lumière, elle vit Pas-cal poussant sous le soleil vertical une brouette bour-rée de bûches et la tendresse gonfla en elle comme les ballons que l'on offre aux petits enfants chez les beaux marchands de chaussures de la rue Saint-Fer-réol.

Ce jour-là, le soleil ne semblait pas vouloir se décrocher du haut du ciel. Sur les quatre heures, il daigna souligner d'un début de ligne violette le relief des courbes de la montagne proche. Pascal entassa dans le coffre deux cageots de pommes de terre, un panier d'œufs, un sac de dix kilos de farine, deux poulets et trois lapins. La vieille dame n'avait pas voulu qu'on la paye, mais Pascal avait insisté tant et tant qu'elle avait finalement accepté qu'il glisse sous le sucrier quelques billets de cent francs à condition qu'il lui fasse le bisou. Après qu'il se fut exécuté, elle l'avait regardé rêveusement.

— Ça faisait longtemps que ça ne m'était pas arrivé de me faire embrasser par un beau monsieur, j'en avais oublié le goût.

Pascal sut en cette minute combien elle avait été jolie... Bien des soleils, bien des hivers étaient passés sur la tantine, ils avaient de leurs doigts de feu ou de glace usé les traits d'autrefois et modelé une face nouvelle, sculpteurs patients et cruels, ils avaient repris l'œuvre première, la jolie fille de Chavagnette, la farandoleuse des jours de grande foire qui aimait tant l'amour des garçons, et ils avaient fabriqué, en fines retouches, une vieille dame boulotte et rieuse, mais là, dans le rayon de lumière de ce pas de porte, il y avait eu quelques secondes dans la pointe de l'œil et l'ourlet de la lèvre comme une résurgence, un effacement soudain de la statue et, derrière, un instant était revenu le visage d'autrefois... Pascal avait pris cette seconde comme un cadeau, un hommage rare et inexplicable qui lui était destiné, une sorte de don magique d'une suprême coquetterie...

— Il faudra revenir me voir, qué ? C'est pas bien loin de Marseille...

Séraphine promit, elle avait tenu à faire la vaisselle et le bout de ses doigts était fripé par l'eau savonneuse...

— Rentrez bien et faites attention avec l'automobile. Elle s'arrête bien au moins ?

Pascal la rassura.

— Très bien.

— C'est parce qu'une automobile, c'est pas tout qu'elle marche, il faut aussi qu'elle s'arrête. Le Guitou Béliard, du mas des Janet, il disait toujours : regarde comme elle roule, elle roule parfaitement... C'est vrai qu'elle roulait bien, mais un jour elle s'est pas arrêtée de rouler, et qui est passé par-dessus les murettes en plein dans le ravin ? C'est le Guitou Béliard. Six semaines de chaise longue...

— Ne vous inquiétez pas, dit Pascal, on arrivera entiers...

Ils commencèrent à rouler dans l'accalmie du jour... Le volant ne glissait plus sous les paumes moites et il semblait que l'Hotchkiss eût gardé la fraîcheur de feuilles écartelées du figuier sous laquelle elle avait été garée tout au long de l'après-midi.

— On passe par Aix ?

Séraphine s'étira.

— Si tu veux, mais ça rallonge...

— C'est justement, dit Pascal, tu es tant pressée que ça de les retrouver, tes artistes ?

Elle mit la tête sur son épaule et ferma les yeux.

— Je les aime bien, mais c'est vrai que parfois ils me bassinent un peu avec leurs parlotes... Allez, tu as raison, on passe par Aix.

Les routes étaient désertes. Entre les rochers mauves, les touffes d'herbe jaune et cassante semblaient les poignées oubliées des rayons d'un soleil fichés dans la terre sèche.

A dix kilomètres après Peyrolles, ils virent un petit berger en béret et espadrilles, maillot de corps et short trop long, assis au milieu de trois chevrettes noires.

Ils traversèrent deux villages. Dans l'un, des femmes parlaient autour d'un lavoir d'eau marine nappée d'écume bleue et dans l'autre, deux grands-pères, assis sur une murette, battaient les talons de leurs sabots contre la pierre en regardant la vallée se dorer. La guerre. Les hommes étaient loin... Dans les camps d'Allemagne, prisonniers dans les pays sans couleurs...

— C'est drôle quand même, reconnut Séraphine, une journée avec toi et j'ai oublié le reste...

Pascal hocha la tête... Lui aussi l'avait oublié et il savait que ce qui allait suivre ne serait pas drôle... L'Allemagne triompherait, c'était presque sûr, les Anglais ne pourraient pas tenir longtemps... En Russie, ils avaient déjà fait la moitié du chemin, l'offensive avait enfoncé le front, Moscou avait été bombardée. L'Amérique n'interviendrait pas, elle était trop lointaine. Roosevelt resterait neutre... Bien sûr, Séraphine avait d'autres idées, elle croyait en l'idéal, en la justice, en la liberté... Elle n'avait pas charrié assez de caisses de poisson sur ses épaules lorsqu'elle était petite. Cela lui aurait pourtant appris que les hommes, capables de courber les épaules des enfants sous des charges trop lourdes pour vingt centimes par jour, pouvaient aussi créer un monde n'ayant d'autres droits que ceux contenus dans la bouche des canons... Pascal l'avait su, par son père d'abord : la victoire du plus fort était dans l'ordre des choses, injuste mais seule réelle. Tout le reste était du vent, bavardages du soir, crissement de cigales derrière les murs de la Taraillette.

— Regarde...

Les deux tractions barraient la route. Assis contre le talus, deux gendarmes se levèrent et réajustèrent leurs ceinturons. Pascal rétrograda.

— C'est pour le marché noir, murmura-t-il, s'ils nous font ouvrir le coffre, ça m'étonnerait qu'ils nous félicitent.

Séraphine se crispa. Depuis le 22 juillet, le secrétaire

général délégué à la préfecture avait signé un arrêté sur le recensement des juifs. Devant leur peu d'empressement à répondre à cette obligation, il y avait eu des vérifications effectuées parmi les plus connus d'entre eux… Il était possible que la gendarmerie, craignant la fuite de certains, se soit mise à surveiller les routes.

Pascal tira le frein à main et baissa la vitre, la visière de la casquette ricocha contre un rayon de soleil et s'illumina en diamant noir.

— Gendarmerie française. Vous venez d'où comme ça ?

— De voir ma tante, à Chavagnette, c'est sur la route de Rians.

— Je connais…

Pascal tendit ses papiers. Un sergent. D'un coup d'épaule, il rajusta la bretelle du fusil et sourit à Pascal. Jeune et trapu. Amical. Ses ongles étaient bombés et la corne se soulevait, formant à chacun de ses doigts des petits ballons nacrés.

— « Gérant de société commerciale », dit-il, ça rapporte bien ça ?

— Ça va, ça vient.

— C'est comme tout. Vous pouvez ouvrir le coffre ?

Séraphine soupira et descendit. Ça y était, cette fois. L'histoire de la visite à la tantine n'aurait pas tenu longtemps.

Dans une des tractions, un civil les regardait de loin, installé à la place du chauffeur, le feutre sur la nuque.

Pascal fit jouer la clef dans la serrure et souleva le hayon arrière. Le gendarme amical se pencha et son fusil glissa à nouveau. Séraphine observa qu'il glissait leurs papiers dans la poche de sa vareuse. Les choses prenaient mauvaise tournure.

— Venez un peu voir ça !

Deux autres s'approchèrent. Leurs guêtres de cuir étaient blanches de poussière et la cravate du plus grand était luisante d'usure.

— Vous mourrez pas de faim, dites donc !... Et vous revendez ça à qui ?

— A personne, dit Pascal : vous ne croyez tout de même pas qu'avec deux poulets, un sac de farine et deux douzaines d'œufs je vais trafiquer dans tout Marseille ?

Le sergent eut un gloussement.

— Si vous faites le trajet tous les jours, ça peut vous rapporter davantage que la gérance de votre société commerciale !

— Je n'ai pas vu ma tante depuis des années, dit Séraphine, je...

— Ça, vous pouvez toujours le dire, le prouver ce sera autre chose... Il faut qu'on prenne votre déposition.

Du coin de l'œil, elle vit le civil sortir de la traction. Il portait un crêpe au bras, en signe de deuil, et son visage semblait aussi gris que son costume.

Le sergent se tourna vers lui lorsqu'il fut près d'eux.

— Qu'est-ce qui se passe ?

— Du marché noir, dit le sergent. Transport de denrées alimentaires en quantité conséquente.

L'homme gris n'eut pas un regard vers le coffre.

— Les papiers !

Le sergent les sortit de sa poche. Ce fut à cet instant que Pascal se décida. Il mit la main à son portefeuille et en sortit une carte.

— Tenez, j'avais oublié celle-là.

L'homme gris ne la toucha pas. Pascal eut l'impression qu'il ne l'avait même pas regardée. Dans la lumière orange qui frisait à présent les sommets, son visage parut aussi inexpressif qu'une motte de beurre. Sa main droite s'éleva jusqu'au rebord de son feutre en un salut rapide.

— Messieurs-dames...

Il se tourna avec lenteur vers le sergent et désigna le hayon toujours ouvert :

— Fermez le coffre et faites dégager la route.

Sans un mot le gendarme s'exécuta.

— N'oubliez pas vos papiers.

Pascal les récupéra et lança le moteur.

Vingt mètres devant lui, la calandre de l'une des Citroën s'incendia dans le couchant et recula, libérant l'asphalte. Les hommes saluèrent lorsqu'ils passèrent devant eux. Pascal ne répondit pas. Il eut l'impression que sa nuque n'avait jamais été aussi raide de sa vie.

Dans l'habitacle, le silence était aussi dense que l'avait été la chaleur au long de ce jour. Il sentit sa salive se solidifier lentement dans sa bouche et avala avec peine.

Lorsqu'il se tourna vers elle, il eut l'impression que les yeux de la jeune femme étaient morts. L'eau vivante du torrent s'était tarie, il n'en restait plus que les galets polis et glacés, des pierres livides et impitoyables.

— Tu peux me la montrer à moi aussi ?

Il continua à conduire, fixant la route.

— C'est une idée de Belloro, dit Pascal, tous ceux qui travaillent pour lui ont été inscrits. Cela ne représente rien. Ça permet de ne pas avoir d'ennuis avec les autorités. C'est tout. D'ailleurs tu l'as vu : ça fonctionne.

— Ça fonctionne parfaitement. Le jour où tu seras à la Gestapo, ça fonctionnera encore mieux.

Elle vit blanchir les phalanges du conducteur sur le volant.

— Le S.O.L. [1] n'est pas la Gestapo. Ne confonds pas tout.

Elle le regarda, des yeux de pierres froides.

— Je connais le S.O.L., figure-toi. Je sais ce qu'il représente. Je connais tous les groupes : Collaboration, le P.P.F., la Milice, le franquisme, et bien d'autres...

— Tu es bien au courant...

---

1. Service d'ordre légionnaire. Organisation provichyssoise, admiratrice de l'Ordre nouveau.

— On doit connaître son adversaire pour mieux le combattre.

Il freina et se gara, deux roues dans l'herbe cuivrée. Dans le poudroiement de bronze, les murs d'Aix s'élevaient en contrebas, dans la plaine. Dans quelques secondes, lorsque le cercle du soleil aurait disparu derrière le massif, la ville coulerait dans la douceur mauve d'un soir d'été.

— Tu penses vraiment que parce que j'ai ce bout de carton dans ma poche je suis ton ennemi ?

Dans le couchant cramoisi, elle lui parut soudain ressembler à ces couvertures de romans dans les kiosques où des femmes furieuses et sanglantes dardaient sur le lecteur des yeux de crime.

— Oui.

Elle avait toujours été ainsi. Il aurait dû le savoir. Lorsqu'elle entrait, enfant, dans le bain froid de la colère, la rage qui la secouait était assez puissante pour tout détruire en elle et autour d'elle. Avec terreur, il sentit la panique monter... Elle escaladait les défenses, elle l'emplissait tout entier... Et cette terreur avait une raison : il pouvait la perdre, là, en quelques secondes, jamais encore cela n'était arrivé, et tout cela pour cette stupidité de carte. Il recevait de temps en temps des convocations pour des réunions, des célébrations, il ne s'y était même jamais rendu.

— Tu as peur que leur dise ce qui se passe à la villa ? Tu as peur que je téléphone à la Légion française contre le bolchevisme pour leur raconter que c'est bourré de juifs jouant du piano ? C'est ça que tu crois ?

Il fallait que la colère vienne en lui, il l'appelait, il en sentit le besoin, elle serait une protection. Elle dresserait un rempart contre celle de Séraphine, ils seraient à égalité, hors d'eux, lancés l'un contre l'autre... Mais cela ne venait pas, il comprit qu'il avait trop d'amour et, soudain, trop de malheur et que, dans ce combat commencé, il était vaincu d'avance... C'était cela aussi la guerre, peut-être était-ce surtout cela : elle n'était plus ce fracas lointain, ces titres gras dans les journaux, les bouches de canon pivotant sur les écrans de cinémas de la Canebière, elle était soudain entre eux, invisible et dévastatrice, coupant d'un rasoir froid les fils d'or qui depuis le premier jour les avaient cousus l'un à l'autre si étroitement qu'il avait cru qu'ils ne formaient qu'un tout, définitif.

Dans le silence bleu, ils descendirent sur la ville. La route était vide et les cyprès qui la bordaient étaient si hauts que leur pointe semblait crever le tissu trop léger du crépuscule.

1942

Le cimetière Saint-Pierre

Dans le mouvement qu'elle fit, son coude heurta le dossier placé derrière elle et les feuilles coulèrent sur le plancher.

— Merde !

Cauderau eut un sourire.

— Je vais vous les ramasser, mademoiselle Panderi, c'est pas la fin du monde. Faut pas vous estransiner pour ça.

Séraphine prit une longue aspiration pour se détendre. C'est ce que le docteur lui avait conseillé. « Respirez largement, à fond, vous verrez, ça vous fera du bien. » Jobastre, le médecin. Elle était nouée comme les ceps de vigne de Cassis et il lui demandait de respirer. Celui-là il croyait toujours qu'il aurait guéri la Dame aux camélias avec des pastilles Valda.

— Écoutez, dit Séraphine, la situation est simple : si les camions n'arrivent pas, on prend tous quinze jours de congé et la maison perd cent mille francs, alors ne me dites pas de ne pas m'estransiner...

Cauderau avait une face sphérique, les restrictions n'étaient pas arrivées à lui faire tomber les joues. Il mangeait des aubergines en salade le midi, des aubergines au four le soir, des aubergines grillées le dimanche et il avait toujours l'air de sortir d'un festin.

— Quand je vous regarde, lui disait Séraphine, je

me demande si les Allemands n'ont pas raison : vous avez une figure de prospérité : le régime vous réussit...

Cette fois pourtant, le contremaître lui sembla préoccupé. Une ombre au coin des paupières.

— Les camions sont bloqués sur la ligne de démarcation. J'ai téléphoné à Garcin dans l'après-midi. La douane allemande traîne sur les papiers.

— D'habitude, ça passe tout seul, s'exclama Séraphine, c'est ça que je ne comprends pas...

Cauderau haussa les épaules.

— Ils se méfient de plus en plus. Depuis le 1er mars.

Une sentinelle allemande avait été abattue en pleine rue à Paris. Dix jours plus tard, vingt otages avaient été exécutés. Les réseaux de résistance se montraient de plus en plus actifs et les contrôles se renforçaient aux passages entre France occupée et France libre. Et le résultat de tout cela c'était que les trente tonnes de fer dont elle avait besoin pour l'usinage des pièces ne seraient pas livrées à temps et qu'elle ne pourrait satisfaire la clientèle.

Cauderau sortit et Séraphine ferma les yeux.

Il fallait tenir bon. L'usine ne fonctionnait plus qu'au tiers de son rendement, son père avait des crises d'étouffement de plus en plus fréquentes et à la villa la bonne humeur bohème d'autrefois avait été remplacée par une angoisse sourde. Les formalités de départ, en particulier pour la Martinique, s'éternisaient, de visas de sortie en visas de transit en faux passeports ; les places sur les cargos en partance pour Gibraltar, le Portugal ou les Antilles étaient de plus en plus rares. Hans Bouhart, dessinateur autrichien, emplissait les couloirs de portraits effroyables de femmes démons tracées à la mine de plomb, qui lui donnaient des cauchemars. Seryis sombrait dans un marasme total, assiégeant de l'ouverture à la fermeture les consulats de Lituanie et de Tchécoslovaquie, en vue de leur extorquer un tampon de renouvellement ; il avait failli se battre deux jours auparavant avec Breton, pour une histoire de sucre en poudre : il avait constaté que le poète utilisait deux fois de plus de cuillerées que les autres... Séraphine, fatiguée par ses journées passées à l'usine, avait hurlé pour avoir la paix... Et puis... Et puis, surtout, Pascal couchait de plus en plus chez Praline, depuis l'instauration des bons d'essence.

Cela les arrangeait au fond. Depuis des mois, les choses n'allaient plus entre eux. Un soir, avant de quitter le bureau, le téléphone avait retenti. C'était Mémé Marocci. La vieille dame était allée à la poste du boulevard Chave et avait pris l'écouteur pour la première fois de sa vie. Séraphine était passée et n'avait rien dit, mais elle le connaissait, elle avait bien compris que ça n'allait plus entre eux et la vieille Maria n'y était pas allée par quatre chemins :

— Qu'est-ce qui vous arrive à tous les deux ? Tu t'en es trouvé un autre ?

— Mais non, Mémé !

— Alors, c'est lui. Il fait le joli comme son père ! Si c'est ça je prends le bâton et...

Séraphine avait ri.

— Ne faites pas ça Mémé, on s'est disputés une fois et ça reste un peu entre nous, mais ne vous inquiétez pas, je...

La vieille dame était remontée.

— Et alors, le pitchounet, vous ne me le faites plus ?

— Pour le moment, il est un peu retardé...

Séraphine était allée voir la vieille dame seule... Pascal apportait du ravitaillement à sa grand-mère qui avait ouvert son placard.

— Regarde : j'ai de tout, même du beurre, de la charcuterie que tout Marseille ferait les pieds au mur pour avoir du saucisson, moi je sais plus où le mettre... je lui dis qu'il fait du marché noir, il me dit non, il y a des fois où je le battrais.

Elle n'interrogeait plus Pascal. Elle ne lui parlait plus,

elle voulait tout ignorer de ses activités, elle savait que Praline ne désemplissait pas, des nouvelles filles avaient été engagées. Le champagne coulait lorsque les portes étaient closes, toute la fine fleur du P.P.F. s'y retrouvait, les voyous de Sabiani y dépensaient des fortunes... Ma Quique lui avait raconté... Ce grand imbécile de Pipette serait entré à la Milice sans Pascal qui l'avait freiné.

La jeune femme s'étira. Elle aimait cette cage vitrée perchée près des poutrelles métalliques qui surplombaient l'atelier central. On y accédait par un escalier ferraillant qui vibrait lorsque quelqu'un montait. L'hiver, elle chauffait avec le poêle et, l'été, ouvrait les vasistas, le ciel entrait avec les bruits lointains de la ville. Elle aimait le grand bureau aux tiroirs multiples, lourds et profonds. La maquette de la fraiseuse qui lui avait été offerte deux ans auparavant par un des apprentis trônait près de la porte. Là, elle régnait. La Patronne.

Elle s'en était bien sortie jusqu'à présent. Parfois, lorsque montait l'odeur de l'usine, elle se disait qu'elle ne pouvait s'en passer. C'était un mélange : l'huile chaude des carters, le caoutchouc des courroies et les faces polies de pièces tournées ou fraisées. Car l'acier aussi avait une odeur, imperceptible ; elle se mêlait l'été à celle des bleus de travail maculés de graisses de vidange.

De l'endroit où elle se trouvait, elle pouvait embrasser son royaume. Les rangées de machines où se penchaient les hommes. Elle referma le registre des comptes et décida d'attendre vingt-quatre heures supplémentaires... Si d'ici là les camions n'étaient pas arrivés, il faudrait prévenir.

Elle eut un geste vers le bouton du poste de radio mais ne l'acheva pas : ce n'était pas l'heure des informations et de toute manière, elle les connaissait. La région parisienne était bombardée par la R.A.F. et les Américains prenaient une volée terrible dans les îles du

Pacifique, laissant des dizaines de milliers de prisonniers. Aux actualités, Laval pérorait sur les écrans.

La sirène la tira de la rêverie où elle s'enfonçait. En
bas, les hommes se changeaient dans les vestiaires. Une
journée se terminait. Une de plus. Elle allait retrouver
son vélo, pédaler jusqu'à la villa en faisant crisser ses
freins dans les descentes. Il faudrait qu'elle demande à
Cauderau de lui mettre un peu d'huile dans les rouages.

Elle prit dans son sac le bâton de rouge à lèvres mais
se ravisa. Elle composa le numéro de son père et Marthe
décrocha instantanément.

— C'est Séraphine. Comment il va ?

— Il dort. J'ai failli t'appeler tout à l'heure.

Une autre crise, il en était à deux par jour à présent.
A ce rythme, le cœur ne tiendrait plus longtemps.
« Tiens bon, papa, pas en ce moment, je t'en supplie, ne
meurs jamais, j'en aurais trop de peine... »

A l'autre bout du fil, Marthe racontait... La voix se
brisait de fatigue... Le docteur était passé pour la
troisième fois de la semaine, il l'avait trouvé mieux et,
dès la porte refermée, Panderi avait recommencé à
suffoquer... Elle avait demandé à l'infirmière d'aug-
menter la dose de calmant, cela devenait insupportable...

— Tu veux que je passe ?

— C'est pas la peine. Avec ce qu'il a pris, il est
estourbi, il va dormir jusqu'à demain.

— Je viendrai dans la matinée, vers onze heures.

— Très bien. Ne t'inquiète pas, Fine.

— Tu penses comme je m'inquiète pas. Et toi, dors
un peu, que tu as l'air brisée.

— Je suis plus solide que le pont transbordeur. A
demain, petite.

— A demain, Marthe.

Séraphine raccrocha et ferma les yeux.

Un homme de fête et de rire la tenait par la main. Un
soir, à la Taraillette elle avait eu peur, réveillée par un

277

cauchemar. Elle était descendue à toute allure jusqu'à sa chambre, elle s'était pris un pied dans sa chemise trop longue et était tombée sur le dallage. La porte s'était ouverte et elle ne devait jamais oublier la pièce au lustre enluminé et les deux femmes aux yeux morts noyés de champagne, écartelées nues sur le lit... Elle avait cinq ans, six ans peut-être à cette époque... Panderi avait passé le reste de la nuit avec elle, il l'avait serrée si fort toutes ces heures qu'il lui semblait sentir encore la bienfaisante meurtrissure, et c'était pour cela qu'il ne devait jamais mourir.

L'atelier était vide à présent. Cauderau devait l'attendre pour fermer la grille. En une fraction de seconde, et pour le principe, elle se fit un raccord de rouge, enfila sa veste et descendit en faisant claquer ses talons. Elle virevolta dans les escaliers, traversa le hall vitré, émergea à l'extérieur où une gifle de mistral vint la cueillir sur le pas de la porte et se dirigea vers le garage à vélos. Elle ne vit pas Cauderau et jeta un regard à l'extérieur de la rue. Elle était vide. Peut-être s'était-il attardé à l'atelier pour finir une pièce. Elle entra dans la cabane.

Elle poussa un cri et recula, heurtant la pédale de la bicyclette derrière elle.

— N'ayez pas peur !

Ils étaient deux. Le plus petit lui bloqua l'épaule. La main qui passa devant ses yeux tenait un pistolet minuscule, comme un jouet d'enfant. Elle sentit son ventre bouger et pensa que cela ressemblait peut-être aux prémices d'un accouchement, une contraction subite d'où allait naître la peur, un bel enfant de terreur pure.

— Ne bougez, mademoiselle Panderi...

Dans l'obscurité, elle les distinguait mal. De l'autre côté de la porte, elle vit un profil, une mèche qui barrait un œil, un col de chemise ouvert sur une veste, un pantalon de golf. Vingt ans, même pas... Ce ne pouvait pas être la police. Elle se retourna et constata que l'homme au revolver tremblait. C'était une vibration profonde, permanente et ténue, une corde de vie sur le point de rompre. Son souffle frôla son oreille.

— Cauderau. Il faut qu'on le prévienne.

Sa gorge était tapissée d'un ciment subit, elle sentait à présent la douleur à son mollet. Ces hommes allaient peut-être la tuer et elle n'arrivait pas à se débarrasser de l'idée que la graisse de la chaîne de vélo avait dû laisser une trace sur sa jambe.

— Que lui voulez-vous?

— Il est recherché.

Elle vit mieux le profil du jeune homme, une rafale de vent s'engouffra dans le local et dégagea un instant son front, rabattant sa mèche sur la tempe.

— Par qui?

Cauderau. Le rondouillard que les autres appelaient Pastèque, l'amateur d'aubergines avec ses six enfants et sa gentillesse, qui pouvait lui en vouloir?

La jeunesse de l'un, la nervosité de l'autre encouragèrent Séraphine.

— Allez! qu'est-ce que c'est que cette histoire? Qui êtes-vous?

Le nerveux fourra l'automatique dans sa poche.

— On sait qui vous êtes, vous, dit-il, c'est pour ça qu'on vous le dit. On est de la Résistance.

— Et Cauderau aussi, dit l'autre. On est pas du même réseau, nous c'est Libération, lui c'est Francs-Tireurs, mais on le prévient quand même.

— C'est bien aimable à vous.

La peur s'était enfuie, d'un coup. Il n'y avait plus que deux grands gosses tendus, elle perçut l'angoisse dans leurs yeux.

— On fait du renseignement d'habitude, mais là c'est spécial, il faut dire à Cauderau de se cacher et, surtout, de ne plus aller à des rendez-vous.

Séraphine entendit le crissement du gravier et, par la porte entrebâillée, vit le contremaître se diriger vers eux. Un patapouf. Et il se battait. Les héros en cette année 42 étaient ronds, chauves et pères de famille nombreuse. Avant la guerre ils ressemblaient à Errol Flynn ou à Tyrone Power. Les temps changeaient.

— Ne bougez pas de là, je vais le prévenir.

Elle sortit en poussant sa bicyclette et sa jupe se plaqua instantanément contre sa jambe. Elle serra les mains sur le guidon et se mit en selle.

— Cauderau. Vous avez des amis qui vous attendent.

Son sourire ne varia pas. Lui avait les nerfs.

— Je crois que vous avez intérêt à écouter ce qu'ils vont vous dire.

Il eut un coup d'œil vers le garage.

— Si vous deviez par hasard vous absenter, ajouta-t-elle, je verserais votre salaire directement à votre femme.

Les paupières de Pastèque battirent.

— Ça peut durer longtemps, vous savez... Ça va vous revenir cher.

Elle haussa les épaules.

— Ça c'est pas votre affaire, c'est la mienne...

Il mit les mains dans les poches de son bleu.

— Comment vous allez faire si je m'en vais ? A ma place, il faut prendre Borandieu, c'est celui qui connaît le mieux le travail et il a de la jugeote. Il est un peu trop d'accord avec Laval mais c'est le brave type.

— Je prendrai Borandieu, au revoir Cauderau, et faites attention !

— Vous inquiétez pas, mademoiselle Panderi, je vous donnerai des nouvelles.

Elle se dressa sur les pédales et se lança en danseuse. Le vent la poussait si fort qu'elle n'eut pas le temps de se retourner pour apercevoir la silhouette rigolote du petit bonhomme dans la cour de son usine, elle eut simplement l'évidente certitude, éblouissante et brutale comme le soleil sur la mer, qu'elle ne le reverrait jamais.

Septembre.

Cela faisait trois ans qu'il était venu à la villa Belloro pour la première fois et il n'y était jamais retourné. Il se souvint de cette matinée de vent clair où tout avait commencé... Il restait dans le palais vide des traces de chantier, des outils oubliés... Ce soir, dans le flamboiement des lumières et le reflet des miroirs, il sembla à Pascal que cette maison fût là depuis toujours, aussi ancienne que les ondulations des pins grimpant à l'assaut des parois de la colline... La salle de réception avait été recouverte de panneaux laqués d'un bleu de glace et, seul, le portrait en pied d'une vieille dame sombre aux sourcils diaboliques était dans la sobriété excessive de l'endroit une note humaine... Mme Belloro-Ricamone, la mère du maître des lieux.

Ce soir-là, tout l'immense hall avait été aménagé en salle de réception. Le mistral n'était pas tombé avec la nuit de septembre et les portes-fenêtres donnant sur le parc avaient été fermées. Les baies vitrées s'éclairaient de la lueur bleutée du ciel où scintillaient déjà les premières étoiles.

Pascal, en smoking blanc, serra la main de Varonèse et de quelques hauts fonctionnaires de la mairie et de la préfecture. A l'écart, près de la rotonde se tenaient Barbier et quelques-uns de ses acolytes armateurs, derniers survivants des grandes armadas des années 20. Ils avaient régné sur l'économie de l'empire colonial français... Propriétaires de la plus grande partie des bateaux et des docks, ils avaient détenu la puissance. La guerre avait changé les donnes mais il leur restait des cartes à jouer et, si la plupart de leurs capitaux dormaient, bloqués dans des banques anglaises ou suisses, ils représentaient une force que Belloro saurait utiliser.

Pascal trempa ses lèvres dans une flûte de champagne et serra des mains manucurées sortant des manchettes glacées.

Pas de femmes. Belloro avait insisté sur ce point. Cela arrangeait Pascal, Séraphine n'aurait évidemment pas accepté de se trouver là ce soir...

— Votre bar a beaucoup de succès, monsieur Marocci.

— Merci.

L'homme roulait des yeux mous comme un ventre de poulpe... Pascal avait entendu parler de lui : Antoine Cancerello, spécialisé dans les ragots du *Petit Marseillais,* s'était fait virer de *Gringoire* pour une affaire de délation ; on disait pourtant de Carbuccia qu'il n'était pas très regardant sur son personnel.

— Je ne vous ai pourtant jamais vu chez moi.

— Un soir peut-être... C'est très tentant, mes amis ne tarissent pas d'éloges... Toutefois, vous avez eu un petit incident le mois dernier.

Pascal refusa le verre sur le plateau d'argent que lui tendait un serveur au cou de taureau camarguais.

— Je ne vois pas de quoi vous voulez parler...

— La résistance à Marseille n'est pas ce qu'elle est en zone occupée, évidemment ; elle doit regrouper trois professeurs de faculté, trois dockers communistes et quelques anti-Français victimes d'idéologies utopistes, mais il n'en reste pas moins qu'elle existe. On dit que le mur de Chez Praline a été recouvert de croix gammées...

282

Pascal sourit, le type était renseigné. Une mèche étroite partait de l'occiput et barrait son crâne en une diagonale luisante. Derrière les verres des lunettes, les prunelles paraissaient immenses comme les poissons gris d'un aquarium aux eaux troubles.

— Ce qu'il y a de bien avec les journalistes, c'est qu'ils vous apprennent sur vous-même des choses que vous ignorez.

Le cerveau de Pascal fonctionnait à toute allure. Ce matin-là, Pestadou avait fait venir deux hommes, l'un des deux avait dû parler. Avec quelques billets de dix francs, Cancerello pouvait acheter toutes les consciences qui traînaient le long des quais entre le bassin de la Pinède et celui de la Grande Joliette.

— J'ai dû être mal informé.

Les billes molles des yeux dérivèrent doucement, il se lissa la mèche avec une infinie précaution.

— En tout cas, je regrette que cette soirée soit uniquement masculine, j'aurais eu un infini plaisir à être présenté à Mlle Panderi.

Pascal ne broncha pas.

Une vermine.

Il aurait donné dix ans de sa vie pour lui écraser la tête contre le mur. Ce type savait tout.

A l'autre bout de la pièce, le remous s'amplifiait. Quelqu'un entrait. Entre les têtes, il distingua le visage de Simon Sabiani au milieu de ses gardes du corps. Dans le brouhaha, il entendit mal le discours de réception de Belloro et se joignit aux applaudissements... Varonèse posa la main sur son avant-bras.

— Tout le gratin est là ce soir... M. Belloro n'aura pas l'occasion de vous en parler, mais il m'a chargé de vous dire qu'il est parfaitement satisfait de vous. Vous faites un excellent travail.

De tout temps, les périodes de grand mistral rendaient Pascal nerveux. Depuis quelques jours, la fatigue aidant, il se sentait d'humeur exécrable.

— La limonade n'est pas une chose bien compliquée et il n'est pas nécessaire d'avoir fait Polytechnique pour tenir un claque.

Varonèse souleva son pied droit et sembla examiner le brillant de son vernis.

— Justement, on va vous demander autre chose.

Pascal fronça le sourcil.

— Quoi ?

— Beaucoup de gens vont Chez Praline. La plupart partagent nos convictions politiques, mais certains moins que d'autres.

— Et vous aimeriez savoir qui...

— Exactement.

Pascal mit ses mains dans ses poches... Accoudé à mi-étage à la rambarde de l'escalier, Pestadou avalait systématiquement des rangées de petits fours. La vision de son ami se goinfrant le revigora.

— Ecoutez, je n'ai jamais fait ce genre de travail et...

Varonèse le coupa.

— Ce n'est pas vous qui le ferez. Nous vous enverrons un spécialiste. Vous le présenterez à votre personnel et lui donnerez toutes facilités. C'est un homme de grande qualité. Un agent remarquable. Je crois d'ailleurs que vous venez de vous rencontrer.

Cancerello. Il aurait dû s'en douter.

Surtout ne pas ruer dans les brancards. L'homme savait qu'il vivait avec Séraphine. Il ne faudrait pas qu'il lui prenne l'idée ni l'envie d'aller fouiner du côté de la Taraillette. Mais à présent il lui allait falloir supporter ce scaphandrier de la bordille tous les soirs que le Bon Dieu ferait.

Les toasts se succédèrent : le Calabrais présenta un rapport succinct de la situation. Les prises de cartes à la Légion s'accéléraient. Sabiani y avait fait inscrire son fils. Autre signe excellent, le nombre d'abonnés à *La Francisque,* le journal de Bucard, avait augmenté depuis l'intensification des bombardements anglais sur Paris.

Belloro se fendit d'un discours. Le moment était à la persuasion. Marseille suivait le Maréchal mais il restait des hésitants, des gens que la propagande judéo-maçonnique pouvait influencer, des gens sensibles à l'appel du 18 juin, c'étaient ceux-là qu'il fallait atteindre... Quant à ceux qui avaient eu la délicatesse de laisser la moitié de la France libre, ils devenaient suivant l'expression du maître de maison « nos amis et nos clients », et demain l'on s'apercevrait que ceux que l'on avait cru être nos envahisseurs étaient en fait nos associés, « cela portait un beau nom : collaboration ». C'était la soirée des applaudissements...

Sur un ordre du patron, les hommes de Varonèse laissèrent entrer les photographes, il y eut un remous et Pascal en profita pour s'approcher de Pestadou.

— Tu connais Cancerello ?

— Personnellement non, mais je sais deux choses : il aime pas les juifs et il écrit avec la balayette des cagadous.

— Il entre Chez Praline. Comme espion.

Pestadou reprit un petit four, avala et attira Pascal sous l'embrasure de l'une des portes-fenêtres.

— Ecoute, ma Nine, on a fait l'école, la poissonnerie et les ballettis ensemble, maintenant on a la cravate papillon, le champagne, les vernis et plein de sous, mais je te pose quand même la question : on va loin avec eux ?

Du menton il désigna la foule des hommes riant sous les flashes au magnésium... Les yeux de Pascal vibrèrent dans la lumière.

— On a intérêt au moins à les suivre : ils sont les vainqueurs.

C'était vrai. Après la victoire de Tobrouk, Rommel avalant l'Afrique, les Allemands repartaient en Russie, franchissant le Don... Laval avait signé le 22 juin les accords promettant l'envoi de travailleurs français en Allemagne... Le départ de cent cinquante mille était prévu. Rien ne pouvait arrêter cette marche triomphale. Il n'y avait qu'une poignée de cinglés idéalistes et Séraphine pour croire à un retournement soudain...

En parlant de Séraphine, il y avait des nouveaux arrivés à la Taraillette, dont un terrible, un sculpteur celui-là... Un géant avec une tête à travailler dans les abattoirs, il avait apporté une vingtaine de bouteilles d'alcool blanc dans une valise et les vidait en tortillant des fils de fer. Il en avait ramené des rouleaux entiers attachés par des ficelles sur le cadre de sa bicyclette et, toute la journée, il fabriquait des monstruosités avec ses pattes d'étrangleur. Et, lui aussi, il avait ses œuvres dans un musée... C'était ça l'extraordinaire. Il avait offert à Séraphine une sorte de pomme de terre en ferraille toute biscornue, elle avait semblé pleine d'admiration, l'avait embrassé et avait installé avec des soins infinis sa patate enchevêtrée sur le dessus de la cheminée, à la place d'honneur. C'était la première chose qu'il voyait le matin lorsqu'il se réveillait. Enfin, il la voyait de moins en moins souvent, il fallait le reconnaître, cela faisait plus d'une semaine qu'il n'avait pas couché là-bas...

Il consulta sa montre. Vingt et une heures. Pipette et les filles avaient dû ouvrir Chez Praline...

— Viens, on s'en va...

Suivi de Pestadou, il gagna le hall d'entrée, louvoyant entre les groupes, serra la main chaleureuse de Belloro et sortit dans la longue rafale qui courbait la nuit... Pascal remonta le col de sa veste et suivit l'allée bordée de limousines... A l'intérieur de chacune d'elles, au-dessus des volants, on distinguait la lueur rouge des cigares. Le Patron avait fait effectuer une distribution générale de havanes pour les chauffeurs...

— Monsieur Marocci ?

C'était le responsable du service d'ordre de la villa Belloro. Un habitué de Chez Praline, client attitré de Rosine Valabrègue. Il se tenait le dos aux grilles monumentales.

— Oui ?

— Une dame vous attend. Je n'ai pas pu la faire entrer, vous connaissez les ordres... J'allais vous chercher quand je vous ai vu descendre les marches... Vous allez la trouver facilement...

Les portes métalliques coulissèrent. Le vent était si violent qu'il avait effacé les odeurs des collines d'amandiers. Les deux hommes virent un capot briller sur le bas-côté de la route blanche de lune. Marthe surgit de l'ombre des rochers et dans la lueur nocturne il sembla à Pascal que la seule couleur qui existât se fût réfugiée dans les yeux, une pointe bleu tendre noyée dans l'eau du chagrin, ces yeux que le père Panderi appelait toujours « ses yeux à deux sous », le prix des premières violettes, celles qui se vendaient autrefois sur le cours Saint-Louis dans les premiers jours du printemps.

Pascal la serra contre lui et fut surpris de la maigreur du corps sous le manteau.

— Il est mort quand ?

— En fin d'après-midi. Je t'ai appelé à ton bureau mais c'était occupé à chaque fois... J'ai pu avoir Ma Quique, elle m'a dit qu'il y avait réception chez Belloro et que tu y serais.

— Et Séraphine ?

— Elle est près de lui... Moi, je suis partie te prévenir. Il n'a plus besoin de moi.

Pascal la garda dans ses bras. Elle avait la bonne quarantaine, la petite Marthe à présent. Et, après vingt ans de vie bourgeoise, elle ne remonterait pas les escaliers des maisons d'abattage de la place Vivaux...

Le vieux Panderi avait dévissé... La nuit était claire comme un ruisseau des Alpilles et l'âme du vieux fêtard avait dû monter sans encombre, droit dans les hauteurs, retrouver celle de Gaston Marocci... Ce soir dans les éthers, le pastis des étoiles coulerait comme il coulait autrefois chez l'Estrasse et dans les bars nocturnes de la ville... La fête continuerait infiniment...

Pestadou prit le volant... A l'arrière, Pascal tenait Marthe serrée... La ville était blanche d'une neige de lune et lorsqu'ils passèrent devant Saint-Victor, les remparts de l'abbaye creusaient un trou d'ombre si profond qu'il leur sembla franchir l'entrée d'un monde de ténèbres dont ils ne sortiraient plus jamais... Marthe s'était endormie.

Il faisait sur le cimetière Saint-Pierre un temps de Bretagne folle, on avait ramassé le matin même dans les allées les branches cassées de platanes et les sabots des chevaux claquaient dans les flaques... Pascal dut aider sa grand-mère qui avait voulu venir malgré la pluie et il ne put se trouver aux côtés de Séraphine lors du service funèbre, et durant le trajet du convoi.

Ce ne fut qu'à la descente du cercueil dans la terre friable qu'il glissa son bras autour de son épaule. Il y avait peu de monde, les anciens compagnons des nuits de celui qui avait été l'un des princes de la fête ne s'étaient pas dérangés... Ma Quique trompettait de ses narines rouges dans un mouchoir bleu au bras de l'Estrasse... Marthe jetait sur les horizons noyés un regard halluciné, cramponnée à Séraphine qui n'avait pas pleuré une fois depuis le début de la cérémonie... C'était peut-être cela qui avait le plus inquiété Pascal, ce chagrin sec, maîtrisé, qui lui faisait un visage impitoyable...

Parmi les couronnes amoncelées que la pluie alourdissait de seconde en seconde, il y en avait une immense, anonyme, lis, arums et roses tardives serrées en une forêt charnue et tendre dont l'odeur maladive et sucrée flottait sur le cortège... C'était l'hommage des exilés de la Taraillette...

Derrière les murs de la villa, l'angoisse devenait palpable. Constant Benedict était descendu pour hâter les départs, contactant les ambassades et les consulats... Dans l'entretien qu'il avait eu avec Séraphine, loin des oreilles indiscrètes, il lui avait confié ses craintes : un jour ou l'autre, la ligne de démarcation disparaîtrait et les Allemands envahiraient le reste de la France, ils s'installeraient à Marseille... Cacher des personnes recherchées par la Gestapo serait une tâche presque impossible. De toute façon, elle courrait alors un danger mortel... Il lui avait posé la question : était-elle sûre de ne pas avoir été repérée ? De nouvelles instructions lui seraient envoyées bientôt... Il ne fallait surtout pas que ses locataires se fassent remarquer, fini le temps des parlotes à la terrasse des cafés du port, au Brûleur de Loup ou ailleurs. Le piège se refermait peu à peu sur elle, elle le sentait presque physiquement... Sur le front, les Russes tenaient encore Stalingrad, on se battait maison par maison, mais resteraient-ils encore long-temps ? S'ils cédaient, rien n'arrêterait plus les armées nazies : toutes les routes s'ouvriraient à eux...

Les journées avaient parlé de la soirée donnée par Belloro, *Le Petit Marseillais* avait tiré l'article « L'Union sacrée contre le bolchevisme ». Elle savait que Pascal y avait participé : jamais elle ne lui pardonnerait, il était des leurs à présent... Un collabo.

Pascal l'entraîna avec lui tandis que les premières pelletées des fossoyeurs résonnaient sur le cercueil. Leurs regards se croisèrent et, pour la première fois de sa vie, il ne lut rien dans les prunelles de la jeune femme : un regard transparent, aussi vide qu'un amour mort. Il en fut si stupéfié qu'il la laissa s'éloigner sans réagir.

Il revint vers Maria Marocci.

— Je te ramène, Mémé.

— Non, va voir Séraphine ; elle a besoin de toi.

Jusqu'à présent, il ne lui avait jamais parlé nettement de ses problèmes, mais il ne pouvait plus rien lui cacher.

— J'en suis pas bien sûr !

Elle leva les bras pour lui remonter le col de son manteau.

— Mets un peu un cache-nez que tu vas attraper la mort avec ce temps...

Derrière eux, Pipette les abritait, tenant le parapluie au-dessus de leurs têtes.

— Allez, vaï, va la voir, je rentrerai par le tram...

Il la laissa partir, enjamba des flaques et des rigoles... La pluie redoublait, droite et serrée tombant du ciel papier journal. Les caniveaux se gonflaient de bulles.

— Séraphine...

Elle se retourna et ne lui sourit pas.

— Je peux te ramener...

Elle passa sa main mouillée sous le bras de Marthe.

— Je rentre avec elle, je préfère.

Pascal se redressa et enfonça son feutre plus profondément... Les gouttes ruisselaient, coulant le long du rebord...

— C'est comme tu veux.

Il fit demi-tour, mit le pied gauche dans une mare et éclaboussa tout autour de lui. En quatre enjambées, il avait rejoint Pipette qui le fixa, étonné.

— On dirait que tu as vu un mort !

— Dans les cimetières, ça arrive. Allez, on s'en va...

Il ne se retourna pas. Les essuie-glaces refoulaient des nappes de pluie constamment reformées. Derrière les vitres des portières, le rideau des gouttes dégringolait rectiligne et dense, les voitures semblaient éventrer de leur calandre une rivière verticale et prodigieuse...

— Regarde, dit Pipette, la ville coule...

Par les ruelles en pente, des cataractes s'écroulaient, rejointes par le débordement des gouttières.

— Ce Panderi, murmura Pipette, il aura eu un enterrement arrosé. Je crois pas que ça lui aurait tellement plu ça, il préférait le pastis sec.

Pascal ne répondit pas. Il sentait tous les muscles de son dos crispés malgré ses efforts pour se décontracter. Les femmes s'oubliaient. Toutes. Ça pouvait prendre trois minutes ou vingt ans, mais elles s'oubliaient. Le long des soirs de bar qu'il avait connus, il avait suffisamment consolé de chagrins pour le savoir : l'amour n'était pas éternel... Les types effondrés revenaient le lendemain, la semaine suivante ou les mois d'après et rien ne restait de leur désespérance... L'ennui avec Séraphine c'est qu'il l'avait toujours connue... qu'il l'avait toujours aimée et que cela durait depuis vingt ans... Peut-être que les amours nées en pays d'enfance ne mouraient jamais, qu'elles étaient d'une autre trempe, plus diaphanes, plus solides, plus ancrées aussi dans une terre épaisse et riche...

... Mais il y parviendrait... Depuis des mois, pour elle, il se tuait au travail, il avait même fait copain avec cette estrasse de Cancerello afin de pouvoir lui soutirer des informations au cas où la police se mettrait à rechercher les touristes en partance et se montrerait trop curieuse sur leur hébergement... Il jouait le jeu, avec Belloro, avec le Gaulois, avec tous les détraqués du P.P.F., les fadas de la francisque, pour se faire une protection, pour être prévenu plus vite, pour bénéficier d'un appui, d'une couverture éventuelle... Et, pendant qu'il servait le champagne à toute la racaille pronazie, les sculpteurs, peintres, acteurs, poètes et autres comiques se prélassaient sur les fauteuils, se tapaient l'apéro sous la treille, prenaient des poses dans les allées du parc... Ils s'emmerdaient tellement qu'ils avaient fait un jeu de cartes nouveau, un jeu de tarots dont ils avaient redessiné les figures... Pendant que le monde se cassait la gueule, ils faisaient les délicieux, les intelligents à peinturlurer leurs gribouillages. Si ça continuait comme ça, il y en a bien un qui finirait par lui soulever Séraphine... Bien qu'ils soient trop couillons pour se remuer assez pour y arriver.

Pascal soupira. La nuit allait commencer à tomber... les jours avaient raccourci d'un coup. Rue Saint-Ferréol, les vitrines se renvoyaient l'une l'autre le reflet des rayons déserts... La pluie et le soir avaient vidé les rues.

Il chercha une cigarette, n'en trouva pas. Cela lui rappela qu'il allait lui falloir trouver une autre filière pour les cigares et le cognac, les actuels fournisseurs montaient démesurément les prix depuis quelque temps... Une sorte de délire des grandeurs... Il ferait jouer la concurrence.

L'auto stoppa devant Chez Praline.

— Je la mets au garage, dit Pipette, quand il pleut j'aime pas la savoir dehors.

— Tu as peur qu'elle prenne froid ?

Le géant haussa les épaules, se tortilla.

— C'est pas ça, mais... c'est fragile au fond...

Il y eut moins de monde ce soir-là... La pluie qui était tombée toute la journée et remplissait encore les caniveaux avait dû refroidir l'ardeur des habitués, il restait à peine une demi-douzaine de clients, groupés autour du bar, buvant avec trois filles.

Pascal, après avoir échangé quelques mots avec chacun d'eux, sentit la fatigue tomber sur lui. Il savait qu'il ne dormirait pas, mais il eut envie de s'étendre et monta à l'étage. En passant devant la porte de la chambre rouge, il s'arrêta net.

Le bruit venant de l'intérieur, il savait pertinemment de quoi il s'agissait. Il entra.

A l'autre bout de la pièce, Rosine sauta sur ses pieds. Le cadran du poste brillait, minuscule éventail d'améthyste... Sous la ritournelle du brouillage, la voix lointaine et monotone était à peine audible.

— Tu vas me fermer ça tout de suite... Tu sais que c'est un truc à nous faire boucler la maison ?

Les yeux de la fille s'agrandirent. Il fut surpris de la trouver soudain si belle.

— Les Américains ont débarqué à Alger, à Oran, partout...

Pascal s'approcha de l'appareil.

— Tu es sûre ?

— Oui, ils l'ont dit tout à l'heure.

Un tournant. Stalingrad tenait. Rommel lâchait à El Alamein.

Pascal se secoua, ranimant son invitation.

— Je ne veux pas que l'on écoute Londres ici, tu es jobastre ou quoi ? On dirait que tu ne connais pas les opinions de la clientèle...

Elle baissa la tête. Il tendit le bras pour tourner le bouton du poste et ne sut jamais comment il s'était retrouvé sur le lit, la fille contre lui. Les lèvres gonflées, pâles dans la lumière, tremblèrent.

— Je suis une pute, monsieur Pascal.

Il ferma les yeux et son père surgit. La boucle se bouclait, il y avait échappé longtemps mais le destin avait noué définitivement les fils... Séraphine seule avait bloqué la machine, mais à présent qu'elle n'était plus là, tout rentrait dans l'ordre... Il prendrait la succession de Gaston Marocci. On ne pouvait pas lutter contre ce qui était écrit. Cette fille faisait partie de son véritable univers... Il écarta les pans du peignoir et enfouit son visage dans la plume mousseuse. Les dents de la fille mordirent ses lèvres... Il sentit l'envahir le plaisir triste qui venait du changement. Il ne l'avait jamais recherché mais il était là, il avait un goût pauvre de revanche. Il devait y avoir une joie sombre qui jaillirait de tout cela, c'était une sorte de meurtre, ces années, ces rires, ces rêves, les grands soirs sur la terrasse, tout l'anéantissait en cet instant, il serait bon de se vautrer dans un malheur que l'on avait décidé soi-même...

— Viens !...

Il sentit la sueur perler sur son front mais serra les dents. Rosine était belle et savait faire l'amour.

La page se tournait, elle ne portait qu'un seul nom, mais il l'avait illuminée pendant vingt ans : Séraphine.

12 novembre.

Constant Benedict se levait depuis plus de cinquante ans à six heures du matin. Il s'était installé depuis quatre jours à l'hôtel Noailles où il avait ses habitudes. A six heures trente, on lui apporta son petit déjeuner : orge grillée, fausse confiture, saccharine et deux tartines de pain gris où l'on distinguait des fibres de paille broyée. Il pensa que ce devait être autrefois le menu des prisonniers. C'était d'ailleurs ce qu'ils étaient tous à présent.

Il sortit du tiroir de la table de nuit un manuscrit inachevé sur l'évolution du lombric dans l'hémisphère austral. En cas de rafle et d'interrogatoire, cela pouvait lui servir d'alibi : il voyageait pour recueillir dans les musées d'histoire naturelle de la documentation concernant cet intéressant animal qui l'avait passionné lorsqu'il avait une vingtaine d'années, mais qui, depuis cette époque, lui paraissait bien lointain et, à vrai dire, d'importance assez surfaite dans la conjoncture actuelle.

Une heure plus tard, il ouvrit la fenêtre qui donnait sur la Canebière et aspira avec force l'air froid de ce 12 novembre. Deux choses le frappèrent : le ciel était lourd et le silence total. Il s'accouda à la barre d'appui et vit dans la perspective qui montait jusqu'aux Réformés apparaître deux side-cars. Il eut l'impression d'un film dont on avait coupé le son. Les deux véhicules semblaient planer sur l'asphalte. Les hommes qui les conduisaient avaient de longs imperméables de bronze et leurs casques semblaient avoir retenu l'obscure couleur des hautes forêts de sapins des montagnes rhénanes.

Le bruit des moteurs s'amplifia, mais ce n'était pas celui des deux engins, c'était plus sourd et plus lointain.

Quelques secondes plus tard, le reste de la colonne apparut... Il distingua les canons de défense antiaérienne sur les plates-formes des camions et les voitures blindées. Les trottoirs de l'avenue étaient parfaitement déserts ; lentement elle s'emplit du grondement des cylindres.

Le vieux monsieur referma doucement la fenêtre comme le convoi arrivait à l'angle du cours Saint-Louis.

Ils étaient là à présent. Le danger ne venait pas d'eux, ils étaient des soldats, ils allaient installer le long de la côte un dispositif de défense, envahiraient le quartier réservé et s'installeraient dans les places stratégiques. Ceux qui étaient le plus à craindre étaient les agents de la Gestapo et de la Kripo, aidés des gendarmes et des gardes mobiles qui se mettraient rapidement à ratisser la ville.

Il regarda sa montre : il avait encore une demi-heure avant son rendez-vous. Juste le temps. En passant par les rues derrière l'Opéra, il éviterait les troupes. Il connaissait la ville, mais vérifia tout de même sur son plan. Il ne se trompait pas.

Lorsqu'il sortit de l'ascenseur, il vit le grand lustre du hall vibrer de toutes ses pendeloques. Le vacarme était assourdissant. Derrière le comptoir, le concierge lisait *Le Radical* avec une telle violence que ses yeux semblaient passer au travers. En avançant vers lui, Benedict eut l'impression qu'un train d'une longueur démesurée roulait sous les dalles à quelques centimètres sous ses semelles. Par la porte tournante, il vit les étincelles arrachées aux pavés par la morsure des chenillettes pétillant en bouquets mauves et instantanés.

Benedict se pencha et hurla dans l'oreille du concierge :

— Quoi de neuf, monsieur Clementino ?

L'autre remua ses épaules galonnées et beugla dans le conduit auditif du vieil homme :

— Strictement rien. On joue *L'Amant de Bornéo* avec Arletty au Capitole.

Benedict sourit et ils se serrèrent la main par-dessus le comptoir. En utilisant une mimique identique, ils se souhaitèrent une bonne journée et Benedict sortit.

Il tourna immédiatement sur la droite et il prit la rue Vacon. A trente mètres devant lui, une femme sortit d'une porte et, élevant un paillasson à l'horizontale, elle le catapulta bras tendus contre le mur. Il fit un léger détour pour éviter le nuage de poussière et souleva son chapeau dans un geste d'une politesse surannée. A l'angle du cours Lieutaud, il vit les casques des mobiles et les faisceaux des fusils sur le trottoir. Il continua à avancer et se surprit à accentuer légèrement son allure trottinante. « Je suis un acteur-né, pensa-t-il, et de plus, lorsqu'un vieillard joue à paraître plus vieux qu'il n'est, c'est qu'il est moins vieux qu'il ne le croit lui-même. »

Arrivé à la hauteur du premier groupe, il se découvrit du même geste, et eut droit au salut militaire du sergent commandant l'escouade.

Les rues se rétrécirent. Les maisons de ce quartier étaient plus sombres, mal alignées, les trottoirs étroits étaient encombrés de balayures que les charrettes du matin n'avaient pas encore enlevées. Il marchait à présent au milieu de la rue.

Par l'échancrure de deux murs, il vit l'étendue vide de la place. C'était comme le sommet d'une colline grise, un plateau désertique de grès ou de schiste comme on en trouvait dans des montagnes lointaines des pays cruels et sans vie... La guerre changeait les paysages. Marseille avait été rieuse et bariolée, le deuil lui était venu. Il se demanda si la lutte qu'il menait n'était pas uniquement celle d'un esthète : ramener au monde ses anciennes couleurs... Il y avait du vrai dans les clichés des discours et des tracts distribués par Combat, Francs-Tireurs et les autres mouvements de Résistance... « L'aile noire de l'aigle nazi »... « L'ombre déferlait sur l'Europe »... Ce qu'il avait à faire était au fond très simple : retrouver le bleu du ciel, le vert des platanes, le rose des toits et en repeindre la vieille cité. Une bagatelle.

Gaillardement, il pénétra dans le Bar des Sports.

Au comptoir, le patron, à l'aide d'un tire-ligne et d'une bouteille d'encre rouge, transformait des tickets de pain de 50 grammes en tickets de 150. A chaque trait tiré il fermait un œil, prenait du recul et admirait le résultat en se suçant la moustache.

Benedict regarda quelques secondes en silence et leurs yeux se croisèrent.

— Avant le bistrot, j'étais peintre en lettres, alors ce travail ça me rappelle ma jeunesse et ça fait plaisir aux gens du quartier. Ils m'appellent Léonard de Vinci.

— C'est un travail de précision, reconnut Benedict.

— Je comprends, un quart de millimètre en plus ou en moins et je me retrouve en forteresse d'Allemagne. Je ne parle pas de l'épaisseur, c'est de l'acrobatie à chaque fois parce que le papier boit et, si je mets trop d'encre, ça déborde de partout... Qu'est-ce que je vous sers ?

— Un café.

Le patron soupira, posa son tire-ligne et manœuvra le percolateur.

— Si vous appelez encore comme ça ce que je vais vous servir, c'est que vous avez un heureux caractère. Je vous l'apporte dans la salle. M. Pascal vous attend.

Constant Benedict écarta le rideau de perles de verre et pénétra dans la pièce à droite du comptoir.

Elle était étroite et sombre. Les murs peints à mi-hauteur en vert moutarde, le reste en jaune kaki, étaient vides à l'exception d'un miroir réclame Dubonnet et d'un calendrier des postes. A l'une des tables de marbre aux pieds de fer se tenait Pascal Marocci, en pardessus noir et feutre gris. Il fumait une cigarette avec la décontraction d'un homme que les restrictions de tabac ne concernaient absolument pas.

— Constant Benedict. Merci de m'avoir accordé ce rendez-vous.

Pascal posa son feutre sur la table. Il restait dans le verre qui se trouvait devant lui un fond de liquide laiteux et le vieil homme sentit l'odeur d'anis. Apparemment, il n'y avait pas non plus pour lui de jours sans alcool.

— Vous êtes l'oncle de Séraphine...

Benedict opina et eut un geste vers le verre.

— Si j'avais su que l'on servait ici de l'authentique pastis d'avant-guerre, j'aurais été ravi d'en boire avec vous... Je dois cependant avouer que ma préférence va au mandarin-picon avec de l'eau de Seltz.

Les yeux de Pascal se rétrécirent. Il se méfiait instinctivement des gens qui attiraient immédiatement la sympathie. C'était toujours d'eux que naissaient les pires emmerdements.

— Zé, tu mets un mandarin-picon pour le monsieur au lieu de ton jus d'estrasse.

Comme à l'école, Benedict leva un doigt.

— Avec de l'eau de Seltz, s'il vous plaît...

Pascal sentit la bonne humeur l'envahir, pourtant le jour ne s'y prêtait pas, mais ce vieux bonhomme qui se tapait le mandarin à moins de dix heures du matin, avec des mines de joyeuse gourmandise, lui donnait envie d'envoyer balader les soucis aux quatre coins du département. Après tout si, à son âge, un simple verre d'apéro pouvait apporter un tel plaisir, c'est que la vie ne devait pas être si cagole qu'il y paraissait.

Il le regarda déguster et précisa :

— Vous avez plus de chance que vous croyez : le café du Bar des Sports est célèbre dans tout le quartier : c'est de l'eau chaude sur de l'écorce de platane réduite en poudre.

Constant Benedict se mit à rire.

— Vous exagérez...

Le patron intervint de derrière son comptoir.

— Ne l'écoutez pas, c'est un Marseillais... Je rajoute de la chicorée pour donner la couleur...

Pascal remua son verre sur la table, brouillant les auréoles. Il était soucieux. Dès hier, sur les murs l'arrêté avait été placardé : pendant dix jours le couvre-feu serait fixé à vingt et une heures. La plupart des clients, même ceux ayant leur entrée chez Doriot, à la préfecture ou à la mairie, n'avaient pas pu obtenir de laissez-passer, il fallait ce visa des autorités allemandes qui n'étaient pas encore installées. Belloro n'avait rien pu faire... Pourtant, pendant tout ce temps, la boîte devait rester ouverte, fermer aurait été un geste qui n'aurait sans doute pas été apprécié par les nouveaux occupants.

Et puis Pascal craignait la réaction des filles. Que se passerait-il quand il leur faudrait monter avec leur premier Allemand ? Ma Quique avait déjà prévenu : elle ne leur ferait pas la cuisine, la Martiniquaise voulait partir et les yeux de Rosine s'étaient remplis de larmes... Elle ne lui avait rien dit, elle était pourtant sa maîtresse attitrée à présent. Ils n'affichaient pas leur liaison mais tous étaient au courant... Cela faisait plus d'un mois qu'il n'avait pas vu Séraphine et avec la fin de la France libre il craignait pour elle... Tous ces peintres en crocodiles, sculpteurs sur ferraille, dessinateurs de cartes à jouer, et autres faiseurs de chichis ne tiendraient pas dix minutes devant le plus couillon des gendarmes vert-de-gris. Que se passerait-il si l'un d'eux commettait une imprudence ? Elle serait arrêtée et les

Allemands ne seraient pas tendres, et ça c'était insupportable de penser qu'elle puisse...

Il reprit machinalement son verre et le reposa. C'était un geste de nervosité et le vieux l'avait compris. Ses yeux étaient taillés dans un bloc de perspicacité souriante... Il se pencha et joignit l'extrémité de ses doigts.

— Monsieur Pascal, vous avez entendu parler de la Résistance ?

Pascal sortit une cigarette.

— Je ne sors pas beaucoup, je n'ai pas assez de temps pour lire les journaux qui, d'ailleurs, répètent toujours la même chose, mais ne me prenez pas pour plus fada que je ne suis.

Constant Benedict s'adossa contre la moleskine de la banquette.

— Je peux tout de même vous apprendre certaines choses sur elle que vous ne savez peut-être pas, dit-il avec une jovialité accrue. Et vous savez pourquoi je peux le faire ?

Pascal rejeta la première bouffée en direction du calendrier qui pendait en face de lui.

— Je crois le deviner, dit-il.

— Je pense en effet que vous le savez, dit Benedict. C'est moi qui la dirige et nous avons à parler...

1943

Le vieux quartier

22 janvier.

La rampe de l'escalier vibrait sous le déferlement incessant des bottes des mobiles.

Pascal vit le talon gauche de Ma Quique se tordre et se coucher sur le côté, cassant la lanière. Il la retint et prit un coup de valise dans l'épaule. Ceux qui descendaient les étages bloquaient le passage.

— Pipette, dégage-les...

Le géant passa devant eux. Les cris emplissaient la maison, striés des coups de sifflet. Dehors tous les moteurs des trams de Marseille grondaient, alignés le long du quai Philippe-Pétain. Le visage de la fille se tourna vers lui. Par la lumière froide qui tombait droite du fenestron, il lut la panique dans les yeux délayés de larmes et les joues molles...

— Dépêche-toi !

Il l'entraîna. Il restait moins d'une demi-heure.

Ils enjambèrent un matelas roulé et des entassements de couffins. Sur le palier, un jeune en casquette ficelait un moulin à café sur la selle d'un vélo. Ma Quique eut un sanglot, fouillant son sac désespérément.

— J'ai perdu les clefs.

Il ne cilla pas. C'était la folie, elle avait commencé ce matin, à neuf heures, ce 22 janvier. Elle ne cesserait pas de sitôt.

— Pipette… enfonce la porte.

— Non…

Pascal prit Ma Quique contre lui.

— Ne fais pas la fadade. Dans deux jours tout aura sauté…

Il y eut une dégringolade dans les étages, des coups ébranlaient les murs… D'un coup de pied, le géant explosa la serrure. En dessous d'eux, à mi-étage, une femme hurla.

Pascal et Ma Quique entrèrent.

— Tu as une valise ?

— Dans le placard au-dessus.

Par la fenêtre, par-dessus l'amoncellement des toits sur l'autre versant de la ville, la Vierge d'or brillait dans le soleil d'hiver.

— Bouge-toi un peu, Marie, murmura-t-il, ou tu protèges la ville ou tu prends le frais…

Il se pencha : au bout de cordes, des ballots mal ficelés coulaient le long des façades, s'accrochant aux gouttières, restant coincés dans les cordes à linge. Tout en bas, sur le pont, les files des premiers habitants du quartier montaient dans les trams, s'entassant sur les impériales. Pascal se retourna. Secouée de sanglots, Ma Quique empilait du linge dans une vieille valise à l'intérieur tapissé d'un tissu à fleurs. Elle leva la tête.

— Mon Dieu, Pascal, et la pendule de maman ?

Sur le buffet provençal, elle avait dû sonner les heures de toute la vie d'une petite fille à grosses joues et à mollets ronds qui s'appelait Étiennette avant de devenir Ma Quique, la belle pute de la rue Bouterie.

— Je reviendrai et je la prendrai, dit Pascal, j'essaierai d'avoir un laissez-passer.

Il fouilla dans son portefeuille, froissant les billets.

— Prends ça, on en a toujours besoin…

Les hoquets la secouèrent. Un jour qu'il était enfant, il s'était promis de se marier avec elle plus tard, ses lèvres étaient du rouge épais des boucheries chevalines et sa poitrine craquait tous les corsages... Aujourd'hui, dans la débâcle des cheveux masquant à demi le visage empâté, elle était une vieille femme perdue, assise souffle coupé sur le bord d'un lit, et le monde croulait autour d'elle.

Il acheva de remplir la valise, prenant ce qui lui paraissait le plus pratique, le plus chaud...

— Et l'Estrasse, avec sa sciatique, comment il va faire ?

— Ne t'en fais pas pour lui, il se débrouillera...

Les escaliers tremblaient toujours sous les godillots des soldats. Sur le palier, deux gendarmes soufflèrent, les musettes, le bidon, les cartouchières et le fusil bloquaient l'entrée.

Pascal s'approcha.

— Où vous les emmenez ?

L'un des deux retira son casque, essuyant son front luisant de sueur malgré la température.

— Au camp de Fréjus. Ils prennent le train à Arenc. C'est pour faire le tri... Allez, descendez, il ne doit rester plus personne après nous...

Pipette boucla la valise et prit le bras de Ma Quique. Pascal repoussa la porte qui ne fermait plus. Sur le seuil de la maison, par l'enfilade de la rue du Figuier-de-Cassis, il vit la foule cernée par les soldats. Un fleuve vivant coulait vers la place... Juchés sur les épaules des hommes, quelques enfants dansaient comme des bouchons dans un caniveau en pente.

— Marthe, Marthe, ne me lâche pas la main...

Elle avait quatre ans, Marthe, une poupée molle qui traînait par terre et le soleil lui ricochait dans les yeux, des yeux splendides dilatés de terreur qui lui mangeaient le visage.

Pascal trébucha sur un panier, voulut le ramasser mais la foule le poussa en avant. Ma Quique se cramponnait à lui comme à un radeau de pleine mer.

— Attention les escaliers...

Ils étaient emplis par la marée humaine, tout en bas des hommes en civil, aidés par les gendarmes allemands au collier de chien, canalisaient les gens vers les véhicules.

— Pascal, qu'est-ce que j'ai fait pour qu'on me traite comme ça ?

Il serra le bras sous le sien. Il ne lui avait jamais connu une telle voix brisée.

— Je te sortirai de là... Tu as ma parole.

Il ne fallait surtout pas qu'elle s'affole, il la connaissait, elle avait des colères célèbres. Si elle se mettait à balancer un aller-retour à un de ses gardiens, ce pouvait être une catastrophe... Il y avait un moyen :

— Té, regarde la mémé... Elle s'en sortira pas seule...

La vieille dame croulait sous un baluchon d'où émergeaient deux queues de casseroles.

— Occupe-toi un peu d'elle, vaï...

Devant eux, un petit homme en chapeau bord roulé et manteau à martingale tenait un chat blanc entre ses bras. On ne le lui laisserait pas... Cela devait être interdit... Tout l'était...

— Ma Quique !

Ils se retournèrent.

L'Estrasse arrivait boitant, traînant sa valise dans une poussette.

— Tu es équipé, on dirait que tu as fait ça toute ta vie...

Ma Quique l'embrassait déjà, récupérant à vue d'œil.

— Mets-toi près de moi, qu'on prenne le même tram... Venez par là, Mémé, que je vous aide...

Pascal héla Pipette dont la tête surnageait.

— Viens, Bicou, aide-les à monter...

Le géant empoigna les bagages et se fraya un passage jusqu'au tram, ils le suivirent, collés les uns aux autres. Une pensée frappa Pascal. Il se pencha vers son amie.

— Tu n'es pas juive au moins ?

Elle eut un haut-le-corps indigné.

— Et pourquoi pas mahométane ! J'ai été baptisée aux Accoules, alors risque pas !

Pipette écrasa des pieds malgré les protestations. Pascal mit de l'entrain dans sa voix.

— Monte vite, ma belle, dans trois jours tu es de retour.

Elle l'embrassa comme autrefois quand il était enfant et qu'elle lui disait qu'un jour elle lui mangerait les joues.

— Merci pour tout, Pascal...

Il pouvait y avoir toute une vie dans un regard, tout au complet, serré, avec les rires et les odeurs, jusqu'aux matins aux chaises de fer sur la terrasse du café... Même quand il serra la main de l'Estrasse engoncé dans deux pardessus à la fois, il ne put la quitter des yeux.

La carcasse métallique du vieux tramway se mit à trembler.

— Dégagez devant, dégagez...

De nouveau les coups de sifflet surmontèrent les cris et les appels. Des détonations sourdes éclataient derrière lui. Une plainte lui sembla monter du vieux quartier martyrisé. Le véhicule bougea. Pascal leva le bras. Elle le fixait toujours, il n'oublierait plus ce regard, jamais, c'était idiot pourtant, dans trois jours elle serait là à nouveau, dans la cuisine de Praline, à pester après la farine remplie de son qui faisait les gnocchis si pâteux... Une malle haussée au-dessus des têtes la lui masqua. Le tram prit de la vitesse... Ils durent montrer leurs papiers au contrôle pour prouver qu'ils n'habitaient pas le quartier. C'était fini... Le tram était loin à présent, à l'angle du quai. Ce ne fut qu'à ce moment que Pascal s'aperçut que Pipette pleurait.

— Prends mon mouchoir va, que tu as l'air fada...

Le costaud s'essuya les yeux. Il avait boudé pendant

quelques semaines lorsqu'il avait compris que Rosine et Pascal… Mais ce matin tout avait été oublié d'un coup avec la nouvelle…

Tout serait détruit. On avait dit que Hitler lui-même en avait donné l'ordre en représailles aux récents attentats du Splendid Hôtel et de la rue Lemaître.

— Tu crois vraiment qu'elle va revenir ?

— Elle va leur faire une telle vie qu'ils vont nous payer pour qu'on la leur reprenne…

Ils se retournèrent. Le vieux quartier mourait de toutes ses rues… Les vieilles artères pétries de pierres et de soleil se vidaient de tout leur sang de belle vie. Tous partaient, les filles et les macs, le monde des bastringues et des nuits pleines de tangos chavirés mais aussi les autres, les habitants des vieilles rues aux anciens palais, les familles des pêcheurs du matin qui partaient entre eau et lumière ramasser les filets autour des îles blanches, les marins, les rempailleurs de chaises, le boulanger de la rue du Concordat, l'institutrice de la rue Radeau, l'artiste de la rue de la Prison qui peignait les radasses des pas de porte en grand chapeau de l'ancien temps…

Pascal sentit quelque chose mourir en lui… Belloro l'avait prévenu de l'opération, mais trop tard…

— On pourrait aller à Fréjus, suggéra Pipette, on pourrait peut-être la faire sortir…

— Si elle n'est pas revenue après-demain, on ira faire un tour…

Même Belloro ne pourrait pas la faire libérer si les Allemands ne le voulaient pas. C'en était fini des passe-droits faciles, des autorisations de complaisance. De plus, depuis l'installation de la Gestapo dans une villa de la rue Paradis, des bruits terribles circulaient…

Il faisait bon en ce matin de janvier, on se serait levé le manteau avec bonheur, et aux terrasses des cafés les patrons auraient d'ordinaire sorti tables et chaises, mais aucun ne le fit et lorsque Pascal et Pipette remontèrent ensemble vers les hauteurs de la ville, ils s'enfoncèrent dans les rues les plus étroites pour échapper à la rumeur qui venait de Saint-Jean. Elle ressemblait à un bruit d'insecte blessé lorsque l'on se penche dans les herbes et que l'on écoute les ailes d'un papillon battre sur le sol un long tambour de mort.

Elle posa le flacon sur la coiffeuse, s'assit et s'examina dans la glace. Chasseuse de rides.

Elle eut le sentiment qu'elle ne s'était plus regardée depuis le début de la guerre. Elle avait maigri, ce n'était pas plus mal. Mais il y avait surtout cette lassitude sous les yeux, une ombre bistrée... Elle partirait avec le fond de teint. Elle s'en voulait de l'avoir acheté... Une somme faramineuse dans l'arrière-boutique d'un magasin de la rue Haxo. Une folie, mais elle l'avait faite.

Qu'est-ce qu'il lui voulait ? Près de trois mois qu'elle n'avait pas vu Pascal et soudain ce rendez-vous express dans l'heure...

Autour d'elle, la villa pesait des tonnes. Elle avait passé l'après-midi entier à couper des herbes dans le parc à l'abandon. Ils étaient tous partis. Benedict avait éparpillé les derniers habitants de la Taraillette après une ultime distribution de faux papiers. Elle n'avait plus de contacts avec personne. Quinze jours auparavant, deux hommes étaient venus, accompagnés de son oncle. Ils avaient installé un poste de radio dans le grenier. Cela avait duré quarante-huit heures, ils étaient repartis, elle ne les avait vus qu'une fois.

L'usine ayant été réquisitionnée, elle n'y allait pratiquement plus. Cauderau ne lui avait jamais donné signe de vie. C'était insupportable ; elle en était réduite à traîner dans le parc avec un sécateur et à s'acheter des produits de beauté au marché noir parce qu'elle avait rendez-vous avec un homme de qui elle était séparée, qui faisait de l'or avec les occupants et qui la trompait...

Elle porta les mains à ses tempes, étirant les yeux.

— Et, en plus, murmura-t-elle, je vieillis... Heureusement que les Russes percent à Stalingrad...

Il fallait se cramponner aux bonnes nouvelles. Il y en avait sur le front de l'Est...

Il lui restait une heure. « Rien de trop pour un ravalement, étant donné la ruine que je suis devenue... Mémé Marocci est plus fraîche que moi... »

Dans le tiroir de la commode en bois d'olivier, qui lui venait des grand-tantes de Manosque, elle trouva une ultime paire de bas de soie. Elle glissa sa main à l'intérieur, admirant la transparence, contre son œil le rayonnement de la lampe s'apaisa, revêtu d'une douceur chaude et beige. Elle avait perdu l'habitude de ce genre de coquetterie, elle s'était habituée à sortir jambes nues avec ou sans socquettes, parfois elle se mettait de la teinture sur les jambes... Les deux filles qui travaillaient à l'usine se dessinaient au crayon gras une fausse couture qui partait du talon et montait derrière le genou...

« Et puis non. Pas de fond de teint, pas de bas de soie. Je n'ai plus à lui plaire. »

Elle referma le tiroir et déboutonna son corsage. Un bain, un coup de brosse et en galère. Il serait capable de croire qu'elle voulait le reconquérir, ce boumian ! Pas de risque qu'elle fasse une chose pareille ! Et puis elle serait en retard, tiens, il n'y avait pas de raison. Elle avait bien le droit de traînasser dans la baignoire.

A l'instant où elle entrait dans l'eau, Pascal sortit de Chez Praline et sauta sur le vélo de Pestadou. Il fallait qu'il la retrouve avant qu'elle soit arrivée au bar où il avait fixé rendez-vous. Ce genre d'endroit n'était pas sûr, les hommes du S.I.O.P., et surtout ceux de Dunker-Delage, étaient partout.

Il en connaissait quelques-uns, surtout des indicateurs issus du milieu marseillais. Beaucoup travaillaient comme tortionnaires et certains, noyés dans le champagne nocturne, avaient laissé échapper quelques indiscrétions sur ce qui se passait dans certaines geôles de la prison Chave ou celle des Baumettes, ou dans les salons luxueux du 425 de la rue Paradis. Si Séraphine n'avait pas été arrêtée encore, c'est qu'ils n'étaient pas pressés, qu'ils attendaient qu'elle les amène à d'autres, sans doute à Constant Benedict qui était le gros gibier... C'est Cancerello qui lui avait vendu le renseignement il y avait moins de deux heures.

Malin, le journaliste, il jouait sur les deux tableaux et touchait des liasses de billets de tous les côtés. Il était arrivé ce matin, en promeneur, le ménage n'avait pas encore été fait, les verres sales traînaient sur le bar, les filles dormaient encore... Sa mèche unique plaquée à la gomina sur la peau blême du crâne, ses yeux morts et immenses somnolaient sous les verres épais.

— J'ai un renseignement pour toi.

Pascal se souvenait des lézards immobiles sur le rebord de pierre dans les après-midis d'été de la Taraillette... Il les détestait, ils étaient imprévisibles et ils les jugeait dangereux, Séraphine se moquait de lui. Il ne s'était jamais habitué à ces bêtes et Cancerello était un lézard.

— Je t'écoute.

Cancerello prit le verre qui lui sembla le moins sale et tendit le bras par-dessus le comptoir, pêchant une bouteille entamée de Veuve Clicquot. Le vin ne pétillait plus, mais la couleur d'or liquide sautilla dans le verre.

— Ça risque d'être cher.

Pascal respira profondément. Il y avait une justice à rendre au journaliste, ses informations étaient de première main, il était intelligent et savait que son pouvoir et sa fortune actuelle reposaient tous deux sur l'exactitude de ses renseignements.

— Si ça m'intéresse, je paie.

Cancerello trempa ses lèvres dans le verre.

— Ça concerne une amie à toi : Mlle Panderi.

Pascal eut une moue d'inintérêt.

— Nous sommes séparés, et tu le sais.

Cancerello haussa les épaules.

— Tout de même, ajouta-t-il, il reste toujours un peu de tendresse au fond de nous pour les êtres que nous avons aimés.

Pascal savait.

— C'est parce que tu es un sentimental...

On ne connaissait pas de liaisons à Cancerello. Parfois il montait avec la Martiniquaise. Rarement. Elle avait dit à Pascal qu'il ne payait pas mais que c'était normal puisqu'il ne faisait rien : il la regardait un moment, paraissait vaguement dégoûté, ne desserrait pas les lèvres et partait comme un homme qui sait que l'espoir appartient aux autres et que même cela lui est indifférent.

Cancerello avait suivi de l'index le trajet rectiligne de son filet de cheveux comme s'il en vérifiait l'exact ordonnancement.

— Alors, je remballe ?

Pascal avait allumé une cigarette.

— Combien ?

— Trois mille francs.

Il sentait son cœur battre sous les côtes. Il avait sifflé.

— C'est cher. Ce doit être grave !

— Je crois que ça l'est.

Qu'est-ce qui aurait pu animer ce visage ? Quelle émotion pouvait faire bondir la vie d'un coup dans ces prunelles de batracien ? Il décida de discuter encore.

— Je ne comprends pas que tu prennes tant de risques, si tu vends des secrets appartenant à tes copains et à ceux de la Milice, ils vont finir par le savoir et tu vas terminer contre un poteau avec douze trous dans la paillasse.

Cancerello reposa le verre vide sur le comptoir.

— Il y a plusieurs raisons : donner un résistant, c'est mille francs. Si je te permets de sauver une amie, ça consolide notre amitié et ça me rapporte trois fois plus. Qui hésiterait ? Et puis...

— Et puis ?

— L'Allemagne peut perdre. C'est une éventualité que je n'ai jamais sous-estimée, même en 39. Je me suis peut-être un peu trop mouillé avec les Boches depuis le début. Si par hasard le vent tourne, je ne serai plus là pour le voir tourner. Et pour ça, il me faut des économies.

Pascal hocha la tête.

— L'Amérique ?

— Du Sud.

Cancerello tendit la main, prit les billets, les fourra en vrac dans la poche de son imperméable et parla.

— Il y a une rafle générale mercredi. Douze mille policiers français sont réquisitionnés sous le commandement de la feld-gendarmerie. Il est prévu le contrôle de quarante mille identités.

— Que vient faire Mlle Panderi dans tout cela ?

— Elle est sur une liste prioritaire.

— Ce qui veut dire ?

— S'ils la prennent, ils l'interrogeront.

Pascal sentit son estomac bouger. Le lézard le fixait de biais.

— Tu vois, dit-il, c'est bien ce que je te disais, on croit que tout est fini et il vous demeure toujours un petit restant de tendresse... L'amour, c'est un dessert. Après que le gâteau est mangé, il reste toujours des miettes dans l'assiette. Et tu aimes le dessert, Pascal, je te connais.

Pascal avait marché vers le téléphone et Cancerello avait boutonné son pardessus.

— Rappelle-toi de cette matinée, si par hasard on me retrouve, n'oublie pas de dire que j'ai tout de même

314

sauvé une femme. C'est le genre de choses qui peut suffire à vous éviter la guillotine.

— Pour trois mille francs.

— Par les temps qui courent, ce n'est pas très cher. Ciao, Marocci !

Pascal avait eu tout de suite Séraphine au bout du fil. Il lui avait donné l'adresse d'un bar rue des Trois-Mages. Pour atteindre cette rue, il savait par où elle passerait, il irait à sa rencontre, et l'intercepterait, ce serait plus sûr.

Elle enfila son manteau, poussa la porte de la villa et ferma les yeux. Mentalement, elle récita les trois adresses où elle pourrait aller en cas de coup dur. Dans son sac, elle possédait une fausse carte d'identité que Benedict lui avait fait parvenir. Elle avait de l'argent... Et puis elle était folle de penser au pire... Toutes les précautions avaient été prises.

Elle récupéra son vélo sous la véranda, vérifia la chaîne et se hissa dessus d'un coup de reins. Il y avait eu une averse la veille, le gravier de l'allée était encore mouillé. En roulant les pneus produisaient un son liquide... Dans la lumière verte qui tombait des palmes, elle eut l'impression de se mouvoir au fond d'un aquarium... La statue glissa sur sa gauche. Arrivée à la grille, elle regarda de chaque côté, la rue était vide. Elle fit jouer la lourde porte grinçante et referma. D'un coup de pédale rapide, elle amorça la descente. La danse des pavés l'avertit qu'elle était un peu dégonflée à l'arrière, mais elle ne s'arrêta pas. La chambre à air devenait poreuse. On n'en trouvait plus qu'au marché noir chez certains garagistes.

Il lui fallait tourner autour de la basilique et toutes les ruelles montaient. Elle se mit en danseuse. La guerre lui aurait au moins fait faire du sport. Au début elle ne pouvait atteindre le haut de la côte, haletante il lui fallait pousser la bicyclette, elle était entraînée à présent. Marseille était grise et déserte dans le matin. Les toits d'Endoume semblaient avoir été recouverts d'une limaille ferreuse...

Autrefois, sur ces pentes, elle avait joué avec Pascal, ils avaient dévalé sur une luge, elle s'était serrée contre lui et rien de mal ne pouvait lui arriver parce qu'il était là... Tout était enneigé, ils étaient seuls tous les deux dans un monde blanc : glaces et diamants. Elle avait senti battre en elle la seule couleur de l'univers, son cœur rouge d'amour pour ce petit garçon terrorisé qui faisait le brave et qu'elle avait embrassé cet après-midi-là.

Pascal... Et c'était avec lui qu'elle avait rendez-vous après des mois d'absence... Que s'était-il passé pour qu'il la trahisse, le beau niston de la rue des Bons-Enfants ? Ce n'était pas possible, rien ne pouvait les séparer... Tant d'années après, c'était lui encore qui lui faisait le cœur si brave, si bondissant, si plein de larmes. Frise-Poulet des années vertes, « Mon Dieu, comme il détestait que je l'appelle ainsi... »

Elle serra sur la droite, doublée par un camion à gazogène. Le panache de fumée noire stagnait derrière lui, s'élargissait, tartinant la chaussée... Elle peina et ralentit pour ne pas en respirer l'odeur trop longtemps. Elle donna brutalement deux tours de pédale dans le vide : une fois de plus la chaîne avait sauté.

Elle freina net et jura. Cela lui arrivait de plus en plus souvent, c'était ce vieux clou tout entier qu'il fallait changer. Elle allait arriver au rendez-vous avec de la graisse jusqu'aux coudes. Si encore elle pouvait réparer, ce serait un tour de force... Elle bloqua une des pédales sur le trottoir et se pencha. Au lieu d'apprendre le grec, le latin et l'économie politique, elle aurait mieux fait de suivre des cours de mécanique...

Elle prit un des maillons entre deux doigts et souleva la chaîne, tentant de l'enclencher dans un des pignons. Elle allait une fois de plus se coincer les phalanges entre les rayons. Quelques femmes passaient... Il n'y aurait personne pour l'aider. Sa montre-bracelet se trouvant devant ses yeux, elle constata que l'heure du rendez-vous était déjà passée de trois minutes... Pourvu qu'il l'attende... Oui, il l'attendrait. Elle tenta encore de tirer sur la chaîne et le vélo faillit basculer. Ne pas pleurer, ce serait ridicule, inutile... A pied, c'était impossible, plus d'une demi-heure de marche. Ne pas s'énerver... Il y avait certainement un moyen.

Elle posa un genou sur le pavé froid pour éviter l'ankylose et, au moment où elle sentit une présence derrière elle, elle pivota.

Il était déjà accroupi, la main sur la sienne.

— On se connaît pas. Je t'aide à réparer.

Elle le regarda en silence, les yeux écarquillés. Il avait un pli au coin de la bouche. Jamais elle ne le lui avait vu auparavant.

— On ne t'a pas suivie ?

— Je ne crois pas.

Un couple passa sur un vélo, l'homme pédalait, la femme assise en amazone sur le cadre. Ils ne s'arrêtèrent pas.

— Écoute-moi bien. Une rafle se prépare. Mercredi. Ils ont ton nom. Tu ne rentres plus chez toi.

Elle sentit son cœur s'emballer.

— Comment tu le sais ?

Il décolla le vélo du trottoir, fit tourner l'axe et la mécanique s'enclencha d'elle-même. D'un refus rêche et crispé à l'adhésion soyeuse, une bienveillance soudaine des engrenages...

— Je le sais. J'en suis sûr.

Elle se releva, frottant son genou de sa main.

— Benedict m'aurait fait prévenir...

— La Gestapo n'a peut-être pas pensé à le lui dire... Je sais que vous êtes de gros malins, mais moi, je suis aux premières loges. Reprends ton vélo, on ne peut pas rester dans la rue... Les cafés sont exclus...

— Une église, dit Séraphine, à Notre-Dame-du-Mont, c'est...

— Une boîte aux lettres, dit Pascal, toutes sont surveillées. Tu vas me suivre à distance, si tu vois quelque chose de louche, tu vas directement chez Pestadou en roulant tranquillement... Tu sais où il habite...

Elle hocha la tête, s'approcha de lui, mit ses mains autour de son cou, se hissa sur la pointe des pieds et l'embrassa d'un seul élan. Lorsqu'elle se recula, le pli de la bouche de Pascal Marocci avait disparu.

— Je ne sais pas pourquoi je fais ça, dit-elle, ça doit être parce que je suis fadade.

Elle vit ses yeux se rétrécir comme autrefois lorsqu'il avait connu un trop-plein d'amour.

— Moi aussi, dit-il, je dois être fada.

— Ça se soigne.

— Je me suis soigné de toi, dit-il, mais je ne me suis pas guéri.

Elle songea qu'avec cette lumière grise elle avait eu, en fin de compte, une bonne idée d'avoir mis ce fond de teint. Le meilleur achat qu'elle ait fait depuis longtemps. Il était là, elle l'aimait et si toute l'armée allemande arrivait avec la Luftwaffe en prime, elle trouverait à qui parler.

Ils remontèrent chacun sur leur engin et, elle le suivant, ils descendirent vers le centre de la ville.

A vingt mètres de distance, ils se mirent en roue libre dans la descente vers Saint-Victor... Le long de la rampe des camions militaires bâchés stationnaient... Ils les dépassèrent et débouchèrent sous les créneaux de la vieille abbaye. Pascal se retourna pour voir si elle suivait et c'est à cet instant que la première explosion retentit.

Ils s'arrêtèrent le long de la balustrade de pierre. C'était là-bas. De l'autre côté du port, au cœur du quartier interdit.

318

— Vé, regarde...

Le panache de fumée épaisse s'épanouissait avec peine dans l'air gris... De l'huile dans de l'eau.

— C'est la rue Bouterie, estima Pascal, ils commencent par le haut.

Ils virent tourner les mouettes. En contrebas, les silhouettes minuscules et emmitouflées des rares promeneurs s'étaient figées le long du quai de Rive-Neuve. Elle lui étreignit le bras.

— Écoute...

Dans le silence soudain, ils entendirent l'effondrement des gravats, les murs croulaient.

Il la serra contre lui. Cancerello le lui avait annoncé, ce devait être d'ailleurs ce matin à la une des journaux : « l'entreprise de salubrité » était commencée.

Une deuxième explosion éclata voilant d'un nuage soudain le clocher des Accoules, celle-ci étant plus haute, vers la rue de la Reynarde.

— Le bar de l'Estrasse a dû en prendre un coup, murmura Pascal.

Les charges avaient été placées depuis le début de la semaine. Ceux qui étaient revenus du camp de Fréjus avaient emporté des meubles sur les charretons, tout ce qui avait échappé au pillage des troupes...

La fumée montait et ils pouvaient voir une traînée blanche dans le lacis inextricable des ruelles et l'emmêlement des toits...

Ma Quique n'était pas revenue et, ce matin, Pascal fut heureux qu'elle ne pût voir cela... Cancerello avait promis de retrouver sa trace, elle avait dû être emmenée à Compiègne, peut-être directement en Allemagne... Tout était possible.

Séraphine se serra contre lui.

— Ça va durer longtemps ?

Pascal regarda le panache s'effilocher, s'accrochant aux façades, se déchirant aux vieilles grilles des balcons de pierre.

— Quinze jours, dit-il. Dans quinze jours, il ne restera plus rien. Viens, on s'en va...

— Pourquoi ils font ça ?...

— Par couillonnade. Ils ont cru que c'était un lieu plein de résistants, ils ont ramassé quelques maquereaux et tous les truands qui vivaient là travaillaient déjà pour eux. Ils ont trouvé quatre bombes et trois fusils à tirer sur les canaris des voisins, et pour le marché noir ça a été la grande victoire : des vaches dans deux arrière-cours, et quatre cochons pour les futurs saucissons des restaurants du quai. Avec ça, ça va leur faire gagner la guerre...

Elle s'écarta du parapet.

— Partons...

Ils roulèrent en silence cinq longues minutes... Der-rière eux, avec une lenteur régulière et mortelle, les détonations ébranlaient la ville, un gourdin géant frap-pait sur le sol d'un immense théâtre et un rideau de feu et de poussière allait se lever sur un décor d'extermina-tion qu'ils semblaient fuir de toute la force de leurs jambes, un décor pour le drame le plus triste de leurs vies...

Lorsqu'il était enfant, il appelait cet endroit le Musée empaillé. Son père l'amenait là certains dimanches. Il y était retourné avec sa grand-mère. Le muséum d'Histoire naturelle occupait toute une aile du palais Longchamp. Il restait en extase devant les lions aux crinières mitées, il y avait un ours aussi, dressé sur ses pattes de derrière, tous le fixaient de leurs yeux de verre... Dehors les jardins rutilaient des couleurs aux paisibles violences qu'avaient eues les étés des années 20.

Il n'y était jamais revenu, non parce qu'il y avait grandi, mais parce qu'il avait inconsciemment voulu économiser le souvenir, en garder la fraîcheur émerveillée. Il avait dû savoir que les souvenirs s'usaient comme les choses vivantes et réelles, qu'ils possédaient peut-être même plus de fragilité encore et qu'il ne retrouverait plus, s'il mettait trop souvent ses pas dans ceux de l'enfant qu'il avait été, la clarté des empreintes d'autrefois...

Séraphine s'était arrêtée devant l'ours.

— Papa m'en avait offert un en peluche presque aussi grand.

Ils étaient seuls avec un gardien somnolent, assis sur un tabouret à l'autre extrémité de la salle. Elle éprouva une sensation de légèreté. Elle ne rentrerait plus chez elle. Elle ne posséderait plus rien : l'usine, la maison qui

321

la lestaient depuis toujours avaient rompu les amarres, elle était parfaitement disponible, parfaitement en danger, c'était acidulé, froid et léger comme une limonade glacée dans un bar vide.

— Dans un premier temps, dit Pascal, tu vas chez Pestadou, quelques jours, le temps que je te trouve un endroit sûr, j'ai pensé à ta tante, mais je préfère que...

— Pascal...

Il la regarda. C'étaient les yeux d'autrefois, de toujours, il ne manquait pas une étoile.

— J'ai des adresses, dit-elle. Benedict t'a peut-être donné l'impression d'un vieux rêveur un peu fou... Ce n'est pas ça du tout. Il a tout prévu. Ce soir, je serai en sécurité. Tu ne dois pas t'en faire pour moi.

Il lui fallait secouer cette peur qui venait de surgir, c'était une fumée froide qui montait en volute, qui le courbait... Il fallait l'emmener loin, trouver des papiers, un bateau, foutre le camp comme tant d'autres l'avaient fait... Pourquoi étaient-ils restés si longtemps, lui à parader dans sa boîte, elle à aider des clowns à s'en sortir, ils auraient dû partir depuis longtemps, ils seraient tous les deux à Caracas ou aux Antilles en ce moment, et cela seul comptait dans leur vie, ils n'avaient pas su privilégier l'essentiel, il avait préféré l'argent, elle l'héroïsme, c'était de la couillonnade, ils avaient été aveugles et maintenant il était peut-être trop tard.

— Ils sont plus forts que vous... Ils vous connaissent. Tous les soirs, c'est bourré d'indicateurs chez moi. Ils vont vous tomber dessus, les choses s'accélèrent, tu ne le sens pas, tu crois que...

— Calme-toi.

Il avala sa salive. Il n'avait jamais eu le dessus dans une discussion avec elle, mais cette fois il fallait gagner...

— Je t'assure que tout est réglé, tu n'as pas à avoir d'inquiétudes, je ne peux pas tout te dire mais nous sommes parfaitement organisés, structurés... C'est une armée, Pascal, nous connaissons le pays, nous sommes nombreux, avec des chefs, je n'aurais jamais eu une cachette aussi sûre que celle qui m'attend ce soir...

Ils avancèrent dans l'allée... Des singes aux poils râpés pendaient à de faux arbres, des fils de fer sortaient de leurs doigts bourrés d'étoupe.

— S'ils me cherchent vraiment, je ne dois pas aller dans ma famille, même chez Pestadou, la filière serait trop facile à remonter... Ne les crois pas si malins et surtout pas invincibles. Tout à l'heure, je franchirai une porte et je ne risquerai plus rien.

De l'endroit où ils se trouvaient personne ne pouvait les apercevoir, il la prit contre lui.

— Ne fais pas d'imprudence, je veux te récupérer entière.

Elle retrouvait sa place d'autrefois, le nez contre le tissu du manteau, juste au creux de l'épaule... Pourquoi tout avait-il basculé ?...

— Fais attention, Pascal, quitte Marseille, on te voit trop avec eux. Tout le monde croit que tu es de leurs amis, tu leur fournis des femmes, tu...

Il la serra plus fort, l'empêchant de parler.

— Aujourd'hui, c'est toi le gibier. Si les Américains arrivent un jour, ne t'inquiète pas pour moi, ils doivent aimer autant le pastis que les autres et je leur en servirai assez pour qu'ils me donnent des médailles...

Elle secoua la tête lentement.

— Tu es comme ton père, murmura-t-elle, tu crois que tout s'arrange devant des verres pleins...

Ils sortirent... Sous la galerie, les jardins s'étendaient, déserts... Un vieil homme passa, pressé, longeant les fusains noirs qui descendaient en pente vers les bassins.

Elle lui prit la main.

— Il vaut mieux que je parte avant la nuit, dit-elle, elle sera là dans deux heures.

L'eau coulait autrefois en cascades le long des fontaines, éclaboussant les statues. Jamais elle n'avait ressenti pour lui autant d'amour... Tout autour d'eux était de la couleur des vieilles pierres comme si le palais déteignait sur le ciel et le parc. Peut-être existait-il des couleurs pour les adieux, des couleurs sans couleur.

Il ne lui demanderait pas où elle allait, elle ne lui répondrait pas.

Il leva la tête.

— Il va pleuvoir, dit-il. D'ailleurs, depuis que tu n'es plus là, il pleut toujours.

— Il pleuvait avant.

— Je ne m'en apercevais pas.

Un cheveu était resté sur son col, elle le retira. Il n'avait jamais été fort pour les déclarations.

— Je reviendrai, dit-elle, et si tu n'es pas libre à ce moment-là, tu auras une belle rouste.

— Tu n'as pas intérêt à te trouver un héros de la Résistance. Il pourrait regretter la clandestinité.

Elle fit un pas en arrière. Il était là encore, tout entier dans ses yeux. Il y avait des fils invisibles qui se tendaient et la douleur avait surgi. Lorsqu'ils seraient tous cassés, peut-être allait-elle mourir...

— Je ne t'aime pas, dit Pascal, c'est pire que ça.

Les sanglots montaient. Ils étaient là depuis tant de mois, elle avait vécu avec eux et ils sortaient, ces imbéciles, juste au moment où il ne fallait pas, c'était toujours ainsi avec les larmes.

— Moi aussi, c'est pire, Pascal, c'est tellement pire...

Tout en bas, sur le boulevard, des voitures passaient, les capots et les toits brillaient déjà sous le crachin qui s'était levé, des gouttelettes minuscules, serrées comme une étoffe. Les vélos étaient nombreux, c'était l'heure de la sortie des bureaux, l'heure où il fallait se fondre dans la foule, les tramways allaient être pris d'assaut... Le moment précis où il fallait fuir.

— Tu as l'argent, les papiers ?

— Tout.

C'était une question de fada, pour la retarder un peu,

un coup de lâcheté. Il fallait arrêter ce jeu, il ne servait à rien.

— Si tu veux, quand tout sera fini, on se mariera un peu, ça fera plaisir à la Mémé.

Elle recula encore, la main sur le marbre froid d'une colonne.

— Si ça lui fait plaisir, il faudra en passer par là.

Il remonta le col de son manteau. Un signal peut-être. Ses yeux noyés ne le distinguaient presque plus.

— Ciao, Pascal.

Il se retourna d'un bloc. Elle eut le temps d'apercevoir un profil d'enfant perdu, celui qu'il avait eu un soir à la villa lorsque son père était mort. Elle cassa le fil d'un coup, courant dans les escaliers en direction de l'avenue. Il pleuvait à verse à présent, mais le crépitement de l'eau sur l'asphalte ne couvrait pas le bruit de son cœur.

10 juillet.

Mémé Marocci se pencha sur l'atlas.

Pascal le lui avait apporté au début de la guerre pour qu'elle puisse suivre les événements. Elle tournait les pages une à une. Sa méfiance envers les livres était célèbre. Ayant eu le premier à soixante-trois ans, elle avait tendance à les considérer comme susceptibles d'éclater en morceaux à chaque seconde.

— Alors, où elle est, cette Sicile ?

Pestadou achevait de faire frire les biftecks sur la vieille cuisinière. Une odeur rousse et poivrée dansait dans le soleil.

— En bas, sur la droite...

— Si tu mettais tes lunettes au moins, dit Pascal, ça te serait plus facile.

Elle maugréa, chaussa ses verres et fixa en bas de la botte italienne le petit rectangle vert que lui désignait son petit-fils.

D'un coup d'œil elle estima la distance qui le séparait de Marseille et constata :

— Eh bé ! ils sont pas encore ici !

— C'est que les autres leur tiennent pas les portes pour entrer, protesta Pestadou, laissez-leur le temps d'arriver...

Pascal acheva de mettre le couvert sur la toile cirée.

Depuis quelques mois, il passait chez elle une fois par semaine pour la ravitailler. Elle protestait qu'elle était assez grande pour se débrouiller toute seule mais avait finalement accepté, saturée d'aubergines, à condition qu'il reste manger.

Ce jour-là, Pascal était venu avec Pestadou qu'elle aimait bien et à qui elle apportait toujours un fond de pastis tiré d'une vieille bouteille achetée la veille de l'armistice et qui ne contenait plus que quelques gouttes qu'elle faisait durer. Pestadou avait proposé à Pascal d'en apporter une pleine, mais ce dernier connaissait sa grand-mère, elle était persuadée qu'elle possédait la dernière au monde et ce cadeau la décevrait trop cruellement.

— C'est prêt...

Ils s'installèrent, Mémé repoussant le livre.

— A mon avis, ils vont pas avoir beaucoup de difficultés avec les Italiens. Je les connais bien, moi, les Italiens, quand je travaillais sur le port. Une fois un marin de Naples a voulu me faire des misères, j'ai pas eu le temps de me lever le sabot qu'il était déjà arrivé à la Belle-de-Mai...

Pestadou mordait dans la viande.

— ... alors si à la place d'un sabot on leur montre des canons, vous vous rendez compte ce que ça peut être... A mon avis, les Américains sont là après-demain.

Pascal déplia la première page du journal. C'était arrivé la veille, le 9 juillet. Eisenhower avait débarqué entre Catane et Syracuse... On parlait de défense violente, d'assauts repoussés, mais cela ne voulait rien dire.

— Alors tu lis à table maintenant !

Obéissant, Pascal replia le journal. Pestadou hocha la tête.

— C'est vrai que c'est pas poli.

Mémé Marocci lui jeta un œil noir.

— Et toi, ne parle pas la bouche pleine.

Pestadou avala en produisant un bruit de clapet.

— Excusez-moi, madame Marocci.

Elle les regarda.

— C'est pas parce que vous avez le col et la cravate que vous allez m'impressionner, il y a pas tant de temps que je vous séchais vos culottes quand vous tombiez dans le ruisseau de la rue Château-Payan...

Pestadou en resta la fourchette en l'air.

— Y a pas de ruisseau, rue Château-Payan...

— Le caniveau, dit Pascal, tu veux dire le caniveau.

Le chignon gris oscilla. C'était le signe des tempêtes.

— Je suis allée à l'école comme toi, Pascal, mais je sais ce que c'est que la vie et quand il y a de l'eau qui coule, que ce soit sur les cailloux ou dans la rue, c'est un ruisseau, et c'est pas une raison pour que...

Elle était partie. Pascal aimait la voir ainsi, c'était le signe que la santé était bonne. Elle avait un peu maigri mais tout Marseille maigrissait, la ville comme les gens. Si cette guerre durait encore quelques années, tout s'éteindrait en chandelle, il n'y aurait plus que des fantômes au creux d'une ville absente.

La nuit précédente, Pascal n'avait pas dormi. Il y avait eu foule Chez Praline. Trois officiers de la Kommandantur entre autres. La rue avait été protégée par des sentinelles tandis qu'ils écoutaient Johann Strauss en sablant le champagne trafiqué, à mille sept cents francs la bouteille. A trois heures du matin, trois hommes étaient entrés. Pipette, qui ne les connaissait pas, en avait collé un contre le mur en devinant la crosse d'un automatique sous une veste. Le géant avait un instinct pour cela. Les nouveaux arrivés avaient montré leur carte. L'un d'eux était

Cortora, l'ancien boxeur. Un spécialiste des interrogatoires, le roi du nerf de bœuf, la terreur des Baumettes, le bras droit de Dunker. Pascal lui avait serré la main, c'était un petit homme sans graisse aux yeux clairs et aux cils de fille, un poids-léger de talent qui avait semé la terreur dans les rings avant la guerre, avant de se convertir en tortionnaire.

Tandis que les bouchons sautaient, Belloro était passé. A la fin du mois de mars, il avait eu très chaud. Quatre coups de feu avaient été tirés contre lui, comme il sortait de la villa, une balle était passée à quinze centimètres de son oreille gauche. Les tireurs avaient été identifiés : c'était le groupe Valmy, un des commandos des M.U.R., les plus actifs des mouvements de résistance.

Belloro avait fait une entrée remarquée, il tenait la forme, et avait invité Rosine dans un paso-doble qui lui avait valu les applaudissements de l'assemblée. Il le dansait à l'espagnole, buste tendu, le talon pétaradant. Après son numéro, ils s'étaient retrouvés, Pascal et lui, dans la cuisine vide.

Il avait allumé un cigare à la cuisinière, se baissant pour atteindre la flamme du gaz. L'argent rentrait à flots, il s'était associé avec Palmieri et avait créé un bureau d'achats réservé aux Allemands. Il leur fournissait tous les matériaux de récupération dont ils avaient besoin, touchant cinq pour cent sur la valeur des prises. Son domaine allait des stocks de ferraille en passant par des toiles de maîtres qu'il évacuait sur l'Allemagne par camions spéciaux.

Il avait tiré une bouffée et souri à Pascal.

— Nous faisons de l'or.

Pascal avait opiné.

— En barre.

— Et pourtant on s'arrête.

C'était net. Mais depuis quelques années, Pascal Marocci savait que c'est lorsqu'il n'y avait apparemment plus à discuter que la véritable discussion commençait.

— Pourquoi ?

L'odeur du havane planait au-dessus des fourneaux éteints.

— Les attentats. La boîte est repérée comme un haut lieu de ce qu'ils appellent la collaboration... Je ne peux pas demander à la police ni aux Allemands de la faire surveiller en permanence. Et un jour nous sauterons. Vous savez comme moi que les terroristes deviennent de plus en plus actifs...

C'était vrai. Même les commissariats et la gendarmerie du Prado avaient été attaqués ; on ne comptait plus les bombes dans les cinémas de la firme Continental, les hôtels réquisitionnés, les restaurants du marché noir et certains cabarets. Belloro avait raison, mais il fallait gagner du temps.

— Praline est une goutte d'eau dans la mer... Je ne prends pas le risque de l'échanger contre des bâtons de dynamite.

— Qu'allez-vous en faire ?

Belloro haussa les épaules.

— Je vends.

Pascal n'eut pas deux secondes de réflexion.

— J'achète.

Belloro tira une bouffée plus large que les autres. Il n'y avait jamais eu la moindre contestation entre les deux hommes... Depuis trois ans, Marocci avait tenu parfaitement les comptes, su choisir ses fournisseurs, les filles, le personnel. Il avait créé une atmosphère. Il ne comprenait pas que cet homme intelligent ne vît pas le danger. L'appât du gain rendait aveugle.

— Je ne vends pas à un ami. Le danger est trop grand.

— Si vous êtes un ami, ne me refusez pas le plaisir de vous rendre service.

Belloro calcula, sans quitter son interlocuteur des yeux : avec ce qu'il venait de dire, il ne pouvait plus lui vendre cher... Et en même temps, si les résistants attendaient encore seulement six mois... il y aurait encore beaucoup d'argent...

— Mais tu crois qu'il me répondrait ? A quoi tu penses, va-nu-pieds...

Pascal émergea. Il regarda le bifteck entamé dans son assiette, Pestadou rigolard et sa grand-mère indignée sur fond de grand soleil. Par la fenêtre ouverte, c'était le même crépi ocre de la cour, les volets au vert délavé. Il y avait simplement moins de linge pendu qu'autrefois parce que le savon des lessives était vendu au compte-gouttes et que des draps étaient volés en plein jour, d'une fenêtre à l'autre.

— Je réfléchissais, dit Pascal.

— A quoi ?

Il regarda la vieille dame.

— Je suis propriétaire, dit-il, depuis hier.

Pestadou intervint :

— Qu'est-ce que tu as acheté ?

— Chez Praline est à moi, dit-il, j'ai fait affaire avec Belloro hier soir.

Pestadou se renversa sur le dossier de la chaise de paille.

— Je ne sais pas si tu as bien fait, dit-il, avec tout ce qui arrive...

Pascal ne lui répondit pas. Il savait ce qui se passait dans la tête de son ami, mais il ne pouvait pas le rassurer. Il lui était impossible de lui dire que la boîte ne serait jamais attaquée et cela pour une raison simple : elle était trop précieuse à Benedict et à ses hommes. Quant à la Mémé, s'il ne voulait pas activer le blanchiment de ses cheveux, il ne devait pas lui dire qu'il était devenu l'agent de renseignements le mieux placé de toute la ville.

— Propriétaire ! murmura Maria Marocci, mais alors tu es riche ?

Il posa la main sur la sienne. La peau semblait avoir gardé la trace des anciens soleils sur les docks et il pensa que s'il l'embrassait il y retrouverait un goût de sel et de couffin d'oranges.

— Énormément, dit-il.

1944

L'hôpital Salvador

ENTRE les pierres du torrent, la mousse bleuissait, le lichen gris se colorait des lueurs mauves des premières touffes de lavande.

Séraphine posa le sac et résista à la tentation de quitter ses brodequins. Ses pieds gonfleraient et elle ne pourrait plus les remettre. Le frottement du cuir contre les chaussettes usées accentuait la douleur de l'ampoule qui s'était formée à son talon gauche. Il faisait froid.

Un été était passé, puis un hiver. Elle était restée terrée de longs mois dans les bergeries abandonnées au cœur des éboulis du massif de l'Étoile, au Pilon du Roi... Elle avait parcouru par les nuits pâles les flancs des collines et les crêtes contrôlées par les maquisards d'Aups et de La Tour-d'Aygues, pourchassés par les miliciens de Durupt. Elle avait échappé de justesse au massacre de Saint-Antonin et savait les lieux où avaient été enterrés les corps de ceux qui avaient été ses compagnons de fuite.

Sous la toile du pantalon, elle sentit ses mollets durs et noués, à la limite de la crampe. Elle les massa longuement... Un peu de paix, une halte de quelques minutes entre les blocs de granit dégringolés des sommets... Personne ne pourrait venir la chercher ici. Elle connaissait tous les sentiers. En suivant le lit à sec, elle serait à Peydaugue dans moins d'une heure et elle retrouverait les autres. Elle resterait quelques jours avec eux et puis il faudrait repartir encore, Vautrin et ses hommes ne restaient jamais au même endroit plus de quatre jours.

Depuis qu'elle avait quitté sa cachette de la traverse de Saint-Jean-du-Désert, derrière la faïencerie, elle avait pénétré dans le monde de la chasse... Elle ne distinguait plus les uns des autres les hommes qui l'entouraient, ils avaient le même béret, les mêmes musettes aux courroies croisées sur les canadiennes, les mêmes visages mangés de barbe, les mêmes pistolets dérisoires comme des jouets d'enfants, ils mordaient de la même manière dans des quignons de pain frottés de lard rance. Un soir, à Vauvenargues, dans le massif de la Sainte-Victoire, elle avait rencontré un étudiant aixois qui lui avait parlé du monde de l'après-guerre. Ils avaient partagé une mince couverture de soldat tandis qu'il lui décrivait le règne de la justice, de la liberté, du bonheur pour tous... Elle avait eu l'impression qu'il y avait dans un endroit immense et secret un immense gâteau rose et crémeux confisqué depuis l'origine des temps par des êtres sans scrupules, mais le moment était venu où les portes de la prison explosaient sous les mains invincibles de la Déesse Paix : munie d'un gigantesque couteau à découper, elle détachait des tranches régulières et chaque habitant de la planète en recevait une part équivalente, et tous fondaient dans la dégustation succulente... le bonheur était dans la pâtisserie... Tandis qu'il parlait, elle avait contemplé les étoiles et avait entendu Pascal murmurer « couillonnade ». Peut-être l'avait-il influencée plus qu'elle n'avait cru... Lui savait que les mots ne signifiaient rien, que les idéaux étaient l'inverse du bon sens, qu'il n'y avait de gâteaux nulle part et que les parts ne pouvaient pas être égales.

Elle ferma les yeux et se baigna dans le silence.

Les oiseaux n'étaient pas encore revenus, ils ne tarderaient pas. Février s'achevait.... En Italie, le Mont-

Cassin allait tomber, c'était peut-être fait déjà. La paix, mon Dieu, la paix avec ou sans gâteau, revenir au temps, Pascal, où la vie était tendre.

Elle se releva, les genoux raides, et remit le sac sur ses épaules. Les premiers pas furent difficiles, les cuisses endolories ne faisaient plus partie de son corps, elles se mouvaient pas saccades maladroites, elle trébuchait sur les galets polis par la violence des eaux aujourd'hui absentes.

Les parois se resserraient autour d'elle, il y avait un passage étroit et il fallait escalader les branches minéralisées d'un arbre mort tombé en travers du torrent. Après, il y aurait à grimper sur la droite une sente assez raide où la caillasse s'effritait, ce seraient alors les premières racines d'anciennes vignes alignées le long de restanques écoulées, et la bergerie serait là, dissimulée à mi-pente derrière un éperon rocheux, un monstre de pierre nue dont il ne restait que le squelette.

Elle avançait rapidement, ces quelques minutes de repos lui avaient fait du bien.

Elle eut la vision de Berthier, le cuistot attitré, penché sur la marmite, surveillant la soupe du soir. Il se tournerait vers elle en remuant sa moustache grise et dirait comme à chaque fois : « Voilà la belle des montagnes. » Elle poserait le sac derrière la porte et s'écroulerait dans la paille où les autres devaient déjà dormir.

Sans consulter sa montre, elle sut qu'elle avait mis moins de temps que d'habitude, la lumière était encore haute et les brumes ne s'étaient pas encore formées au creux des vallées proches. Elle accéléra encore comme une sportive tentant d'améliorer un record et sentit la douleur revenir à son talon. L'essentiel était que l'ampoule ne soit pas pleine de sang. L'un des garçons de la bande, Bernard, un jeune ferblantier à lunettes évadé du S.T.O., saurait lui soigner ça admirablement. Il était l'artiste du pansement et c'était grâce à lui si la plupart des hommes pouvaient encore marcher. Avec une aiguille passée sur une flamme, une pommade, un peu de gaze et deux morceaux d'albuplast il lui fabriquerait un talon tout neuf.

Elle émergea du ravin et entendit le sifflement lointain d'une sentinelle postée dans une anfractuosité. Elle ne pouvait la voir, mais elle savait qu'il la suivait avec des jumelles depuis cinq bonnes minutes. Elle agita le bras dans sa direction et parcourut les trois cents derniers mètres d'un pas de chasseur. Vautrin accroupi sur le pas de la porte la regarda venir. Un porc-épic, les poils poussaient dru, perpendiculaires à la peau, Bernard disait qu'il n'aurait pas dû prendre « Vautrin » comme nom de guerre mais « Paillasson ».

— Rase-toi, dit-elle, tu me fais peur.

Il ne répondit pas, mais elle ne s'en étonna pas, il restait parfois des journées sans desserrer les dents. Ni bonjour ni bonsoir.

Elle poussa la porte branlante et introduisit les deux pouces sous les sangles pour décharger le sac. En même temps, elle distingua dans l'ombre l'éclat d'une boucle de baudrier.

Elle recula d'un pas et quelque chose se mit à courir dans son ventre.

Un bras passa derrière elle et une torche éclata contre son visage. Avant qu'elle ne l'aveugle, elle vit briller les canons des armes des miliciens.

— Une demoiselle, dit une voix, on est vraiment des petits vernis !

Elle baissa la tête pour échapper à la violence de la lumière, et une main lui serra la mâchoire, lui relevant le visage.

— La soirée s'annonce bien...

C'était une voix comme un tissu soyeux et usé que l'on déchire, un susurrement, elle savait déjà que jamais elle ne l'oublierait.

La porte s'ouvrit et Vautrin entra, les mains sur la

tête, suivi de deux hommes en uniforme noir. Il n'avait rien pu faire, mais elle ne put s'empêcher de lui en vouloir, par un réflexe d'enfant...

Dans un coin de la cabane, elle vit un corps allongé, la face tournée vers elle, les yeux ouverts. Bernard ne lui soignerait plus ses ampoules.

Elle courait, faussement terrifiée, dans le parc de la Taraillette, elle avait dix ans, les bandits la ligoteraient tout à l'heure contre le tronc du micocoulier. Alors il viendrait avec son épée de bois, sa couronne de carton et il les exterminerait avec ses moulinets. C'était toujours ainsi que cela finissait.

Pascal...

Il ne l'avait jamais vue aussi pâle.

Il prit le temps de fermer les deux derniers boutons de la vareuse, accrocha la baïonnette à son ceinturon et lui prit les deux mains. Les yeux de la vieille dame étaient immenses, la flamme trop courte de la lampe Pigeon tremblait au fond de chaque prunelle.

— Vous allez vous faire prendre, dit-elle.

Pascal s'agenouilla devant elle. Ses bottes craquèrent.

— Trop malins.

— Ton père aussi était trop malin.

Elle n'avait jamais porté sur lui le moindre jugement depuis sa mort.

— Écoute, dit-il, je vais te promettre une chose qui va te faire plaisir : je vais la chercher, je la ramène, je gagne la guerre, je la marie et on te fait un garçon de huit livres et demie. Ça te va ?

Elle le quitta des yeux et promena son regard sur la vieille cuisine comme si tout en elle l'étonnait soudain : l'évier, le filtre d'eau potable, les trois chaises, la cuisinière de fonte, le buffet où un pied avait été remplacé par un morceau de bois, le linoléum aux bords mangés d'usure sur les mallons rouges. Elle fixa la pile des calendriers des postes accrochés au mur.

— Je ne me l'étais jamais dit vraiment, murmura-t-elle, mais je crois que j'ai trop vécu.

— Tu ne le penses pas.

Ses yeux se reportèrent sur lui. Il ne l'avait pas encore vue pleurer, il y avait trop de force en elle pour qu'une seule larme puisse franchir les barrages.

— Je plaisante, je te gronde, je fais la faraude, mais là je n'ai plus la force, pitchounet, j'ai pris trop d'années.

— Il n'y a pas de risques, on est six, tout est arrangé, dans deux heures tout est fini...

Elle s'interrompit et regarda la pendule de la chambre par la porte ouverte. Il était vingt et une heures dix.

— Même pas deux heures...

Il fit un mouvement vers elle mais elle tendit la main, paume en avant.

— Ne m'embrasse pas, ça voudrait dire qu'on se voit pas de longtemps. Allez vas-y, vaï, je t'attendrai.

Il se releva et enfonça le lourd béret jusqu'à mi-front. Il lui fit un signe du bout des doigts et marcha vers la porte.

— Pascal ?

— Vouéï.

— Dès que c'est fini, tu m'enlèves ce costume. Tu as l'air d'un calamantran là-dedans.

Mémé Marocci était redevenue celle de toujours.

Il fit jouer la serrure, vérifia que les escaliers étaient déserts et descendit rapidement.

Dehors, la nuit était tiède, à vingt mètres il vit les feux de la camionnette s'allumer et traversa la rue, projetant une ombre immense qui lui parut envahir la rue Saint-Pierre.

Il se hissa à bord et ferma la portière avec peine. Ils étaient six avec le chauffeur. A l'exception de Mareyan, il ne connaissait personne. Il perçut une odeur de tabac mêlée de naphtaline. Ils étaient tassés les uns contre les autres et, bien que la voiture ait démarré en souplesse, ils se heurtèrent.

— Vous avez déjà fait des opérations de ce genre ?

Ce n'était pas une voix amicale, l'homme qui avait

posé la question se trouvait sur sa droite. Avec le black-out, les rues étaient trop obscures pour qu'il pût distinguer un visage. Il devina simplement une barrette claire sur l'épaulette de la chemise noire.

— Je lis suffisamment les journaux pour savoir que vous n'en faites pas vous-mêmes tous les jours.

Les pneus sautaient sur les pavés inégaux, Pascal pensa qu'ils devaient descendre la rue Saint-Savournin. Dans dix minutes ils y seraient.

— C'est vous qui êtes chez Praline ?

— C'est moi.

La voix venait de la gauche, cette fois.

— Vous auriez dû apporter du champagne.

— Une prochaine fois.

Il sentit une main sur son genou, l'homme à la barrette serra la rotule sous le tissu rêche.

— Pas d'initiative. Vous suivez le mouvement, vous ne vous écartez surtout pas des autres. Je ne veux aucun contact avec le personnel médical et infirmier. Ne sortez pas votre arme. Ne parlez pas.

— Je ne suis pas bavard.

Une hostilité planait... Peut-être l'opération finie, il se débarrasserait de lui : une balle dans la tête et tout serait réglé. Ils avaient accepté son renseignement mais pas sa présence.

Il renversa sa nuque contre le métal mais la retira aussitôt, la vibration du moteur se répercutait dans les tôles. Cela devait aller très vite maintenant et c'était une bénédiction, les deux derniers jours avaient été les plus longs de sa vie...

Jeudi à 11 heures, un coup de fil de Pipette : il avait pensé que cela devait être grave parce que l'animal ne savait pas bien se servir d'un téléphone... Pestadou grognait toujours : « Mais ne crie pas comme ça ! C'est pas parce que tu hurles qu'on t'entend de loin ! Tu arrives à comprendre ça, couillon de la lune ! » Pipette secouait affirmativement la tête et donnait de la voix comme le ténor dans *Aïda*. Il s'était trouvé une petite amie de soixante-quinze kilos, Rosalie Petivant, mère de trois enfants, bonne à tout faire à Plan-de-Cuques, et comme il savait que c'était loin, il criait fort pour que sa voix lui parvienne.

— Qu'est-ce qui t'arrive ?

— Viens sur les docks, au magasin.

— Pourquoi ?

— Il faut que tu viennes tout de suite. Je t'attends...

Pascal avait enfourché la bécane. Ce grand imbécile aurait fatalement des ennuis un jour ou l'autre. Depuis son engagement dans un gang semi-officiel où il déménageait, sous l'ordre des autorités allemandes, les appartements des juifs expulsés, il côtoyait les hommes de Dunker-Delage. Pestadou prétendait que c'était Maguy qui l'avait embobiné, la jolie rousse qui, manches retroussées, tenait la tête des hommes dans l'eau de la baignoire lors des interrogatoires du 425 de la rue Paradis. Avec trois sourires et un demi-compliment, il aurait été capable de se retrouver en vert-de-gris dans la Légion Charlemagne.

Sur les quais, un soleil tiédasse réveillait le vert anémique des platanes le long des grilles. Pascal dut montrer son laissez-passer et sa carte d'identité à un gendarme allemand mal rasé qui tentait de rallumer un brasero avec des morceaux de vieille planche. Il avait gagné le hangar.

Tout était vide et ses pas résonnaient sous la haute verrière.

— Pipette !

Sa voix avait rebondi contre les parois, grimpant jusqu'aux enchevêtrements des poutrelles métalliques. Le géant était sorti du cagibi où il était occupé à mordre dans un saucisson.

— Pascal, j'ai vu Séraphine...

C'était encore l'un de ces moments où la terre avait

tremblé. Il avait senti les muscles de son visage le lâcher, quelques secondes il fut persuadé que son ami ne le reconnaissait pas, qu'il était un autre... Une face d'eau plane sans relief.

— Où ?

— A l'hôpital Salvator.

— Mais parle, Bon Dieu ! explique-toi !

Il devait crier puisque le son de sa voix lui revint, multiplié.

— J'y étais parce que j'ai convoyé un franc-garde qui avait pris une grenade dans le pied en se battant contre le maquis du Plan-d'Aups... Ils n'avaient plus de chauffeur, parce qu'en ce moment ça se bat dans les collines, il faut ramener les blessés et ils m'ont demandé de faire un extra...

— Continue.

— Eh bé, c'est pas difficile, j'ai aidé le brancardier et en passant dans une salle du haut, il y avait d'autres blessés qui arrivaient, mais des partisans ceux-là ; j'ai jeté un coup d'œil sur un des lits j'ai vu Séraphine...

Le faisceau de la lampe électrique illumina le rectangle blanc. C'était l'ordre de mission frappé du cachet des hautes autorités de la Milice des Bouches-du-Rhône, au 86 de la rue Chape... Ce fut trop rapide pour que Pascal pût lire, il distingua : « Ordre de remettre aux autorités les prisonniers actuellement... » Suivait une liste de noms...

Pipette avait révélé qu'ils étaient sept. Il avait parlé à un des policiers chargés de garder la salle. Il avait pu savoir que sur les sept, deux seulement ne bougeaient pas de leur lit... La jeune femme avait un pansement au coin de l'œil et du bleu aux pommettes et au coin de la bouche... « Comme les boxeurs », avait dit Pipette... Ils l'avaient battue, peut-être y avait-il autre chose, il n'avait pu le savoir, elle dormait... Il n'avait pas osé questionner davantage.

Tout avait été très vite, la décision avait été prise par

344

Benedict lui-même : il avait donné l'ordre à un des meilleurs commandos de procéder à l'enlèvement des blessés. Les uniformes, les papiers et la voiture avaient été fournis vingt-quatre heures plus tard.

Pascal savait que les hommes qui l'entouraient étaient des durs. C'étaient eux qui avaient abattu, le 29 mai 43, le chef de la propagande de la Milice, Toussaint Manfredi en septembre, membre éminent du P.P.F., et trois officiers supérieurs allemands.

L'homme que Pascal avait rencontré le matin même dans une librairie de la Canebière avait été net : l'opération aurait lieu mais sans lui. Ils ne prendraient pas le risque d'emmener un amateur parmi eux, de plus un homme connu par ses relations dans les milieux de la collaboration.

— Vous pensez de moi ce que vous voulez, avait dit Pascal, mais quand vous arriverez en miliciens devant des gens qui ne vous connaissent pas, ils ne vous suivront jamais, vous allez être obligés de les emmener de force et ce sera la panique. Je suis le seul à connaître l'un des blessés : la fille. Elle fera comprendre aux autres qui vous êtes et tout ira bien. Et je vous signale que je courrai le même danger que vous.

Le type avait enfoncé son chapeau sur son front et lancé un regard torve.

— Pourquoi vous faites ça, c'est votre fiancée ?

— Je l'ai rencontrée sur un vire-vire, on avait pas dix ans.

L'autre poussa un soupir, maugréa quelque chose et articula enfin :

— Alors, dans ce cas-là, ça change tout. Vous pouvez venir.

Un premier tournant, un deuxième, les grilles strièrent la lumière des phares... Derrière la nuit se dressait la masse obscure de l'hôpital.

— Pas de presse, on marche d'un bon pas, c'est tout. Vous saluez tout ce qui est militaire.

La camionnette s'arrêta, moteur en marche. Pascal avala sa salive. Il y eut des voix allemandes, un échange de papiers. Tout était ouaté soudain... Un rêve duveteux, c'était le danger peut-être qui aplanissait chaque son. Il avait la mer en lui, calme du vert-noir d'un velours de draperie, une masse épaisse et insondable aux vents gommés...

Une des sentinelles actionna les crochets du hayon et lorsque la torche les inonda de l'eau jaune de la lumière il ne ferma pas les yeux... On les comptait. Le faux milicien à la barrette lança une phrase en mauvais allemand, le rire du soldat lui parut étonnamment lointain.

La torche s'éteignit. Pascal s'aperçut qu'ils roulaient à nouveau sur les graviers et que les cheveux sur ses tempes étaient mouillés.

Ils descendirent et pénétrèrent à l'intérieur de l'hôpital.

Les couloirs étaient vides, des ampoules peintes en bleu pendaient des hauts plafonds et la lueur arrivait à peine à éclairer le sol. La raideur de sa démarche le surprit. Sans s'être concertés, ils avançaient par deux. Dans l'escalier ils croisèrent une religieuse qui se rangea contre le mur... Son visage était invisible sous les ailes de la cornette.

Deuxième étage sur la droite.

A présent, un long tapis central étouffait leurs pas.

Deux hommes étaient assis sur une chaise, face à la chambre 12.

— La sentinelle vous a prévenus, nous venons chercher des clients à vous.

Le policier prit la liste qu'on lui tendait, son crâne brillait. Il eut un rire crissant, comme s'il aiguisait une lame rouillée.

— Vous les emmenez en convalescence ?

— Exactement.

L'autre en manches de chemise se balança sur sa

chaise. Pascal le voyait mal mais il crut le reconnaître, un client peut-être, un ami de Belloro ou du Gaulois... Il masqua son visage derrière la nuque de l'un de ses compagnons :

— Je ne crois pas que le médecin de service...

— L'ordre est prioritaire.

Le crâne brillant se retourna. Il y eut un bruit prolongé de clefs. Il n'en finissait pas d'ouvrir la porte.

Lorsqu'il en poussa le battant, l'odeur d'éther surprit Pascal. Le policier éclaira la chambre. Il la vit tout de suite : les boucles frisaient sur l'oreiller, c'était le lit le plus proche de la fenêtre. Deux des blessés remuèrent sous leurs draps.

— Ceux qui peuvent marcher se lèvent et s'habillent, vite...

Trois des miliciens se détachèrent et secouèrent les dormeurs.

Pascal frémit. Quelqu'un courait dans le long couloir.

Il marcha vers le lit qu'elle occupait et écarta la couverture.

— Réveille-toi.

C'étaient les yeux d'autrefois, ceux du printemps des collines, ceux des étoiles de la première nuit... L'ecchymose courait sur la tempe, un marbre veiné, d'un violet d'encre violette. Il vit la peur chasser la vie d'un coup, un vent livide qui la souleva, cramponnée aux draps comme à la voile d'un bateau emporté à folle allure, les murs tournoyaient. Il arracha son béret, plaqua sa bouche contre l'oreille tuméfiée :

— C'est Pascal, c'est moi, je t'emmène...

Il la souleva d'un élan... Derrière, les deux hommes en blouse blanche avaient chacun un revolver sur le ventre.

— Vous n'emportez pas ces blessés, je m'oppose à ce que...

Le médecin gifla l'ordre de mission qui tomba à terre, ses lunettes glissèrent, il les rattrapa par réflexe et une poussée violente le projeta contre le mur. Le policier chauve eut un glapissement et sortit un parabellum, le menaçant, mais l'autre ne céda pas.

— Je n'ai pas reçu de demandes écrites, ces malades sont sous mon autorité...

Le corps brûlant de Séraphine dans ses bras, Pascal marcha vers la porte. Des ailes de cornettes battaient, obstruant le couloir. Il fallait passer. Il passerait.

Trois des faux miliciens maintenaient chacun un blessé debout : l'un d'eux, un pansement autour de la tête s'échappa, escalada un lit, plongea vers la fenêtre. A la même seconde, la crosse d'un revolver frappa le gardien à toute volée, le nez éclata en fruit mûr et la traînée de sang se déploya, pointillant le mur de gouttelettes. L'autre leva les bras, un canon dans le dos. Le milicien à barrette recula d'un pas, rengainant le 6,35.

— Résistance française, nous avons trois minutes pour vous sortir de là. Aidez-nous.

Il y eut un flottement.

L'homme au pansement chancela.

— Qui êtes-vous ?

— Groupe Maxence.

Pascal était à moins d'un mètre du médecin à lunettes.

— C'est vrai, haleta Séraphine, je les connais, faites vite.

Deux des commandos ligotaient déjà les policiers avec des draps de lit... Tous sortirent, Pascal le premier : les ailes des goélands battaient devant lui... Il avait ses deux bras autour du cou...

— Vite...

Il accéléra. La galopade derrière lui s'accentuait. Il fallait résister à ce triomphe, rien n'était fait encore... Une des sœurs se retourna, il devina le signe de croix, la bénédiction. L'escalier tournoya sous l'avalanche des bottes. Encore le hall à traverser...

Elle murmura quelque chose qu'il ne comprit qu'à demi, se pencha davantage.

— Qu'est-ce que j'ai oublié ?

Elle desserra les lèvres et articula malgré ses molaires brisées :

— Tu as oublié ta couronne de carton...

Ils sortirent dans la nuit. Elle n'avait jamais été plus obscure et ils ne surent jamais d'où naissait cette folle clarté qui les submergea, les jetant éblouis à travers l'allée centrale de l'hôpital Salvator.

Au passage de la camionnette, les sentinelles ouvrirent les grilles et saluèrent.

Lavées par les pluies d'orage, les collines crayeuses qui cernaient la ville rutilaient, recréées à neuf. Dans les plaines, le gris des oliviers virait au vert tendre et l'ombre des platanes se faisait plus dense sur le cours Saint-Louis.

Ce matin-là était ce que Pestadou appelait un matin du Bon Dieu.

Il passa un chiffon négligent sur le zinc. A neuf heures, Pipette entra.

— Alors beau masque, qu'est-ce que tu nous annonces ?

Le géant se pencha, attrapa d'une seule main la bouteille de Suze, celle de cassis, versa un tiers de la première et deux tiers de la deuxième dans un verre à bière et éclusa le tout d'une lampée violente.

— Toi, tu as ta Rosalie qui te fait des misères...

Pipette secoua la tête.

— C'est pas ça.

— Alors, qu'est-ce qui t'arrive ?

— J'ai croisé trois patrouilles en venant, ils ont les fusils braqués... On dit qu'ils demandent mille otages.

Pestadou haussa les épaules.

— En quoi ça te regarde ?

Pipette se resservit.

— Je vais faire de la résistance, dit-il, Rosalie m'a

350

conseillé... Maintenant que je sais qui va gagner, c'est plus facile de choisir.

Pestadou se pencha.

— Tu bouges pas, tu attends d'en parler à Pascal. Cette fille va te rendre chèvre. Si elle te dit d'aller te jeter du haut du pont transbordeur, tu le ferais... Alors, tu restes tranquille.

— Elle dit qu'on va me fusiller après la guerre, elle...

— Elle est aussi couillon que toi, ta Rosalie : c'est en faisant briller les cuivres qu'elle arrive à savoir comment va finir la deuxième mondiale ? Et ce qui va se passer après ?

— J'y comprends plus rien, murmura Pipette, elle me dit que les Boches sont foutus, mais j'en ai jamais tant vu. Il n'y a plus qu'eux dans les rues...

Cela datait de deux jours : le 25 mai, un cortège immense de manifestants s'était formé, ils s'étaient rendus à la préfecture en réclamant une augmentation des rations de pain fixées à cent soixante-quinze grammes par jour. Les entreprises marseillaises s'étaient arrêtées et la grève générale paralysait les docks, le réseau ferroviaire et les principales usines... Les hommes de Benedict avaient cru quelques heures à une insurrection générale, quatre cents ouvriers avaient été arrêtés. Les soldats de la Wehrmacht sillonnaient la ville en autos blindées et le couvre-feu avait été avancé.

Pipette traîna un peu autour du bar... Peut-être avait-il envie d'une causette avec Rosine, mais elle dormait encore et il n'osa pas monter.

— Je vais faire un tour...

Pestadou qui rinçait les verres soupira :

— C'est ça, va te dégourdir un peu les jambes que tu sais plus que faire de toi...

— Adieu, bicou.

— Adieu, brigandas.

La carrure de Pipette occulta le rectangle de la porte quand il passa le seuil. Pestadou le vit descendre la rue en direction de la Canebière. Il était dix heures moins cinq.

Il se rinça les mains, rabaissa les manches de sa chemise et décida de faire les comptes de la veille. Il s'approcha de la caisse, fit jouer le tiroir et contempla les piles de billets. Il sortit le registre à l'instant précis où les sirènes retentirent.

— Ça commence de bonne heure, murmura-t-il, c'est le soleil qui les attire, c'est pire que les lézards de la garrigue !

Sans se presser, il alla à la porte et baissa le rideau de fer. Au-dessus de sa tête il entendit un bruit de pas : l'alerte avait dû réveiller une des filles.

Pipette descendait un boulevard dont il ignorait le nom. Il connaissait Marseille comme sa poche mais ne lisait jamais les plaques des rues, il avouait lui-même qu'il avait toujours eu des difficultés avec les consonnes et n'était pas très fort sur les voyelles. Il leva le nez et aperçut un nuage tout blanc dans le ciel bleu. Il était léger comme une fumée, perdu et ridicule. Il entendit le coup tout de suite après. Un maillet de bois abattu sur un couvercle de barrique. L'idée le traversa que les Allemands devaient être totalement affolés pour faire donner la D.C.A. dans un ciel vide. A un croisement, il vit deux femmes marcher tranquillement vers un abri. L'une était vieille et il pensa à Mémé Marocci. Il aimait bien la grand-mère de Pascal. Elle ne se moquait jamais de lui et elle écoutait toujours les disques qu'il lui avait offerts pour son anniversaire, au début de la guerre. Chaque fois qu'il venait, elle lui en mettait toujours un sur le pick-up. Elle devait être seule en ce moment...

Il fit demi-tour et prit la direction de la rue des Bons-Enfants.

Peut-être avait-elle peur, il allait lui faire un peu de conversation, ou plutôt c'est elle qui lui ferait parce qu'elle était plus bavarde que lui et que... Un éclat de lumière lui fit lever la tête à nouveau. Il vit monter des points d'argent, très haut, en plein bleu. Ils semblaient sortir de derrière les toits. C'était régulier comme un dessin, des pointes d'épingles alignées. Il en sortait toujours, comme des minuscules éclats de verre dans le soleil. Ils étaient si hauts que le bruit des moteurs ne lui parvenait pas. Il y eut un trille d'oiseau sous les frondaisons naissantes, un chant rapide et joyeux comme une plaisanterie lancée...

Quelque chose allait se passer. Il le sentait, c'était indéfinissable, il y avait comme une attente crispée des pierres, des tuiles, de la ville tout entière... Sans savoir pourquoi, il se mit à courir le long des façades. Arrivé à un carrefour, il vit l'immeuble qui lui faisait face onduler dans la lumière du matin... C'était très doux, un flottement soudain, comme au fond d'une rivière calme. Tout un pan se détacha au ralenti et glissa... C'était un film, comme les actualités au Cinéac le dimanche matin. Le fracas se déclencha tandis que la lumière se survoltait d'un coup. Un nuage fondit, noyant la rue et il vit des gravats tournoyer en l'air... Il se plaqua contre le mur tandis que la bombe percutait l'asphalte à cent mètres de lui, le souffle brûlant lui coupa la respiration mais il n'y prêta pas attention. Dans le hurlement continu de l'air déchiré, les cris des blessés enterrés sous les décombres lui parvinrent...

Séraphine desserra l'étreinte des bras de Marthe et repoussa les éclats de verre.

— Le matelas, vite !...

Elles le traînèrent sur le plancher, au milieu des vases et des bibelots brisés. La foudre était sur elles... Un sifflement géant vida l'espace de son air. Marthe hurla, Séraphine d'un coup de reins plaqua le matelas contre la fenêtre. L'explosion les jeta par terre. Elle sentit la maison craquer... et enfonça son visage dans la toile épaisse. Que se passait-il ? Pourquoi bombarder la ville ? Pourquoi ce massacre ? C'était une erreur, une folie.

— Marthe ! Couche-toi !

Marthe, un instant relevée, se laissa glisser sur les genoux. Sans répit des larmes coulaient de ses yeux mauves. Il y eut une flamme courte au-dessus des toits et la détonation leur boucha les tympans. Sa bouche s'ouvrit : devant ses yeux, à quelques centimètres à peine, une fissure se formait, un zigzag irrégulier qui déchirait les fleurs mordorées du papier mural, les fleurs épaisses et charnues, éclatantes et pleines et qui sentaient déjà l'automne et la mort.

Séraphine suivit le regard de Marthe et la progression de la brisure, elle partait de l'angle droit du plafond et courait en diagonale jusqu'au-dessus du marbre de la cheminée. Si d'autres bombes ébranlaient à nouveau la maison, elle s'ouvrirait comme ces tomates mûres qui, les jours de canicule, rendent au soleil leur chair trop vivante et trop riche...

— Il y a une cave ?

Elle secoua Marthe figée, hurlant.

— Il y a une cave ?

Marthe acquiesça vaguement. Séraphine la prit sous les bras, la souleva.

— Ah ! fais pas l'enfant, Marthe, dépêche-toi... Il faut descendre.

Marthe hocha la tête.

— J'ai plus envie, Fine... plus de force.

Séraphine la tira à elle. Le talon de sa chaussure racla le sol, souleva le tapis, entraînant le guéridon. Des vases oscillèrent. Le sifflement partit du fond du ciel, il enfla... C'était le bruit de la terreur, un cri d'effroi lancé à pleine gorge, il submergeait le monde, les collines, la ville...

A travers les fenêtres brisées, malgré la brume de poussière et de fumée, elle vit le lent tournoiement des bombes : elles descendaient par grappes, elles étaient de longs poissons de fer nageant dans l'infini avant que n'éclatent leurs entrailles de mort... Séraphine se rua sur Marthe et, avec un cri de terreur, la plaqua contre le mur opposé, le guéridon bascula dans le staccato des tirs antiaériens. La terre trembla. Elle plaqua ses mains contre ses oreilles et rampa sur le parquet, traînant Marthe avec elle.

La porte de la salle de bains pendait, arrachée. Par l'ouverture, elle vit une main invisible soulever le tuyau qui courait le long du mur, il se couda, sembla s'étirer et cassa net. L'eau fusa, inondant le dallage.

Un calme soudain envahit Séraphine. Cela allait finir, ce n'était pas possible, c'était trop fort, trop horrible, il ne pouvait pas y avoir pire... Par la fenêtre, une pluie de tuiles et de pierres gifla la façade... Plus haut, à quatre mille mètres d'altitude, les forteresses volantes revenaient pour un autre passage ; il leur restait plus de la moitié du chargement de bombes à larguer.

Pascal trébucha sur une valise, en enjamba une autre et marcha en direction de l'extrémité du tunnel. Il se trouvait sous le boulevard Chave... La police interdisait de sortir.

— Le port est en flammes...

L'homme venait d'arriver, il haletait encore, une trace de suie rayait son front. Le roulement continu des bombes se poursuivait. Cela faisait plus de huit minutes que la première avait éclaté.

— Marseille est anéantie. C'est le carnage absolu, l'extermination totale, les morts arrivent par camions entiers, je vous parle pas des blessés, c'est pas un désastre, c'est un cataclysme.

Il donnait l'impression de vouloir déchirer sa casquette en menus morceaux... Une femme rattrapa un gamin qui filochait le long des rails et, d'un même mouvement, lui retourna une gifle claquante comme un drapeau et le plaqua contre elle.

— Mais qui c'est qui fait une chose pareille ?

— Les Américains, qui vous voulez que ce soit... ! Ils conduisent avec des bouteilles de viski dans les poches, alors vous imaginez !

— Vous y êtes, vous, dans leurs avions pour savoir ce qu'ils y font ?

Dans l'obscurité, Pascal distingua l'éclat métallique d'une branche de lunettes et d'un verre pour grand myope.

— En tout cas, ce que je sais, c'est qu'ils bombardent de trop haut et que...

Le brouhaha s'accentua, des bruits lointains de voitures de pompiers perçaient à peine le brouillard qui avait obscurci le ciel. Pascal s'écarta des murs encombrés et suivit les traverses.

A l'entrée, un des policiers desserra la jugulaire de son casque.

— Je crois que c'est fini...

Pascal et quelques hommes firent quelques pas hésitants à l'extérieur, scrutant les maisons.

— Ça n'a pas l'air d'avoir trop bougé, murmura quelqu'un.

Une camionnette chargée d'hommes pila devant eux. Certains avaient des pelles.

— Il faut des volontaires pour retirer les blessés de sous les gravats, dépêchez-vous...

Pascal, d'un rétablissement, se retrouva sur la plate-forme du véhicule, d'autres le suivirent...

Il était à peu près sûr que Séraphine n'avait rien. Les alliés avaient dû bombarder les objectifs militaires, les installations du port et les travaux qu'avaient entrepris les nazis le long de la côte, les blockhaus en cas de débarquement... Ils n'avaient pas pu viser la ville, c'était inutile et ridicule.

La camionnette roulait, se penchant dans les virages. Sur les trottoirs des gens couraient, se masquant la bouche, la poussière avançait en longues et nuageuses traînées voilant le quartier.

— Ça brûle sur Mempenti, tout le quartier est en flammes.

Le chauffeur freina soudain : des madriers et des pierres écroulées barraient la rue, au centre une excavation profonde crevait la chaussée. A cinquante mètres à peine du point d'impact de la bombe, Pipette bougea son bras droit, poussant de toutes ses forces pour ébranler les blocs de pierre. La cage d'escalier pendait dans le vide et oscillait avec des grincements. Un pied sortait de l'entassement de ferrailles tordues. Ils étaient au moins une trentaine bloqués en bas, dans la cave et il faudrait des jours pour dégager la porte, la maison était tombée sur elle-même, obstruant toute sortie.

Il ne lui fallait pas penser à Rosalie, ni à Rosine, même pas aux copains... Une poutre lui écrasait la cuisse et il ne pouvait voir la partie inférieure de son corps cachée par l'effondrement d'une cloison. Des sauveteurs viendraient... On ne pouvait pas laisser les gens étouffer, enterrés vivants, cela n'existait pas, c'était trop...

Il cria et ne perçut aucun son en réponse. Il s'arc-bouta, posa la paume de ses mains sur un chambranle de porte et poussa de toutes ses forces pour dégager ses jambes de la gangue de pierre et de ciment sous laquelle elles étaient prises. Il sentit la douleur vriller ses os, serra les dents et continua. Les veines de son cou gonflèrent. Il tenta de ruer en forcené pour déplacer la montagne mais rien ne bougea. La sueur jaillit et ses poings boxèrent le sol... Ne pas s'énerver, tenir avant tout. On allait venir le dégager. Il renversa son front mouillé et ferma les yeux.

C'était cette femme et le petit garçon qui l'avaient appelé : elle ne parvenait pas à ouvrir la porte. Il les avait aidés à s'installer dans la cave... C'est en sortant qu'il y avait eu la tempête de Dieu... Elle l'avait jeté à travers l'escalier comme un fétu dans un grand vent et tout lui était tombé dessus...

« J'aurais préféré Rosine et j'ai eu Rosalie... Pourquoi est-ce que je dis " j'ai eu " ? Je l'ai toujours, je ne suis pas encore mort... C'est mouillé autour de ma taille, le sang s'est dilué en rose avec le ciment... Ce doit être une coupure... Il faut qu'ils viennent avec des pelles, des leviers... »

Il n'avait rien senti lorsque toutes ces tonnes de madriers, de pierres, de tuiles et de briques lui étaient tombées sur les jambes, mais la douleur venait à présent. Assommée, elle s'était réveillée par à-coups et elle serait là bientôt, féroce, déchaînée...

Il prit appui sur un bras, donna un coup de reins terrible et hurla dans le vide. Une scie derrière le mur éboulé le coupait en deux...

Il ferma les yeux et ce fut le soleil des calanques le jour de l'anniversaire à la Mémé... Il avait toujours aimé ces moments de mer chauffée aux grands feux du ciel, la mer comme un bol de lait bleu dans la porcelaine des récifs... Rosine aux bras nus, Pascal, Pestadou, les amis...

Il ne tiendrait plus longtemps à présent. Ses doigts bougeaient tout seuls, il les regarda un moment, cherchant un sens caché à leur danse vibrante... « Mes jambes doivent être broyées... Si je m'en sors, je serai peut-être en petite charrette, un infirme, comme le ravi de Saint-Barnabé, celui dont on se moquait toujours et qu'on appelait Plan-Plan... Jamais. »

Pipette tenta d'immobiliser le tremblement de ses mains et se demanda si l'on pouvait arriver à s'étrangler soi-même... Ce ne devait pas être possible. Il toussa : son cœur avait eu un raté, une inattention, comme lui autrefois, lorsqu'il tuait les moutons sur les docks et qu'il en laissait passer un. Une deuxième fois, il sentit dans sa poitrine cette paresse soudaine. De sa main libre, il cramponna un bloc encastré dans les autres, referma les doigts en étau et resta quelques secondes immobile : c'était le dernier essai, il n'y en aurait pas d'autres. Il fallait en finir. Ses muscles se tendirent, les veines gonflèrent en couleuvres, il mit toute sa vie dans son poignet et tira.

Depuis les culottes courtes, dans les ruelles blanches de Sainte-Marthe, il avait toujours été le plus fort, il avait connu l'époque des grandes bastonnades avec ceux de Saint-Barthélemy, du Merlan ou de Bon-Secours, et avait toujours gagné.

Lorsque son bras retomba, Rosine et Rosalie arrivèrent en caraco d'autrefois, elles portaient dans leur couffin du vin froid qui sentait la mûre et la pinède, des pommes d'amour, de l'huile d'or et des poivrons verts, ceux qu'on mange en salade avec le sel et la feuille de basilic. Leurs bras étaient nus et leurs cheveux défaits, elles riaient ensemble et Pipette fut bien soulagé car il avait craint un moment qu'elles se disputent, ce qui arrive souvent dans les histoires d'amour lorsque vient l'heure des rivalités...

Quand les déblayeurs découvrirent son corps, aucun d'entre eux ne put supposer qu'il ait pu résister une seule seconde à la masse monstrueuse qui l'écrasait aux trois quarts. Pipette fut déposé dans la chapelle ardente qui fut élevée le surlendemain. Il y eut un peu plus de deux mille morts. Deux cent cinquante avions avaient largué plus de mille bombes au milieu de la ville.

SÉRAPHINE ne se cachait presque plus. Le soir du 14 août, la radio anglaise lança le message attendu : « Le torrent fait un bruit de tonnerre. » Elle connaissait le code et entraîna Marthe dans une farandole autour de la table de la cuisine... Mémé Marocci faillit en laisser tomber son plat d'aubergines.

— Vous êtes devenues fadades ?

Séraphine embrassa la vieille dame au passage.

— Ils ont débarqué en Provence !

— A Marseille ?

— Pas loin !

La vieille dame hocha la tête, manœuvra sans succès les boutons de la cuisinière et eut un soupir.

— Eh bé, mes petites, vous mangerez froid : il n'y a plus de gaz.

Les coupures avaient été annoncées. Depuis trois jours, les prix étaient montés en flèche : les convois de ravitaillement n'arrivaient plus. Dans certains quartiers l'eau manquait et l'on avait vu des queues aux fontaines publiques... Le comité de libération préparait l'insurrection. La plupart des journaux avaient cessé de paraître.

Séraphine dressa l'oreille et ouvrit la porte.

— Le voilà !

Maria eut un sourire. Elle avait toujours admiré chez Séraphine cette reconnaissance animale qu'elle manifestait à l'endroit de Pascal. Il n'avait pas poussé la porte de la rue qu'elle savait déjà qu'il arrivait. C'était un sixième sens, un fluide... Il la serra contre lui, elle prit le temps de lui mordre les deux oreilles avant de lui annoncer la nouvelle qu'il connaissait déjà.

Il embrassa les deux autres femmes, desserra sa cravate, s'assit, étendit les jambes sous la table et posa sur la toile cirée un petit paquet enveloppé dans du papier d'emballage.

— Ça y est, dit Séraphine, encore une nouvelle rivière de diamants, tu me gâtes trop !

Mémé Marocci posa la cafetière à côté du bol et fixa l'objet.

— Si c'est un saucisson, dit-elle, il est pitchounet.

Marthe, qui avait toujours eu un faible pour les charcuteries, eut une montée de salive. Cela faisait quatre jours que les trois femmes se partageaient un ragoût géant de courgettes dont chaque bouchée leur soulevait le cœur.

— Montre-nous, ne nous fais pas languir, dit Séraphine.

— Ce serait dommage !

Il déplia le journal et un petit cercueil apparut. Le bois en avait été peint en noir. Séraphine s'assit doucement. De la chambre voisine, tous entendirent le tic-tac de la pendule.

— Pestadou a le même, annonça Pascal. Nos noms étaient dedans... Ils étaient ce matin sur le pas de la porte de Chez Praline.

La vieille dame reprit la cafetière et versa le liquide trop clair dans la tasse de son petit-fils. Marthe posa sa main sur l'épaule de Pascal. Les yeux de Séraphine s'étaient dilatés. Il était toujours étonné de ce visage qu'il connaissait plus que tout autre et dont il n'arrivait jamais à épuiser toutes les richesses. En cet instant il lui parut ne jamais avoir remarqué l'arc des sourcils, une ligne doucement brisée, parfaite jusqu'à la douleur.

— C'est stupide, ils savent pourtant ce que tu as fait. Benedict est au courant, il a dû...

Pascal posa l'index sur le dessus du cercueil.

— Benedict n'est pas un bavard et a raison de ne pas l'être. Il me l'a dit un jour dans un bar à deux pas d'ici : quand on obtient un renseignement, il n'est pas utile de dire qui vous l'a donné. Pour tout Marseille, je suis un homme de Belloro, je suis le patron de Chez Praline, la boîte à putes de tous les collabos du département.

Séraphine eut un haut-le-corps.

— Et l'affaire de l'hôpital Salvator, ils savent bien que c'est toi qui...

— Non. C'est une affaire personnelle. Je suis venu te chercher, c'est tout. Le lendemain, j'ai continué à servir le champagne à toute la Gestapo, c'est de ça qu'ils se rappelleront. Et puis le pire, c'est ceux qui jouent le double jeu, c'est de ceux-là qu'ils se méfient le plus.

Elle se leva. Il n'y avait plus de sang en elle.

— Je vais les joindre, dit-elle, les gens qui t'ont envoyé ça ne sont pas des nôtres, ils ont autre chose à faire qu'à s'amuser à envoyer ce genre de jouet...

Pascal se pencha.

— C'est la pagaille, petite. Tu ne joindras personne : il n'y a plus de téléphone, plus rien, et puis ton parrain et les autres chefs ont d'autres soucis en ce moment que de prévenir tous les résistants que le patron d'un bordel n'est pas complètement un collabo...

Marthe fit craquer la jointure de ses doigts joints.

— Rentre dans les F.F.I...

— Tout le monde rentre dans les F.F.I., je serais découvert plus vite.

Maria Marocci intervint :

— Il faut que tu partes... Qu'est-ce que font les Boches ?

— Leurs valises. Il y avait deux camions ce matin devant l'hôtel Beauvau, ils déménagent toutes les archives allemandes.

362

— Et les docks, demanda Séraphine, tu dois pouvoir t'y cacher, tu les connais bien...

— Ils sont minés, les ponts vont sauter dans les heures qui viennent. Il reste une solution.

— Laquelle ?

Le café refroidissait dans sa tasse. Il eut un sourire.

— La Taraillette.

Les paupières de Séraphine battirent. Du temps où elle abritait les réfugiés, une partie de la cave avait été aménagée en cas de descente surprise de la police.

Elle sauta sur ses pieds.

— On y va.

Mémé Marocci eut un regard vers le garde-manger vide.

— Et comment vous allez vivre ?

— On jeûnera, dit Séraphine, on a l'entraînement... Et Bénedict finira bien par donner signe de vie.

Marthe frissonna.

— Allez-y vite, vous êtes sûrs qu'on ne peut pas vous trouver là-bas ?

— Non.

La réponse de Séraphine avait claqué. Pascal se leva, embrassa sa grand-mère.

— Tu ne te fais pas de mauvais sang, dans quelques jours il n'y aura plus de danger.

— Ton père aussi disait ça, et tu sais ce qui est arrivé...

Ils sortirent tous ensemble, Pascal et Séraphine descendirent les escaliers. Il restait une heure avant le couvre-feu.

— En marchant vite, dit Pascal, on doit y arriver.

Elle lui prit le bras et ils se mirent à marcher en direction de la basilique.

Au coin de la rue, Pascal s'arrêta net et plaqua Séraphine contre l'auvent d'une porte. Ils étaient trois en chemise blanche. L'un d'eux était en short kaki, portait un étui de revolver et surveillait la rue.

— Ne bouge pas.

Le silence était si grand qu'ils entendirent le frottement du pinceau plein de colle sur la pierre... Cela dura
quelques secondes et le groupe s'éloigna en longeant les
murs. Un homme en maillot de corps les regardait,
accoudé à un balcon au troisième étage de la maison
d'en face

— Viens !

Ils repartirent. En passant devant l'endroit où les trois
hommes s'étaient arrêtés, ils virent l'affiche encore
mouillée et brillante. C'était l'appel à la grève générale
et à l'insurrection pour le lendemain. Instinctivement,
ils pressèrent le pas.

— C'est plus court par le boulevard.

Pascal remua négativement la tête.

— Trop large ! On va prendre par les ruelles.

Il y eut deux explosions violentes derrière eux. Ils ne
se retournèrent pas. Les déflagrations venaient de la
mer. Les premières charges commençaient à sauter le
long des installations portuaires. Cramponnée à Pascal,
Séraphine sans s'arrêter fit glisser la bride de ses
sandalettes d'une seule main.

— J'ai toujours mieux couru pieds nus...

Il y eut trois coups lointains, réguliers et secs qui
n'éveillèrent aucun écho. Séraphine reconnut le claquement d'un fusil de guerre.

La bataille de Marseille était commencée.

Depuis quatre jours, ils ne sortaient qu'à la nuit.

En cette fin de mois d'août, le ciel s'embrasait d'une armée de soleils et le long des journées, prisonniers, ils sentaient couler le long des murs et des volets clos les nappes d'une chaleur profonde et dorée. Dehors par les interstices des croisées, ils voyaient l'été martyriser les palmes et sans qu'aucun vent soit venu, il y avait parfois dans le frémissement d'un pin ou l'infini balancement d'une branche une plainte bâillonnée, un cri de feuille ou de fleur tentant d'échapper à la morsure des rayons.

Dans l'ombre permanente de la villa, ils erraient dans les pièces désertes, passant leur temps en longues siestes tièdes, en bavardages à mi-voix allongés sur les dalles plus fraîches... Ils avaient roulé les tapis, fuyant leur chaleur touffue. Ils firent l'amour dans toutes les chambres, sans notion du temps, baignant dans la semi-obscurité des heures d'un jour semblable éternellement renouvelé.

Lorsque la clarté diminuait enfin, lorsqu'ils sentaient à l'extérieur l'interminable soupir du parc libéré de l'étreinte torride, ils se glissaient sur la terrasse et attendaient la montée des étoiles. Alors seulement, ils s'enfonçaient vers les ombrages et s'installaient pour une nouvelle nuit dans le parfum des herbes hautes, à même la peau desséchée d'une terre exténuée...

Ils avaient retrouvé dans la cachette un demi-jambon et quatre boîtes de biscuits de soldat qui leur poudraient la bouche d'une poussière salée, ils la noyaient de vin de Cassis tiré d'une bonbonne, l'alcool leur brouillait la vue et déclenchait chez la jeune femme des rires imprévus.

Il n'y avait plus d'eau et écartant, à l'heure de la lune, les lentilles vertes de la vasque, ils s'étendaient ensemble dans les eaux moirées, bain nocturne frotté d'un restant de savon noir qui ne moussait jamais et leur faisait une peau de papier de verre... Ils traînaient derrière eux un relent d'encaustique et elle parfumait Pascal malgré ses protestations avec un ancien flacon Chanel oublié dans un tiroir d'une coiffeuse de la chambre bleue.

Durant les trois premiers jours, cassant le silence des cigales, le bruit de la bataille leur parvenait parfois... Ils écoutaient les combats de la ville, disséminés et lointains...

A l'aube du quatrième, Pascal se leva le premier. Dans chaque brin d'herbe, dans la nervure des feuilles et jusqu'à la dernière branche des grands pins, il sentit le raidissement de la sève... Le parc se préparait au long combat qu'il allait livrer tout au long des jours à venir... Boxeur sonné par des rounds déséquilibrés, il raidissait ses forces pour cette nouvelle rencontre. Le gong sonnerait très vite à présent, l'aurore déjà trop vive présageait un assaut plus violent que celui des jours qui avaient précédé. Près de lui Séraphine dormait encore. A la racine des cheveux, il vit les premières moiteurs naître. Jamais il ne ferait si chaud.

Il fallait rentrer, regagner l'intérieur de la villa. C'était l'instant de l'envie de cigarettes. Il avait coupé les six dernières en deux, tenu vingt-quatre heures avec des mégots retrouvés qui lui avaient brûlé les lèvres, c'était fini à présent.

Comme il posait la main sur l'épaule de Séraphine, il sentit sous ses reins une sorte de tressaillement et le grondement du canon déclencha l'envol instantané des oiseaux endormis.

Ils restèrent immobiles, les oreilles vibrantes.

Elle se redressa doucement et le regarda.

— La batterie de Notre-Dame, dit-il. Ou celle des collines Perrier, ils ont une quinzaine de canons dans une villa, juste au sommet.

Le bruit grondait encore, voyage cahotant le long des parois rocheuses. Ils se levèrent et, pieds nus sur les aiguilles de pin, entrèrent par la porte de la cave.

Dans le salon, une nouvelle salve fit trembler les vitres. Au plafond, les pendeloques du lustre tintèrent. Une seconde plus lointaine répondit.

— C'est au Racati, dit Pascal. Rien qu'avec ça, ils peuvent détruire la ville en deux heures.

— Qu'est-ce qu'on fait ?

— D'abord on s'habille.

Depuis leur arrivée, ils avaient vécu à moitié nus, elle lui avait prêté un peignoir de soie verte dont il avait fait craquer une couture. A l'instant où il enfilait son pantalon, l'enfer se déclencha. Il faillit tomber, perçut sous le vacarme l'éclatement cristallin de verre dans la salle de bains et se retint au bois d'un fauteuil.

Il bouclait sa ceinture lorsqu'elle apparut, cramponnée au chambranle de la porte.

— A la cave, vite… !

Il eut l'impression que les canons étaient dans la pièce, c'était ininterrompu à présent. Avant chaque obus, il lui semblait entendre le claquement des culasses verrouillées. Un sifflement métallique souffla tandis qu'ils dégringolaient les escaliers… Ils rabattirent la trappe et Séraphine tâtonna avant de trouver la dernière bougie. Tout tremblait autour d'eux.

— Embrasse-moi.

Il l'enlaça tandis que dehors, dans le matin safran, la canonnade se déchaînait.

Du haut de la basilique cernée de fumée, les éclairs

rouges des tirs stoppaient l'avance des chars de Montsabert, sans discontinuer l'artillerie allemande de toutes les bouches de ses canons tenait la position.

Pascal et Séraphine tressaillirent ensemble.

Cela venait du jardin. Des voix proches. Des hommes avaient franchi les grilles de la Taraillette. Au-dessus de leur tête il y avait eu une galopade rapide, perceptible malgré le fracas des obus.

— J'y vais, dit Pascal.

Elle se cramponna à lui.

— Je sors avec toi.

Il entrebâilla la porte et, entre les palmes, derrière les grilles, un casque brilla. Dans l'éclatement du soleil il en vit deux autres derrière le muret. La fumée et l'odeur de poudre avaient envahi le parc.

— Reste là.

Il courut vers eux, courbé, tandis que l'un des hommes se dressait soudain, vidant son arme en direction de la ruelle. Pascal vit la crosse tressauter contre l'épaule. L'un d'eux tourna vers lui un visage délayé de sueur, c'était un Marocain ou un Algérien, un des Tabors de Montsabert. Il s'accroupit à côté d'eux.

— Grenadier !

Un des tirailleurs courut quelques mètres, ancra son arme contre sa hanche et déclencha un tir tendu.

— Vous connaissez le coin ?

Pascal vit les galons du sergent sous la toile kaki. Malgré les explosions, on entendait le grésillement d'un poste de campagne, une voix nasillait, lointaine.

— Si vous voulez monter à la Vierge, il faut passer par le parc.

Le sergent se retourna vers ses hommes, ils étaient une dizaine tapis dans les encoignures. Le front et le nez brûlés de soleil pelaient par plaques.

— On y va, dit-il.

Les soldats escaladèrent les grilles, deux d'entre eux portaient des chèches noirs enroulés en galettes plates.

Pascal courut avec eux, ils traversèrent le parc et il leur montra la direction :

— Par les jardins, dit-il, il y a trois villas à traverser et vous êtes à mi-pente.

Ils disparurent sous les pins, les coudes maintenant les sacs et les cartouchières.

Le sergent se retourna et, dans un geste amical de deux doigts :

— C'est la fin, dit-il, les chars sont en place et on arrive de trois côtés à la fois, ils en ont pour un quart d'heure au plus.

Pascal sourit.

— Repassez par ici au retour, dit-il, il me reste un fond de vin du pays.

— Gardez-le-moi au frais.

Le sommet des arbres reflua sous le souffle d'un tir de mortiers tout proches et il sprinta vers la maison.

Il buta dans Séraphine et ils s'étalèrent tous deux sur les dalles du couloir.

— Qu'est-ce qui se passe ? balbutia-t-elle.

— Rien, dit Pascal, c'est fini. On est libres.

Le sergent aux coups de soleil ne revint pas boire le rosé de Cassis, il avait été tué avec trois de ses hommes, sur le parvis, en donnant le dernier assaut. La garnison se rendit vingt minutes plus tard.

Le lendemain, les troupes défendant le parc Borély furent faites prisonnières. Le soir même le général Schaeffer signa l'acte de capitulation sur un capot de jeep.

Il y eut un silence soudain sous le soleil vertical et toutes ensembles, des Chartreux jusqu'à Sainte-Marguerite, les cloches des églises se mirent à sonner.

Dans la vieille maison de la rue des Bons-Enfants, Mémé Marocci ouvrit la fenêtre de la cuisine, ferma les yeux et fit le premier signe de croix de sa vie.

ÉPILOGUE

Novembre 44

M<small>A</small> Quique ne revint jamais.

On put suivre sa trace jusqu'au camp de Compiègne, elle prit quelques jours plus tard l'un de ces trains qui amenaient les déportés jusqu'aux chambres à gaz de Pologne où la belle Marseillaise aux lèvres pleines se perdit avec bien d'autres, par un matin de crachin et de mort.

Pipette repose au cimetière Saint-Pierre dans l'allée 13, un carré toujours à l'ombre où viennent dormir les chats de l'été.

Pestadou fit quatre mois de prison aux Baumettes. Son avocat parla à son sujet d'infantilisme rédhibitoire, ce qui l'inquiéta, ayant cru un instant à une maladie grave. La chambre civique le reconnut coupable de trafic de marché noir, mais il fut acquitté des autres chefs d'inculpation.

Belloro fut fusillé avec Mangiaracca, le principal lieutenant de Sabiani. Le jour de son exécution, il tint à venir en cravate blanche et costume flanelle. Le peloton dut attendre qu'il eût exhalé les dernières bouffées de son cigare.

Cancerello coule des jours paisibles en Colombie où il a retrouvé un travail de journaliste et de conseiller politique.

Pascal dut passer près de six heures dans les locaux de la commission d'épuration. Les témoignages de Séraphine, d'anciens pensionnaires de la Taraillette et, bien entendu, de Benedict Constant lui permirent de ressortir libre. L'officier ayant à instruire son affaire lui donna même en sortant quelques formulaires à remplir. Si les réponses qu'il y apporterait étaient corroborées par des témoins, aucun doute qu'il obtiendrait une distinction militaire à l'ordre de la Résistance.

Sur le seuil du tribunal, Séraphine et Benedict s'embrassèrent et Pascal lui serra la main. Ils regardèrent le petit vieux descendre les marches, des boucles blanches dépassaient de son chapeau dansant dans le soleil de fin de jour. Démodé et saugrenu, il allait prendre le tramway de la gare, sautillant au milieu de la foule, en vieux danseur désuet et fragile.

— On ne dirait pas qu'il vient de gagner la guerre presque à lui tout seul, soupira Pascal.

Séraphine se suspendit à son bras.

— Tu vas être un héros. Comme ceux que tu imitais quand tu me sauvais des sauvages pendant les vacances d'il y a vingt ans.

Pascal soupira, déchira en quatre les papiers et ils regardèrent les petits rectangles virevolter dans les dernières secousses d'un mistral qui avait soufflé durant la semaine, glaçant ce début de novembre.

— Les médailles, dit-il, ça vieillit toujours les gens qui les portent. Mémé te dirait que c'est de la couillonnade avec du ruban et de la ferblanterie autour.

Elle leva les yeux vers lui et une bourrasque fit mousser ses cheveux.

— Finalement, dit-elle, on s'est retrouvés dans le même camp.

Il y avait, dans l'éclat rasant du soleil, une perle d'or rouge, tremblante comme une note sur un archet de violon, elle tomba dans les prunelles de la jeune femme et se mêla à l'eau tendre du regard qui montait vers lui, le submergeant déjà... Rien ne les avait séparés, rien ne pourrait le faire... Ils seraient deux à jamais sur le balcon de Marseille illuminée, meurtrie et déjà renaissante.

Malgré les rafales, ils grimpèrent sur les hauts de la ville... Les flancs de la colline où se dressait la basilique portaient encore les traces des combats. Ils s'arrêtèrent après les deux premières volées de marches... La ville était sous eux. Là-bas, de l'autre côté du port, la longue cicatrice blanche du vieux quartier détruit perdait sa lividité sous la caresse mauve des rayons. Des doigts de crépuscule apaisaient la douleur sur le visage de pierre. Le pont transbordeur dressait une arche unique. Des grues pointaient leurs flèches, déblayant encore les ruines des maisons écroulées.

Ils sentirent tous les deux la force invincible que contenaient ces rues, ces toits. Les siècles passaient, les guerres, les hommes et la ville demeurait impérissable entre mer et collines, têtue et alanguie, femme et guerrière à la fois.

Ils étaient pareils à elle. On ne pouvait pas les abattre. Demain l'usine renaîtrait, les affaires reprendraient, ils s'installeraient pour toujours à la Taraillette, un enfant peut-être, il était temps et il fallait faire plaisir à Mémé Marocci... Tant d'années allaient suivre avec ce même soleil, cette force de l'air et ces vols d'oiseaux bleus vers les îles de givre. Séraphine sentit le bonheur fondre sur elle comme un voilier de haute mer croisant au large du Frioul, un grand bateau de l'ancien temps, à carène large et aux toiles gonflées, pleines de toutes les joies à venir.

— Avec tout ça, dit-elle, je ne sais même pas si tu m'aimes toujours.

Il fit une grimace.

— Je te le dirai quand on aura gagné la prochaine guerre.

Les dents de la jeune femme se mouillèrent dans le soleil mourant.

— Tu as de l'espoir, dit-elle.

Il laissa le vent du soir bien emplir sa poitrine, une respiration qui chassa de ses poumons les années d'ombres épaisses.

— Non, dit-il, j'ai pas d'espoir, j'en ai pas besoin parce que je t'ai, toi.

Une mouette monta, frôlant les tuiles, elle prit de la hauteur et ils la suivirent longtemps des yeux jusqu'à ce qu'elle eût disparu dans l'incendie soudain de Marseille blessée, par-delà les derniers pins qui, au sommet des chaînes éblouissantes, semblaient fermer tous les horizons du monde.

Table

Le Livre de Poche Biblio

Extrait du catalogue

Sherwood ANDERSON
Pauvre Blanc

Guillaume APOLLINAIRE
L'Hérésiarque et Cie

Miguel Angel ASTURIAS
Le Pape vert

James BALDWIN
Harlem Quartet

Djuna BARNES
La Passion

Adolfo BIOY CASARES
Journal de la guerre au cochon

Karen BLIXEN
Sept contes gothiques

Mikhail BOULGAKOV
La Garde blanche
Le Maître et Marguerite
J'ai tué
Les Œufs fatidiques

Ivan BOUNINE
Les Allées sombres

André BRETON
Anthologie de l'humour noir
Arcane 17

Erskine CALDWELL
Les Braves Gens du Tennessee

Italo CALVINO
Le Vicomte pourfendu

Elias CANETTI
Histoire d'une jeunesse
(1905-1921) -
La langue sauvée
Histoire d'une vie (1921-1931) -
Le flambeau dans l'oreille
Histoire d'une vie (1931-1937) -
Jeux de regard
Les Voix de Marrakech
Le Témoin auriculaire

Raymond CARVER
Les Vitamines du bonheur
Parlez-moi d'amour
Tais-toi, je t'en prie

Camillo José CELA
Le Joli Crime du carabinier

Blaise CENDRARS
Rhum

Varlam CHALAMOV
La Nuit
Quai de l'enfer

Jacques CHARDONNE
Les Destinées sentimentales
L'Amour c'est beaucoup plus que
l'amour

Jerome CHARYN
Frog

Bruce CHATWIN
Le Chant des pistes

Hugo CLAUS
Honte

**Joseph CONRAD
et Ford MADOX FORD**
L'Aventure

René CREVEL
La Mort difficile
Mon corps et moi

Alfred DÖBLIN
Le Tigre bleu
L'Empoisonnement

Iouri DOMBROVSKI
La Faculté de l'inutile

Friedrich DÜRRENMATT
La Panne
La Visite de la vieille dame
La Mission

Paula FOX
Pauvre Georges !

Jean GIONO
Mort d'un personnage
Le Serpent d'étoiles
Triomphe de la vie
Les Vraies Richesses

Lars GUSTAFSSON
La Mort d'un apiculteur

Knut HAMSUN
La Faim
Esclaves de l'amour
Mystères
Victoria

Hermann HESSE
Rosshalde
L'Enfance d'un magicien
Le Dernier Été de Klingsor
Peter Camenzind
Le poète chinois

Bohumil HRABAL
Moi qui ai servi le roi d'Angle-
terre

Composition réalisée par BUSSIÈRE 18200 Saint-Amand-Montrond

IMPRIMÉ EN FRANCE PAR BRODARD ET TAUPIN
Usine de La Flèche (Sarthe).
LIBRAIRIE GÉNÉRALE FRANÇAISE - 6, rue Pierre-Sarrazin - 75006 Paris.

ISBN : 2 - 253 - 06178 - 6   ◈ 30/9517/1